TROIS HOMMES
DANS UN BATEAU

JEROME K. JEROME

TROIS HOMMES DANS UN BATEAU
(sans parler du chien !)

Traduction
par
Déodat SERVAL
révisée par André TOPIA

Introduction, notes et chronologie
par
André TOPIA

Bibliographie mise à jour (2015)
par
Lionel MENASCHÉ

GF Flammarion

© Flammarion, Paris, 1990.
ISBN : 978-2-0813-6670-1

INTRODUCTION

Les relations entre *Trois hommes dans un bateau* et le public britannique furent dès l'origine sous le signe du malentendu. Alors que les lecteurs français croient trouver outre-Manche la même unanimité pour acclamer ce chef-d'œuvre, les choses sont loin d'y être aussi simples. Si le livre continue à avoir un succès sans faille auprès du grand public, les critiques et les lecteurs dits cultivés ont souvent une réaction assez crispée et condescendante devant ce qui passe partout ailleurs qu'en Angleterre pour la quintessence de l'humour anglais. Et on peut sentir chez eux un agacement certain à se voir constamment renvoyés à cette image bien peu glorieuse de trois petits employés de bureau en goguette sur la Tamise. On s'imagine mal, en effet, l'exaspération d'un Britannique qui, arrivant en France, en Allemagne ou en Russie, ne cesse de rencontrer des gens persuadés, pour avoir lu avec délices dans leur enfance *Trois hommes dans un bateau*, que la vie anglaise n'a plus de secrets pour eux. Ce qui ne veut pas dire que le canotage sur la Tamise, les promenades dans les parcs à labyrinthe et la consultation désabusée des baromètres ne sont pas des activités hautement britanniques. Mais y voir l'archétype de ce que l'Angleterre a de plus universel suscite outre-Manche une méfiance compréhensible. Car si la tranche de vie anglaise que nous présente Jerome n'est pas replacée dans son contexte historique, social et linguistique, elle peut devenir simple carte postale. Or, c'est en grande partie cette image « exportée » qui a fait le succès international du livre, une image tout aussi artificielle, mais tout aussi tenace que les moustaches et le parapluie du Major Thompson en France ou les clichés des *country houses* anglaises exportées aux Etats-Unis par les romans de P. G. Wodehouse et tendant à faire croire que les Anglais passent leur temps à aller à la chasse au renard et à tailler leurs rosiers. Faire une lecture de *Trois hommes dans un bateau,* c'est donc à la fois débusquer ces clichés et essayer de retrouver, malgré tout, ce que ce texte extraordinaire a de profondément anglais, envers et contre tout. Pour cela, un détour par l'histoire est nécessaire.

Le succès des ouvrages de Jerome s'explique dès le début par le goût du public londonien pour le journalisme littéraire. Lorsque paraît *Trois hommes dans un bateau,* J. K. Jerome n'est déjà plus un inconnu. Il a publié en 1885 une série d'essais racontant son expérience de théâtre amateur, *On the Stage and Off — the Brief Career of a Wouldbe Actor (Sur Scène et Hors Scène — la Brève Carrière d'un prétendu acteur)* d'abord en feuilleton dans le magazine *The Play,* puis en volume séparé. A sa grande surprise l'ouvrage a eu un certain succès. Mais c'est surtout le recueil suivant, *Idle Thoughts of an Idle Fellow (Pensées oisives d'un oisif),* d'abord publié en feuilleton dans le magazine *Home Chimes,* qui le fait connaître en 1886. Cette réussite est due en partie au fait que Jerome avait trouvé le format et le style convenant idéalement aux attentes d'un public de *commuters* qui faisaient le va-et-vient entre Londres et la banlieue et étaient des habitués des librairies de gare. Ce type d'essai « léger » offrait le juste mélange d'humour et de réflexion à des lecteurs qui voulaient se procurer un moment de détente tout en cherchant autre chose que les *penny novels* (romans de quatre sous) qui fleurissaient à l'époque.

L'anglais, langue où les mots ont souvent une connotation sociale, fait en littérature une distinction tranchée, aux implications aussi bien sociales qu'intellectuelles, entre le *lowbrow* (« front bas », sans prétentions intellectuelles) et à l'autre extrême le *highbrow* (« front haut », d'une haute tenue intellectuelle). Cette distinction qui se cristallisa au début du xxᵉ siècle trouve son origine dans les clivages qu'entraîna le développement de la lecture pendant la seconde moitié du xixᵉ siècle. L'époque victorienne vit un développement prodigieux du roman populaire, en particulier des mélodrames romanesques comme ceux de Marie Corelli, Ouida ou Hall Caine, qui atteignirent des tirages inégalés. Au point que dans un article du *Saturday Review* de 1896 H. G. Wells en rendait responsable le *Education Act* de 1870 qui, en instaurant l'instruction élémentaire pour tous, avait selon lui donné aux illettrés l'accès à la lecture sans prévoir qu'une fois qu'ils sauraient lire ils se précipiteraient non pas sur les chefs-d'œuvre de la littérature anglaise, mais sur les romans de bas étage qui peuplaient les kiosques à journaux des gares.

Mais entre les deux extrêmes, entre les distractions du peuple inculte et le raffinement de l'élite, se développa ce qu'on désignerait plus tard par le terme un peu condescendant de *middlebrow* (« front moyen »), une littérature intermédiaire qui cherchait à conquérir un public plus vaste sans tomber dans les clichés du vulgaire. Les frontières en sont fluctuantes et controversées, mais on pourrait y inclure des auteurs aussi divers que John Galsworthy, H. G. Wells et Somerset Maugham. Ce genre d'ouvrages s'adressait tout particulièrement à une classe qui s'était considérablement développée au cours du xixᵉ siècle, les employés de bureau de la *City* et plus généralement toute une population de petits bourgeois londoniens qui, tout en n'ayant pas véritablement accès à la culture dans un pays où les universités étaient encore la chasse gardée des classes aisées, cherchaient à marquer leur distance par rapport à la masse ignorante, et cela d'autant plus qu'ils étaient issus du peuple et n'en étaient parfois pas encore très éloignés. On trouve un admirable portrait de cette *gentility* (prétention à la distinction et à la respectabilité) avec le héros de *The Diary of a Nobody* (*Le Journal d'un rien du tout*) (1892) de George et Weedon Grossmith, Mr. Pooter, l'employé du bureau qui quitte sa banlieue tous les matins en autobus pour aller travailler dans sa compagnie d'assurances de la *City*. Mr. Pooter tient un journal dans lequel revient avec une fréquence obsessionnelle une prétention à la distinction et un désir de se rapprocher des classes supérieures qui lui tiennent lieu d'identité sociale. Vingt ans plus tard, un autre personnage de roman, tragique celui-là, illustrera cette relation complexe à la culture de la classe dominante : c'est Leonard Bast, le petit employé de bureau qui dans *Howards End* (1910) de E. M. Forster cherche vainement à se hisser à la véritable culture, celle des riches, et en mourra.

Jerome incarne tout à fait cette position médiane inconfortable, à la fois socialement et culturellement. Et les critiques, comme on le verra plus loin, le lui feront payer. On sent, en effet, dans *Trois hommes dans un bateau* un désir de se démarquer du monde des romans-feuilletons, que ce soit en parodiant les clichés de « l'héroïne de roman moderne » à la taille « divinement élancée » (Chap. 18) ou en se moquant du *London Journal* (Chap. 12), magazine qui par ses chroniques mondaines cherchait à donner au grand public l'impression qu'il avait accès à l'univers de l'aristocratie. En revanche, et cela est révélateur, on verra que sa distance et son humour l'abandonnent tout à fait quand il est en face des genres « nobles » et que c'est une des faiblesses de son livre. Il était capable de se moquer d'une littérature vulgaire à laquelle il se sentait supérieur, mais n'avait pas les moyens de regarder avec détachement une culture à laquelle il savait qu'il n'aurait jamais vraiment accès.

L'origine de *Trois hommes dans un bateau* est dans un voyage en canot sur la Tamise entrepris au printemps 1889 par J. K. Jerome peu de temps après son mariage. Il fit ce voyage en célibataire, accompagné seulement de ses deux compères habituels, George Wingrave, un gérant de banque, et Carl Hentschel, un photographe. Tous trois avaient pris depuis un certain temps l'habitude de partir le dimanche de Kingston pour passer la journée à canoter sur la Tamise. Il décida tout de même de prendre quelques notes pendant le voyage, se disant qu'il y avait peut-être là matière à un ouvrage. Mais, comme il le dira plus tard dans son autobiographie, son intention première n'était nullement d'écrire un livre humoristique : « Je n'avais pas l'intention d'écrire un livre comique. Je ne savais pas que j'étais un humoriste. Je ne suis toujours pas sûr d'en être un. » Le récit devait paraître en feuilleton sous le titre « L'Histoire de la Tamise » et être avant tout une célébration de la rivière, mêlant description de paysage et chronique historique. Afin de rendre l'ensemble plus attrayant, il avait prévu des passages de « *humorous relief* », intermèdes humoristiques pour la détente du lecteur.

Mais une fois qu'il fut rentré à Londres, lorsqu'il se mit à rédiger, une chose étrange — mais qui rétrospectivement n'a rien de surprenant — se produisit : il n'eut aucun mal à écrire les intermèdes comiques, alors qu'au contraire l'histoire de la Tamise avait une gestation difficile. Il décida donc d'écrire d'abord toutes les scènes humoristiques et de rajouter les morceaux sérieux à la fin. On sait comment tout cela se termina : la structure finale est en fait l'inverse de ce qui avait été projeté, et l'évocation historique de la Tamise n'apparaît plus que sous la forme d'intermèdes, pas toujours réussis et pas toujours bien intégrés dans le récit, alors qu'au contraire ce sont les aventures comiques du trio qui fournissent l'unité de l'ouvrage et lui donnent sa continuité. Ce renversement fut encore accentué par le fait que l'éditeur du magazine *Home Chimes,* où le livre parut d'abord en feuilleton, s'apercevant que c'était la veine comique qui plaisait et faisait augmenter le tirage, supprima sans hésiter la plupart des passages descriptifs et historiques et changea même en cours de route le titre *L'Histoire de la Tamise* en *Trois hommes dans un bateau.*

Voyant que le feuilleton était un succès, Jerome décida alors, comme cela se faisait souvent à l'époque victorienne, de le publier ensuite en volume. Il choisit pour cela l'éditeur Arrowsmith. Ce furent eux qui publièrent deux ans plus tard un autre énorme succès de la littérature victorienne, *The Diary of a Nobody* déjà mentionné, qui allait être avec le livre de Jerome l'autre pilier de la maison. Le succès de *Trois hommes dans un bateau* ne se démentit pas, au point que l'éditeur fut amené à faire plusieurs impressions et se demanda même un jour ce que devenaient tous les exemplaires qu'il publiait : « Je crois que le public doit les manger. »

Pourtant les critiques firent la fine bouche. Et ce fut le début d'un malentendu qui allait poursuivre Jerome pendant toute sa carrière littéraire. Le critique du *Saturday Review* jugea que le style était gâché par « l'anglais familier qui est celui des employés ». Il décréta le livre incompréhensible pour qui n'était pas londonien et n'y vit qu'un intérêt de document pour ceux qui étudieraient plus tard « l'argot de la fin de l'époque victorienne ». Quant à l'humour et aux personnages, il les condamna sans appel comme « pauvres, limités et décidément vulgaires ». *L'Observer* exprima aussi des réserves, trouvant l'humour de Jerome trop coloré de sentimentalisme. Quant au magazine *Punch,* il ne vit là lui aussi qu'argot vulgaire et condamna l'ouvrage comme un exemple du « *new humour* », terme alors infamant et qui allait pour longtemps s'attacher à Jerome. L'humoriste Max Beerbohm, arbitre en matière d'esprit, déclara plus tard dans une critique assassine d'une pièce de Jerome : « Cet auteur de dixième ordre nous inonde

depuis dix ans de ses produits de dixième ordre. » Ce
point de vue n'est pas loin d'être partagé par J. B.
Priestley [1] qui dans son ouvrage sur l'humour anglais
exécute tout aussi sommairement *Trois hommes dans un
bateau* ainsi que par George Sampson [2] qui dans son
histoire de la littérature anglaise définit Jerome
comme le représentant du « genre d'humour propre
aux bars et au music-hall typique des employés
cockney de son époque ».

On notera l'étiquette condescendante de
« cockney » (qui désigne le langage populaire londonien) constamment appliquée à Jerome. Qu'il s'agisse
de Jane Austen, des sœurs Brontë, de George Eliot,
Meredith ou Thomas Hardy, le lieu privilégié des
grands romans anglais du XIXᵉ siècle n'est pas Londres
mais la province où les vraies valeurs de l'Angleterre
semblent enracinées loin des influences dangereuses
de la capitale. En cela Dickens est une exception et
pendant longtemps fut considéré par l'*establishment*
littéraire comme un romancier « populaire ». En fait,
ce qui est sous-entendu par le terme de « cockney »,
c'est tout simplement que Jerome n'est pas vraiment
un *gentleman,* accusation qui avait déjà été lancée
contre Dickens et qui signifie une exclusion sans appel
du monde « respectable ». Jerome avait d'ailleurs une
immense admiration pour Dickens avec qui il a des
points communs. Il déclara avoir beaucoup pensé à
Dickens en écrivant ce qui est probablement son seul
vrai roman, *Paul Kelver.* Comme lui, il a un goût
prononcé pour le théâtre, le music-hall et le mélodrame. Comme lui, on le verra, il a une écriture très
dramatique et bâtit ses scènes comme des composi-
tions théâtrales. Et comme Dickens, il a un sens très
aigu des idiomes de la langue parlée. Mais il lui
manque quelque chose d'essentiel : là où Dickens
plonge dans tout un univers populaire foisonnant qui

1. Voir Bibliographie.
2. George Sampson, *The Concise Cambridge History of English
Literature*, Cambridge University Press, 1959.

l'a fait comparer à Shakespeare, Jerome est incapable de faire vivre d'autres êtres que des petits bourgeois. Dès qu'il quitte son monde d'employés, de petits boutiquiers et d'aubergistes, il sombre dans l'artifice. Le peuple et l'aristocratie sont renvoyés dans la fiction des vignettes historiques ou des « morceaux littéraires ».

En fait, les critiques étaient prodigieusement agacés de voir ce qui n'était pour eux que plaisanteries de pub et petits employés en goguette élevé au rang de succès littéraire. De plus, Jerome avait commis le crime de vouloir pratiquer l'humour, genre réservé aux classes cultivées, sans avoir le bagage culturel requis et sans pouvoir revendiquer une appartenance à un quelconque *establishment*. Et de fait, à l'époque où il écrivait ses premiers essais, il n'était encore qu'un petit clerc de notaire subvenant péniblement à ses besoins en travaillant dans un bureau chaque jour de dix heures à dix-huit heures. Il raconte dans son autobiographie comment il rentrait chez lui le soir, s'achetait une côtelette qu'il faisait frire sur la poêle que lui prêtait sa logeuse, puis nettoyait la table et se mettait à écrire. La blessure restera vivace et dans son autobiographie il se souviendra avec amertume que le *Morning Post* avait parlé de son œuvre comme « un exemple des tristes conséquences à attendre de l'excès d'éducation parmi les classes inférieures ».

Mais, pendant ce temps, le public adorait et en redemandait. *Trois hommes dans un bateau* devenait le livre à la mode et on s'en lisait des passages à haute voix dans les dîners. L'ouvrage fut rapidement publié dans une multitude de langues et fut même utilisé comme livre de lecture dans les écoles allemandes. Edmund Wilson raconte avoir vu reproduit dans un manuel soviétique publié en 1959 à l'usage d'étudiants l'épisode de la gare de Waterloo (Chap. 5) comme un exemple illustrant l'inefficacité des chemins de fer capitalistes comparés à ceux de l'Union soviétique. Cette gloire internationale n'eut pas pour Jerome toutes les retombées financières qu'il aurait pu en attendre. Il ne toucha pas un sou pour le million d'exemplaires pirates publiés aux Etats-Unis. Et ce fut encore pire en Russie où le livre eut un énorme succès : non seulement les éditions pirates ne rapportèrent rien à l'auteur, mais les traductions furent tellement fantaisistes que Jerome écrivit une lettre indignée au *Times* à ce sujet en 1902.

Bien que l'orientation générale du livre ait changé par rapport au projet original, le personnage principal du récit reste peut-être la Tamise. C'est elle l'héroïne dont Jerome ne cesse de chanter les beautés dans des tirades d'un lyrisme parfois un peu naïf. La Tamise avec ses écluses, ses petites villes résidentielles un peu endormies, ses vastes demeures dont les parcs descendent jusqu'au bord de l'eau, ses auberges accueillantes, son calme parfois troublé par le ronflement des bateaux à moteur, les notes discordantes d'un banjo mal accordé ou les chansons d'une troupe de fêtards.

Cet amour de la rivière qui ne le quittera jamais s'explique d'abord par des raisons biographiques. Jerome est né et a passé les premières années de son enfance à Walsall, banlieue industrielle de Birmingham située au cœur même du *Black Country* (Pays noir), le bassin houiller de l'ouest des Midlands, où son père, avant d'être ruiné, était propriétaire de petites mines de charbon. Il garda un souvenir assez sombre de cette région qu'il décrivit ainsi dans son autobiographie : « des rivières noires coulent entre des berges noires, des arbres noirs rabougris poussent dans des champs noirs ». La famille habita ensuite dans un quartier assez sinistre de l'East End à Londres, près de Limehouse et là encore, toujours selon l'autobiographie, le décor semble avoir été assez lugubre : « l'effrayant silence des rues fatiguées. Les visages cendreux aux yeux sans vie qui surgissent des ténèbres et disparaissent ». C'est d'ailleurs là qu'il découvrit la Tamise toute proche, mais sous son aspect le plus sale. Ensuite, lorsqu'il mena la vie

difficile de petit employé à Londres, d'abord au
service des billets de la gare Euston pour dix shillings
par semaine, puis successivement comme secrétaire
d'un agent de change et comme clerc de notaire, il
connut les chambres meublées exiguës et les fins de
semaine difficiles.

On comprend mieux alors que la haute vallée
verdoyante de la Tamise lui soit apparue comme un
véritable paradis, une enclave pastorale du passé
échappant encore à la laideur urbaine envahissante.
Pourtant là aussi le rêve pastoral est plus ou moins
consciemment coloré de connotations sociales. Ainsi
son goût prononcé pour les écluses dont il célèbre la
poésie dans des pages lyriques :

> Pour ma part, j'aime beaucoup les écluses. Elles
> rompent favorablement la monotonie du souquage. Je
> me plais, assis dans le canot, à m'élever lentement des
> humides profondeurs du sas vers un nouveau bief et un
> nouveau paysage, ou à m'enfoncer pour ainsi dire hors
> du monde, puis à y attendre que les sombres portes
> grincent et que, dans leur entrebâillement, le mince
> liséré de jour s'élargisse peu à peu jusqu'à vous
> découvrir enfin tout le fleuve riant ; et vous poussez
> votre petit bateau délivré, hors de sa brève prison, une
> fois de plus sur les eaux familières. (Chap. 18.)

Il est tentant de voir dans cet attachement aux
écluses, et en particulier à leur lent mouvement de
transition entre deux espaces, la métaphore d'une
circulation sociale sans à-coups. L'écluse est, en effet,
l'image de ce qu'on pourrait appeler le changement
dans la continuité. Elle permet des transitions douces,
sans heurts, d'un espace à un autre. Elle incarne assez
bien le monde social selon Jerome, fait à la fois d'un
conservatisme foncier ennemi de toute mutation bru-
tale et d'un désir de s'élever au-dessus de sa condition
de petit employé. Elle est le sas d'où le petit bourgeois, dans son ascension lente mais sûre, aperçoit le
« nouveau bief » qui lui donnera accès à un autre
monde. Elle représente une voie médiane entre deux
tendances extrêmes que Jerome rejette toutes deux :

les pancartes posées le long de la rivière par les propriétaires riverains qui veulent en clôturer les berges, signe d'une barrière sociale qui lui est insupportable et pour laquelle il n'a pas de mots assez durs, et, d'autre part, l'absence de toute écluse qui signifierait une véritable déterritorialisation de la Tamise et la fin de ces multiples distinctions sociales qui font la spécificité de la vie anglaise. Et il est significatif que la disparition de l'écluse de Wallingford, vainement cherchée par le narrateur et sa compagne à la fin du chapitre 10, prenne tant d'importance et finisse par les plonger dans un tel désespoir : une Tamise sans écluses est une Angleterre d'où auraient disparu les points de passage d'une classe à l'autre et où il n'y aurait plus de place pour cette catégorie désespérément en quête de *gentility* que sont les employés de bureau londoniens.

Sa fureur contre les pancartes des riverains reprend aussi un thème qui court à travers toute la littérature anglaise du XIXe siècle : l'obsession du rétrécissement de l'espace anglais qui n'a cessé de se clôturer depuis la disparition progressive des *commons* (champs communaux partagés par tout le village) et le développement des *enclosures,* ces clôtures qui morcèlent l'espace et réduisent peu à peu la vieille Angleterre rurale à des enclaves de plus en plus étroites. On trouverait ce leitmotiv chez des écrivains aussi différents que D. H. Lawrence, E. M. Forster et George Orwell. On sent poindre là la peur d'un espace saturé, d'une Tamise qui finirait par être aussi surpeuplée que les plages populaires de Ramsgate ou Margate.

Bien sûr, cet espace libre dont rêve Jerome n'a rien à voir avec une sauvagerie primitive à la Lawrence. C'est un espace civilisé, policé, une Tamise de promeneur du dimanche qui rentre sagement par le dernier train pour Londres. Le héros typique de Jerome, c'est George qui « va dormir dans une banque tous les jours de dix à quatre, excepté le samedi, où on le réveille pour le mettre dehors à deux heures » (Chap. 2). Pour ces petits bourgeois londoniens qui n'ont pas de

country house et ne peuvent passer les week-ends
élégants décrits plus tard par Evelyn Waugh et P. G.
Wodehouse, la Tamise est l'enclave de verdure qui
permet de venir se replonger dans la nature tout en
ayant l'impression de participer à une vie élégante
qu'ils ne connaissent que par les magazines.

Certes, Jerome se laisse volontiers aller à de grandes
envolées panthéistes, comme lorsqu'il reproche aux
moines cisterciens de l'abbaye de Medmenham de
s'enfermer dans une religion stérile et de n'avoir pas
su entendre « les voix de la nature qui les entourait —
le doux murmure du fleuve, le bruissement des
roseaux, l'harmonie du vent dans les ramures »
(Chap. 13). Mais il reste un être essentiellement
urbain, totalement imperméable à la magie de la
nature sauvage. Le chant du « bohémien enfant de la
nature » qui se rit des intempéries le laisse absolument
froid lorsqu'il est sous une pluie battante (Chap. 19).
Et dans un passage très révélateur, après s'être extasié
sur le calme qui règne dans le parc de Hampton Court,
il laisse vite percer l'angoisse que lui inspirerait la
solitude dans une nature déserte : « Nous aimons la
lumière et la vie. C'est pourquoi nous nous entassons
dans les villes et les cités et c'est pourquoi la campagne
devient chaque année plus déserte [...] Oh ! oui,
rassemblons-nous tous dans les grandes villes, allumons les grands feux de joie d'un million de becs de
gaz, et crions et chantons ensemble pour nous sentir
rassurés » (Chap. 6). Il est prêt à se battre pour
sauvegarder la beauté intacte de la Tamise éternelle,
mais à condition de n'être jamais trop éloigné d'un
pub, ce lieu essentiel de la sociabilité anglaise. Et le
moins qu'on puisse dire, c'est que les pubs et auberges
sont très présents dans son récit.

De fait il n'est pas le seul à apprécier la Tamise.
Trois hommes dans un bateau paraît à la fin de cette
période des années 1880 qui vit un développement
extraordinairement rapide des activités de loisir et en
particulier du canotage sur les rivières. Proche de
Londres, la Tamise représentait un lieu d'évasion

idéal pour l'immense population urbaine de la capitale. En 1888, on comptait déjà 8 000 bateaux enregistrés sur la Tamise [1]. En 1889, ils étaient 12 000. Lors des courses d'Ascot en 1888, on compta que 800 bateaux franchirent l'écluse de Boulter et, la même année, le jour des Régates royales, 8 000 personnes se rendirent en train à Henley. La rivière se démocratisait du fait des billets de chemin de fer à bas prix et le canotage était désormais une distraction accessible à toute une population de petits employés londoniens.

La rivière devenant à la mode, elle était le lieu de toute une vie sociale avec ses codes et ses conventions, comme en témoigne la description de l'écluse de Moulsey un dimanche, « un des plus joyeux spectacles que je connaisse aux environs de cette morne ville de Londres » (Chap. 7). On venait y montrer les dernières toilettes et on s'y faisait prendre en photo (Chap. 18). Jerome n'est qu'à demi ironique lorsqu'il constate : « La Tamise fournit une bonne occasion de faire toilette. Grâce à elle, une fois en passant, il nous est permis aussi, à nous les hommes, de déployer notre goût en matière de couleurs, et je crois, en vérité, que nous nous en tirons fort coquettement » (Chap. 7). Les hommes portaient parfois des blazers un peu voyants, comme Harris, et les demoiselles avaient tendance à venir avec des toilettes convenant davantage à une garden-party (Chap. 7), mais c'était là la rançon de l'élégance nautique. En 1884, le *Gentleman's Magazine of Fashion* prescrivait ainsi la tenue du parfait gentleman sur l'eau : « Tout homme ayant un brin de respectabilité sur la rivière met des pantalons blancs avec une chemise de flanelle blanche, un canotier et une veste de flanelle à rayures. » On notera le mot de « respectabilité » : le décor pastoral ne fait

---

1. On trouve ces renseignements ainsi que de nombreux autres sur la Tamise à l'époque victorienne dans l'édition anglaise de *Three Men in a Boat* annotée par Christopher Matthew et Benny Green, Londres, Pavilion Books, 1982.

pas oublier le code social et il n'est pas question d'un retour à la nature. Quant aux dames, leur tenue est tout aussi codée. Voici ce que recommande le *Thames Times and Fashionable Gazette* pour cacher les bras nus quand il fait chaud : « Lorsqu'on porte des manches courtes, rien ne vaut le confort de longs gants mousquetaire de cuir suédé qui montent jusqu'à la manche. »

Toute cette population sur la rivière finissait par inquiéter Jerome et on sent parfois poindre chez lui une certaine nostalgie de la Tamise du passé. D'où sa hargne contre les bateaux à vapeur qui représentent non seulement l'intrusion de la machine dans l'élégance pastorale de la rivière, mais aussi une distraction de masse autorisant tous les débordements du vulgaire. Ainsi Charles Dickens Junior, dans son *Dictionnaire de la Tamise* [1] (1888), décrit avec des accents dramatiques le malin plaisir que prennent ces voyous à effrayer les vrais plaisanciers : « S'il y a des dames à bord en difficulté leur terreur augmente encore l'amusement de ces rustres sur leurs bateaux à vapeur. »

Car ce paradis respectable attire des intrus. On sent à plusieurs reprises dans le livre une condescendance amusée à l'égard des « *'Arrys and 'Arriets* », ainsi appelés parce qu'ils ne prononcent pas les h aspirés, signe certain d'infériorité sociale dans un pays où la langue parlée est une marque infaillible de reconnaissance. (Symptomatiquement d'ailleurs, c'est une troupe de « *'Arrys and 'Arriets* » qui révèle au héros la disparition de l'écluse à la fin du chapitre 9.) La Tamise est menacée par ces hordes sans manières et sans éducation qui viennent troubler l'univers élégant d'une petite bourgeoisie d'autant plus portée à les rejeter que, ce faisant, elle croit se rapprocher d'un monde aristocratique qui la fascine. En 1889, le *Lock to Lock Times* (le *Times des Ecluses*) se moque de ces

1. Charles Dickens Junior, *Dictionary of the Thames*, Londres, Macmillan, 1888 (cité par Matthew et Green).

intrus qui vont en train à Hampton Court en 1re classe
avec un billet de 3e, ont des cravates trop voyantes et
des pantalons à rayures qui ressemblent à des pyja-
mas, s'enivrent et fument des cigares bon marché.
Mais l'ironie de Jerome envers les rustres des quartiers
populaires trahit en fait le désir profond d'appartenance de quelqu'un qui savait son statut social assez
fragile et qui eut des raisons d'en souffrir. Le magazine *Punch*, citadelle d'un humour retranché sur les
hauteurs d'un *establishment* définitivement fermé à
Jerome, prenait un malin plaisir, chaque fois qu'il
faisait allusion à Jerome K. Jerome dans un de ses
articles, de le surnommer « 'Arry K. 'Arry ». On est
toujours le rustre de quelqu'un d'autre.

La réussite de *Trois hommes dans un bateau* tient
d'abord au fait que le récit est soutenu par un
remarquable sens du théâtre et de la composition
dramatique. Les grandes scènes comiques ne le
seraient peut-être pas autant si elles n'étaient pas
construites comme de véritables scènes théâtrales. Il
ne faut pas oublier, en effet, que la carrière de Jerome
commença sous le signe du théâtre. Après la mort de
sa mère, alors qu'il n'était encore qu'un adolescent, il
s'engagea dans de petites troupes de théâtre amateur
et parcourut l'Angleterre, subissant toutes les vicissi-
tudes et les privations matérielles qui sont celles du
métier de comédien ambulant. Cette expérience lui
donna une connaissance de première main de toutes
les ficelles du mélodrame victorien et le familiarisa
avec tous les rôles : « J'ai joué tous les rôles dans
Hamlet sauf Ophélie » dira-t-il plus tard. Même après
avoir abandonné le théâtre amateur il garda des
relations suivies avec le monde de la scène. Ses
premiers recueils d'articles, *On the Stage and Off —
The Brief Career of a Wouldbe Actor (Sur Scène et Hors
Scène — la Brève carrière d'un prétendu acteur)* puis
Stageland (Le Monde de la scène) furent publiés dans
des revues de théâtre et s'inspirent de ses souvenirs de

comédien. Alors qu'il était encore employé de bureau, il devint membre d'un club de discussion sur le théâtre, *The Old Vagabond Club*, qui invitait des acteurs célèbres comme Sarah Bernhardt et sir Henry Irving. Et une de ses premières tentatives littéraires fut un drame historique inspiré du *Luthier de Crémone* de François Coppée et qui essayait de rivaliser avec *Roméo et Juliette*. Il ne cessa jusqu'à sa mort d'écrire et de faire jouer des pièces de théâtre, et l'une d'elles, *Le Pensionnaire du troisième étage sur cour* (1910), une allégorie morale située dans une pension de famille à Bloomsbury, eut un succès durable.

Cette connaissance du monde du théâtre, qui est davantage celle d'un professionnel que celle d'un simple spectateur, lui donne une remarquable maîtrise, de l'intérieur en quelque sorte, de tous les clichés du répertoire et on en trouve constamment la trace dans *Trois hommes dans un bateau*. Bien des personnages du livre sont, en effet, le développement de figures du répertoire théâtral qu'il avait déjà ébauchées sous forme de croquis rapides dans *Stage-land*, où chaque essai porte sur un personnage-type : le Héros, le Méchant, la Soubrette, l'Irlandais, etc. Ces clichés reflètent en fait le triste état du théâtre anglais à une période où triomphait le mélodrame, un peu avant le renouveau qu'allaient apporter Wilde et Shaw. Pourtant, plus tard, dans son autobiographie, Jerome regrettera ces figures de répertoire dont il s'était lui-même moqué et verra dans leur disparition la fin d'une époque qui était la sienne : « Ils valaient mieux — étaient plus humains, plus compréhensibles — que bien des nouvelles marionnettes qui ont pris leur place. » En tout cas, c'est sa maîtrise des conventions comiques les plus classiques qui lui permet de maintenir cet équilibre entre réalisme et schématisme, entre le détail concret et la typologie burlesque qui est la marque des grands comiques.

Certaines scènes de *Trois hommes dans un bateau* sont d'ailleurs directement écrites sous forme théâtrale comme l'épisode où Harris chante en public (Chap. 8)

ou le dialogue entre Montmorency et le Chat
(Chap. 13). Parfois aussi la narration devient une
espèce de tableau vivant fait d'indications scéniques
auxquelles ne manque plus qu'un metteur en scène,
comme la procession des garçons de courses portant
les victuailles (Chap. 13). Mais même lorsque la forme
du récit est conservée, on sent qu'il suffirait de peu de
choses pour que certaines scènes deviennent théâtrales. Des morceaux célèbres comme l'oncle Podger
fixant un tableau (Chap. 3), la scène dans le compartiment de train avec les fromages (Chap. 4), la déambu-
lation dans le labyrinthe de Hampton Court (Chap. 6),
le départ avec les bagages devant les garçons de
courses goguenards (Chap. 5), l'épisode du professeur
allemand (Chap. 8) ou la scène de la truite dans
l'auberge (Chap. 17) semblent être faites pour une
mise en scène théâtrale ou cinématographique. De
plus, la présentation par un observateur faussement
naïf produit un peu l'effet d'un metteur en scène qui
manipulerait les choses tout en restant dans les
coulisses, ou d'une caméra qui, sous des apparences
de neutralité distante, filmerait des plans dévastateurs. La progression même des scènes obéit souvent à
un modèle dramatique soigneusement construit, avec
suspense, péripéties et point d'orgue final opérant un
renversement ironique.

Jerome utilise aussi un autre procédé théâtral
traditionnel qui consiste à opposer l'action d'un héros
principal à un groupe de protagonistes qui en sont les
témoins, victimes impuissantes ou commentateurs
ironiques. Tout un contrepoint très théâtral s'établit
ainsi entre l'oncle Podger et sa famille rassemblée
autour de lui, entre Harris et les malheureux qui le
suivent dans le labyrinthe, entre les trois compères
encombrés de leurs bagages et les commentaires
ironiques des garçons de courses, entre le chant du
professeur allemand et son accompagnement burlesque à la fois par les étudiants et par les rires des
auditeurs, entre les fanfaronnades des pêcheurs et leur
ponctuation faussement naïve par le trio. On imagine-

rait facilement chacune de ces scènes comme une opérette burlesque dans laquelle un chœur accompagnerait les airs principaux.

On sent là l'influence du mélodrame musical, de l'opérette et du music-hall, genres fort prisés à l'époque victorienne et que Jerome connaissait bien. Dans la scène où Harris se ridiculise en voulant chanter en public on a d'ailleurs un hommage appuyé à ces deux piliers de l'opérette victorienne que furent Gilbert et Sullivan. Harris mélange les airs de deux de leurs plus célèbres opérettes, l'air du juge dans *Cour d'assises* (1875) et l'air de l'amiral dans *Le Pinafore* (1878), confusion peu significative pour un lecteur français, mais qui ne pouvait qu'apparaître hilarante aux lecteurs britanniques. Et ce n'est pas un hasard si, une fois de retour à Londres, nos trois héros n'ont rien de plus pressé que de se précipiter à l'Alhambra, fameux music-hall de Leicester Square. En général, on chante volontiers dans ce roman, que ce soit des airs de music-hall victorien célèbres comme « *He's Got Them On* » que chantent les joyeux fêtards sur la rivière (Chap. 9), « *Two Lovely Black Eyes* » aux accents duquel George fait pleurer ses deux compagnons (Chap. 19), le lied tragique du professeur allemand (Chap. 8), la chanson du bohémien sur la nature sauvage (Chap. 19) ou le « Chœur des soldats » de *Faust* qu'entonnent le héros et sa compagne, tout à la joie d'avoir retrouvé leur chemin (Chap. 9).

La familiarité avec les types classiques du répertoire théâtral apparaît aussi dans le côté à la fois très typé et très original de toute la galerie de personnages qui défilent tout au long du récit. Ils rappellent un peu la grande tradition des *humours* du théâtre élisabéthain et jacobéen, ces figures régies par une tendance caractérielle dominante qui les met parfois à la limite de la monomanie. Nous rencontrons ainsi successivement le malade imaginaire (Chap. 1), le maître d'hôtel rusé (Chap. 1), le matamore qui se vante de n'avoir jamais le mal de mer (Chap. 1), le maladroit qui se prend pour un grand bricoleur (Chap. 3), le domestique

fripon en la personne du garçon de courses de chez
Biggs (Chap. 5), le fâcheux insupportable qu'est le
gardien de cimetière (Chap. 7), les coquettes
(Chap. 7), le fier-à-bras qui menace les plaisanciers
des pires représailles puis disparaît dès qu'on lui
résiste (Chap. 8), le fat qui se prend pour un chanteur
(Chap. 8), le hâbleur en la personne du rameur
fanfaron (Chap. 15), les vantards qui exagèrent leurs
histoires de pêche (Chap. 17), et l'on pourrait facilement continuer la liste. Ces personnages peuvent dans
certaines circonstances devenir de dangereux monomaniaques qui vivent dans leur univers de folie sans se
préoccuper des conséquences catastrophiques que leur
idée fixe ne manque pas d'avoir sur leur entourage. Le
comique se nourrit ainsi d'une véritable pathologie.

Le génie de Jerome est, en effet, d'avoir su allier
indissociablement folie et vraisemblance réaliste.
D'une part, nous voyons défiler tout un petit monde
de « métiers » solidement ancrés dans la réalité victorienne et que le lecteur de l'époque peut immédiate-
ment rattacher à son expérience quotidienne : médecin, maître d'hôtel, garçons d'épicier, employés de
chemins de fer, boutiquiers, guides de monuments
historiques, tenanciers de pub, gardiens de cimetière,
logeuses, gardiens d'écluses, loueurs de canots. Mais,
en même temps, la plupart de ces individus ont une
bizarrerie de caractère ou de conduite qui vient
détraquer leur profession affichée et aboutit parfois à
en faire des *cranks*, ces excentriques dont est si riche la
littérature anglo-saxonne. Ainsi le médecin rédige sans
sourciller une ordonnance qui s'apparente davantage à
une liste d'achats chez un épicier. Le maître d'hôtel
sur le bateau gagne sa vie en ne faisant *pas* manger son
client. Les garçons de courses semblent davantage
occupés à reluquer et brocarder les clients qu'à les
servir. Les employés de chemin de fer ignorent tout
des trains qui partent de leur gare. Le guide se perd
dans son labyrinthe dès qu'il y entre. Le gardien de
cimetière exaspère tellement le visiteur qu'il le pousse
presque à une rage meurtrière. L'éclusier boit l'eau de

la Tamise et, si l'on en juge d'après son apparence,
cela ne lui réussit pas vraiment. Et le loueur de canots
a donné un nom ronflant à un débris flottant qui
ressemble à un sarcophage antique.

Tous ces êtres bizarres sont parfaitement à l'aise
dans leur monde renversé et prêts à prendre pour fou
quiconque met en question la normalité de leur
conduite. Ainsi les employés de la gare de Waterloo
semblent se demander quelle aberration pousse les
trois jeunes gens à chercher à savoir à quelle heure et
vers quelle destination partent les trains. Le gardien
du cimetière essaie vainement de comprendre pourquoi son client refuse si obstinément de visiter les
tombes et n'est pas loin de le croire un peu dérangé.
L'éclusier est sincèrement surpris de voir George
hésiter à boire l'eau de la Tamise. Quant au loueur de
bateaux il est indigné qu'on puisse trouver à redire à sa
glorieuse épave. On n'est parfois pas très loin du
nonsense de Lewis Carroll, et le mécanicien de la gare
de Waterloo fait preuve d'une logique qui le mettrait
parfaitement à sa place parmi les étranges créatures
que rencontre Alice dans le Pays des Merveilles : « En
tout cas, si son train n'était pas le 11 h 05 pour
Kingston, il espérait bien que c'était le 9 h 32 pour
Virginia Water, ou l'express de 10 heures pour l'île de
Wight, ou quelque part dans cette direction, et que,
bref, nous le verrions bien quand nous y serions »
(Chap. 5). Après tout, *Alice au pays des Merveilles*
(1865) et *A travers le Miroir* (1872) ne sont pas si
éloignés dans le temps de *Trois hommes dans un bateau*,
et Carroll et Jerome, bien qu'appartenant à des
univers absolument différents, ont en commun d'avoir
su faire, chacun à sa manière, une anatomie du monde
victorien.

Les effets de monde renversé dans *Trois hommes
dans un bateau* ont parfois des implications inquiétantes, comme par exemple le renversement du rapport logique entre le tourmenteur et la victime. A
deux reprises nous voyons un personnage soumis à des
brimades cruelles non pas parce qu'il est l'ennemi,

mais au contraire l'ami de son bourreau. Ainsi Harris
manque être noyé par un inconnu qui s'excuse ensuite
en lui disant qu'il l'avait pris pour un de ses amis
(Chap. 15). Et le narrateur nous montre un groupe de
ses amis abreuvant de quolibets et d'injures un
plaisancier maladroit tout simplement parce qu'ils
l'ont pris pour lui (Chap. 15). Tout se passe ainsi
comme si l'amitié était la justification logique des pires
avanies. Bien sûr ce renversement devient parfaitement explicable lorsqu'on le replace dans le contexte
de l'éducation des garçons en Angleterre et en particulier de la tradition du *bullying* (brimades de bizutage).
Mais ce qui compte, c'est que le rire joue son rôle de
révélateur et que la gêne demeure.

De fait, le non-sens est étroitement lié chez Jerome
à la question, centrale chez les victoriens, de la
conformité et de l'intégration sociale. Ainsi, dès les
premières pages, nous voyons le narrateur plongé dans
une angoisse profonde non pas parce qu'il se découvre
une maladie, mais parce qu'il s'aperçoit soudain qu'il
existe une maladie qu'il n'a *pas*. Derrière cette inversion logique typique du *nonsense* transparaît la peur
d'être une exception. Il est beaucoup plus grave
d'avoir presque toutes les maladies sauf une que d'en
avoir une, si grave soit-elle. Car l'inquiétude devant
une maladie est une inquiétude purement médicale.
En revanche, s'il ne vous en manque qu'une dans le
répertoire total des maladies, l'inquiétude devient
sociale : le danger est alors de se singulariser et
d'apparaître comme un scandale de la nature. La liste
du dictionnaire de médecine fait alors fonction de loi
normative à laquelle il s'agit de se conformer sous
peine d'être une brebis galeuse exclue de la communauté. Ainsi, avoir une maladie, c'est être médicale-
ment malsain mais socialement normal. Mais qu'il
vous en manque seulement une dans la liste et la
situation se retourne : la totalité devient norme et la
faille de ce manque minuscule devient scandale.

Les implications sociales du non-sens sont tout
aussi présentes dans l'épisode où Harris se lève trop

tôt (Chap. 11). Nous y voyons le monde bien réglé de l'employé de bureau victorien basculer soudain dans l'incompréhensible simplement parce que sa montre s'est arrêtée. Il se retrouve d'un seul coup dans un Londres où il a perdu tous ses repères, où rien ne semble n'avoir changé et en même temps où tout est différent — situation de non-sens typique — simplement parce qu'il croit partir à son bureau comme d'habitude à 8 h 30 alors qu'il est 3 heures du matin. Il suffit ainsi d'un décalage de quelques heures pour que la routine bien réglée du bon citoyen apparaisse comme infraction et véritable provocation à l'anarchie. La norme à 8 heures du matin devient folie à 3 heures du matin. Et pourtant les gestes sont les mêmes. Mais la police veille et ne s'y laisse pas prendre.

Le non-sens peut aussi jouer non pas sur une inversion mais au contraire sur une espèce de logique perverse qui pousse l'ordre et les conventions jusque dans leurs conséquences ultimes, quitte à aboutir à un véritable détournement. Ainsi le mensonge et l'exagération pratiqué par le pêcheur vantard n'apparaissent plus comme des infractions à partir du moment où ils sont codifiés selon une règle mathématique rigoureuse : « si par hasard il prenait réellement un poisson, il le comptait vingt ; au-delà, deux poissons valaient trente ; trois, quarante, etc. » (Chap. 17). Mais cette règle individuelle est à son tour adoptée par une institution qui la fait dériver vers un maximalisme délirant : « *l'Association des pêcheurs à la ligne de la Tamise* a prôné son adoption, mais quelques-uns de ses plus vieux membres s'y opposèrent. Le procédé, disent-ils, n'aurait d'intérêt que si les nombres étaient doublés et chaque poisson compté pour vingt ». Le processus est révélateur du système de valeurs victorien : toute transgression a quelque chose de tellement scandaleux qu'il lui faut susciter un code qui la légitime, lequel code s'enferme à son tour dans une logique folle, une espèce de jeu infini entre norme et anomalie. Le non-sens est alors l'anomalie devenue norme triomphante. Il importe peu que l'écart soit devenu immense entre la norme et ses effets dans le réel. Ce qui compte, c'est que le code institutionnel continue à fonctionner.

On retrouverait la même dérive logique à propos de la violence et de la loi (Chap. 8). Harris ayant menacé non seulement de tuer tous les riverains qui veulent clôturer la Tamise, mais aussi de massacrer leur famille entière, leurs amis et connaissances, de mettre le feu à leur maison et de chanter des chansons comiques sur les ruines, le narrateur s'insurge contre une vengeance qu'il trouve excessive et obtient que Harris s'en tienne à la stricte justice : les amis et connaissances seront épargnés et Harris ne chantera pas de chansons comiques sur les ruines. L'excès est ainsi récupéré dans une codification quasi juridique qui, sous prétexte de préoccupations humanitaires, ne fait que mettre davantage en évidence la violence, mais une violence devenue désormais parfaitement respectable. On retrouverait chez Swift ou chez Dickens, par exemple dans *Bleak House,* une ironie débusquant la même logique perverse.

On aura compris que le ressort central du comique de *Trois hommes dans un bateau* est un décalage entre, d'une part, un ordre social très contraignant, qu'il est exclu de remettre en question et, d'autre part, les multiples catastrophes qui ne cessent de se produire à l'intérieur même de cette enveloppe de conventions. Les codes sociaux jouent ainsi un double rôle : tout en étant l'origine des désastres qui émaillent le récit, ils sont en même temps le moyen d'en désamorcer les conséquences et d'en faire simplement des avatars inévitables de la vie quotidienne. Ainsi ces désastres finissent par apparaître comme partie intégrante de la vie anglaise, acceptés par tous comme allant de soi car on sait à l'avance qu'ils ne peuvent en aucun cas déboucher sur une subversion de l'ordre social. Et plus leurs conséquences apparaissent pénibles et même cruelles, plus l'enveloppe tient bon et plus le code victorien joue efficacement son rôle d'étouffoir.

Le comique vient alors de ce que toutes ces tribulations, qui pousseraient n'importe quel individu non
britannique à des actes de folie meurtrière ou de
révolte anarchiste, sont récupérées par le code social
lui-même et détournées vers des conventions de
langage et de conduite qui permettent de survivre au
milieu des désastres et qu'on appelle l' « humour
anglais ».

Ainsi on retrouve une analogie de structure dans des
scènes fort diverses : une situation de départ caractérisée par un code dominant, un développement catastrophique de cette situation dont sont victimes ceux
qui s'y trouvent impliqués, une conclusion qui se
contente de faire le bilan affligeant du désastre sans
remettre à aucun moment en question le code qui en a
été l'origine.

Le voyageur en croisière (Chap. 1) se retrouve ainsi
proprement ligoté par la règle à laquelle il s'est plié au
départ (prendre le repas au forfait). C'est toute
l'organisation de la compagnie, dont le maître d'hôtel
est l'interprète hautement respectable, qui a contribué
à lui faire croire que la règle était avantageuse. Or il
quitte le bateau au bout d'une semaine en ayant payé,
mais sans avoir pratiquement rien mangé. Pourtant,
les formes très codées des rapports entre lui et le
maître d'hôtel ne sont jamais remises en question et le
récit adopte un respect pointilleux du rituel de
l'échange social qui continue pendant tout le voyage,
même si en pratique il ne correspond plus à aucune
réalité. La victime ne peut à la fin que faire le bilan du
désastre dans un style qui reprend le discours même
de la norme qui le gruge. Tout le fameux *understatement* de l'humour britannique n'est rien d'autre que
cette impossibilité sociale de mettre le discours en
accord avec le réel.

On retrouve le même décalage dans l'épisode de
l'oncle Podger (Chap. 2). Cette fois la situation-code
de départ est la domination patriarcale exercée par le
chef de famille victorien sur sa famille et ses domestiques, qui sont tous rabaissés au même niveau de

dépendance et ne peuvent qu'observer impuissants le désastre, sans jamais un instant imaginer que les choses puissent se passer autrement. Mais il est essentiel pour l'oncle que toute la cellule familiale participe à cette ambitieuse entreprise et que la maisonnée devienne ainsi un condensé de l'Angleterre victorienne, ruche bourdonnante où chaque rouage de la communauté nationale doit faire son devoir à son humble place. Très victorien aussi est le désir de l'oncle Podger de régler son action à partir de principes et de faire que chacun de ses gestes obéisse à un système compliqué qui ne marche jamais, alors que l'intuition immédiate serait mille fois plus efficace. En tout cas, son exclamation triomphale à la fin, alors qu'il est entouré d'un champ de ruines, montre bien la victoire du code alors même que tout devrait en proclamer la défaite. Et d'ailleurs tout le récit de *Trois hommes dans un bateau* apparaît comme une longue série de catastrophes dans lesquelles il n'y a que des victimes, avec une exception : le code social qui prouve sa résistance inébranlable, non seulement en survivant à toutes les tribulations qu'il a engendrées, mais en continuant sa marche triomphale, refermant la parenthèse du désastre comme si rien ne s'était passé.

En ce sens, l'oncle Podger est semblable au baromètre fou (Chap. 5), qui est lui aussi à sa manière un remarquable monomaniaque. Régi par un système à la logique parfaite mais aberrante, il est lancé sur une espèce de trajectoire folle, poussant son aiguille toujours plus loin vers « forte chaleur » alors que les pluies incessantes commencent à provoquer des inondations. En face de cette météorologie détraquée, le bourgeois victorien est pris entre son respect des valeurs établies et le constat que cette norme mène à la catastrophe. En fait, tout rejet pur et simple de la norme étant exclu, il adopte les deux positions en même temps, ce qui l'amène à rester enfermé par une magnifique journée et à faire son excursion sous une pluie glacée. De sorte que le dysfonctionnement, situation-clé dans *Trois hommes dans un bateau*, devient permanent et finit par être la norme même. Ni les fauteurs de trouble ni les victimes ne peuvent imaginer qu'il en soit autrement, les premiers parce que dans leur monomanie ils ont fait de leur folie la norme (l'oncle Podger, le gardien de cimetière, Harris dans le labyrinthe), les seconds parce qu'ils ne peuvent imaginer un univers non codé.

A cet égard, l'épisode des fromages (Chap. 4) est un extraordinaire révélateur des attitudes victoriennes. Ces fromages sont une prodigieuse source de gêne et de désordre partout où ils passent. Au point qu'on pourrait voir en eux un véritable test de la capacité du code social à étouffer toute mise en cause de sa domination. En témoigne, par exemple, la conduite exemplaire des voyageurs dans le compartiment et la disproportion entre la gêne insupportable occasionnée et la neutralité du langage qui l'exprime : « Ça manque d'air ici », « On étouffe positivement ». Le sommet de la violence sera atteint lorsqu'un voyageur quittera brusquement le bar après s'être fait offrir un grand cognac. Là encore l'*understatement* britannique est le signe d'une situation impossible : avoir à commenter le désordre dans un discours qui ne connaît qu'un seul code, celui de l'ordre. C'est pourquoi il faut imaginer des abîmes de désarroi et de perturbation lorsque le narrateur nous apprend que son compagnon de compartiment « devint singulièrement déprimé en cours de route ». Et lorsque touche à sa fin la longue tribulation de ces fromages qui ont bouleversé la vie de toute une famille, le bilan est évidemment désastreux. Pourtant, ce qui était la seule solution, s'en débarrasser, n'est envisagé qu'en désespoir de cause, et alors les fromages résistent, car même enterrés ils continuent à faire sentir leurs effets. On ne se débarrasse pas du code.

On pourrait ainsi multiplier les exemples. Harris, lorsqu'il se met en tête de guider les touristes dans le labyrinthe de Hampton Court (Chap. 6), n'aboutit qu'à faire empirer les choses et à rendre encore plus

insupportable l'épreuve des promeneurs égarés. Mais
ce qui compte, c'est que dès le départ tout le monde
est ravi de s'engouffrer dans une situation offrant un
homme providentiel. Et une fois mis en place,
l'homme providentiel se maintient envers et contre
tout, sachant parfaitement gérer ses bévues et empêcher la foule de se soulever contre lui. Il est, en outre,
remarquablement imperméable à son propre échec,
aussi bien pendant qu'après l'événement. Il est en cela
dans la lignée de tous les dangereux monomaniaques
qui parsèment le livre et on peut imaginer qu'il
recommencera à la première occasion. En fait son
assurance est un symptôme social, le produit d'un
ordre dans lequel il n'y a pas de recours violent contre
les excès du code. Ou plutôt, il y en aurait un si les
victimes de Harris n'étaient pas des petits bourgeois
mais des gens du peuple, des personnages de Dickens
ou de Thomas Hardy, et non de Jerome. Car Dieu sait
si le XIXe siècle anglais abonde en explosions sociales
violentes. Mais cette voie est ici interdite par leur
gentility qui est précisément ce qui les distingue du
peuple.

On peut donc se permettre les infractions les plus
malfaisantes et produire les pires désastres à partir du
moment où on s'identifie à un code contraignant et où
on en impose donc le respect aux autres. C'est ce que
fait magistralement la dame au fox-terrier dans le
grand magasin (Chap. 13). La scène se déroule en trois
temps. Cela commence par une vision de l'ordre
parfait qui règne dans Haymarket, grand magasin
élégant de Londres, haut lieu de la convention sociale
victorienne : les clientes respectables n'amènent que
des chiens respectables dont la conduite irréprochable
est le reflet de la bonne éducation de leurs maîtres. Le
fox-terrier introduit soudain le désordre, mais, semblable en cela aux fromages, il produit des effets
dévastateurs sur tout ce qui l'entoure sauf sur lui-
même : les autres chiens s'entretuent mais ne touchent pas à celui qui est la source des perturbations et
qui conserve son apparence de respectabilité angéli-

que. Enfin, dans un troisième temps, l'ordre est
restauré. Le lieu n'est plus qu'un champ de bataille
jonché d'éclopés mais le fox-terrier, nullement impli-
qué dans l'affaire, repart avec des airs de victime. La
respectabilité triomphe et, paradoxalement, retrouve
sa position encore renforcée après les catastrophes
qu'elle a produites. Ce qui compte n'est pas d'être
coupable ou innocent mais de s'identifier plus ou
moins bien au code dominant. Une fois cette identifi-
cation opérée, le pire fauteur de troubles devient
invulnérable.

En revanche, la pire transgression est celle qui met
en question le code. A cet égard, l'épisode du gardien
de cimetière (Chap. 7) est l'exemple inverse de celui
du fox-terrier dans le grand magasin. Le désespoir du
vieillard, qui finit par fondre en larmes devant le refus
catégorique du narrateur d'aller voir les tombes,
apparaît d'abord disproportionné. Mais il s'explique si
l'on comprend que le vieillard est le prêtre et le
gardien d'un rite, et que le refus du visiteur lui
apparaît comme un scandale absolu qui va contre
toutes les traditions : un visiteur qui ne s'intéresse pas
aux tombes ne peut être qu'un fou ou un anarchiste.
Car non seulement le narrateur ne veut pas voir les
tombes, mais il s'emporte contre ces « ridicules absurdités de pierres tombales », foulant ainsi aux pieds
l'une des manifestations les plus respectées de l'art
victorien et s'attaquant à ce qui est le principe même
du monde du gardien. On imagine qu'en d'autres
temps une conduite aussi dangereusement subversive
aurait pu mener à la lapidation. En fait, par une
inversion paradoxale, c'est le vieillard, porte-parole du
code victorien, qui introduit le désordre, dérangeant
le visiteur alors que celui-ci est absorbé dans « de
belles et nobles pensées ». Mais le gardien n'en a
cure : ce qui compte n'est pas un ordre individuel,
dont il n'a que faire, mais le respect du code. Mieux
vaut les pires perturbations, si elles marquent le
triomphe du code, qu'un ordre qui impliquerait sa
disparition.

Ainsi, l'ordre victorien ressemble aux haleurs dont la barque a disparu (Chap. 9). George et trois de ses compères, apercevant un couple de jeunes gens qui halent une corde à laquelle n'est plus rattachée aucune barque, y accrochent leur propre canot et se font tranquillement tirer pendant trois kilomètres. D'où la stupéfaction et l'inquiétude des jeunes gens lorsqu'en arrivant à Marlow ils découvrent la substitution : qu'est devenue leur tante qui était dans la première barque ? On ne saura jamais si la brave dame a été retrouvée et George semble s'en soucier assez peu. De même, le code victorien continue sur sa lancée même s'il produit les pires catastrophes. Peu importe que la barque et ses occupants aient disparu corps et biens, peu importe que lui ait été substitué un contenu qui n'a plus rien à voir avec ce qu'il était à l'origine. L'essentiel est qu'il continue de fonctionner, que les haleurs continuent à tirer quelque chose et le tirent jusqu'au bout. Pour le reste, toutes les catastrophes qui peuvent venir se glisser dans les interstices ne sont que des épiphénomènes sans gravité.

Dans cet univers si codé il y a une absente de marque : la femme. Non pas qu'il n'y ait pas de personnages féminins dans *Trois hommes dans un bateau,* mais elles n'ont manifestement pas leur place dans cette rude amitié masculine qui a la finesse des jeux de la cour de récréation et des frasques d'employés en goguette. Un observateur peu au courant des coutumes des écoles anglaises, des pubs et des clubs sportifs pourrait, en effet, avoir l'impression que les trois compères doivent certainement se détester, pour passer ainsi leur temps à s'infliger mutuellement les pires avanies. Il y en a toujours deux pour faire alliance contre le troisième dans une espèce de bizutage permanent.

Dans ce monde d'hommes les femmes ne peuvent être que des spectatrices ou des touble-fête. Lors de l'évocation du « bride-mégère » de l'église de Walton, Jerome ne résiste pas au plaisir d'expliquer la disparition de cet instrument de torture qui était destiné à empêcher les femmes de parler : « Je suppose que le fer est devenu assez rare, et qu'on n'a pas trouvé d'autre métal assez résistant » (Chap. 8). Et dans les dernières pages nous voyons le trio quitter le music-hall de l'Alhambra dès la fin du premier ballet pour aller se livrer aux joies d'un repas attendu depuis longtemps. Entre le spectacle des danseuses et un bon dîner entre hommes, aucune hésitation n'est possible.

Quant aux différentes femmes rencontrées tout au long du récit, on peut les classer en quatre catégories dont aucune n'est vraiment flatteuse. Il y a d'abord les logeuses, Mrs. Poppets et Mrs. Gippings, personnages classiques des romans anglais du XIXe siècle et dont tout ce qu'on peut dire, c'est qu'elles sont parfaitement conformes aux lois du genre. Ensuite, on a toute la série des femmes sacrifiées, victimes résignées d'hommes monomaniaques qui sont des dangers pour leur entourage. Il y a la tante Maria qui remarque avec douceur, une fois le désastre accompli par l'oncle Podger, que la prochaine fois qu'il devra planter un clou, elle ira passer une semaine chez sa mère (Chap. 3). Il y a l'épouse de l'homme aux fromages qui, voyant l'enfer qu'est devenu sa maison, se résigne finalement à partir avec ses enfants à l'hôtel (Chap. 4). Il y a aussi la dame accompagnée d'un bébé qui dans le labyrinthe de Hampton Court fait tellement confiance à Harris qu'elle ne veut pas lâcher son bras, mais revient vite de ses illusions (Chap. 6). Et il y a, enfin, la malheureuse maîtresse de maison qui a eu l'idée malencontreuse de proposer à Harris de chanter une chanson comique et voit ses invités sombrer l'un après l'autre dans le fou rire ou la dépression nerveuse (Chap. 8). Elles ne sont là que pour constater les dégâts et réparer tant bien que mal les ruines de la cellule sociale disloquée par leurs compagnons masculins.

Le troisième groupe est celui des « femmes à histoires » qui ne sont que source d'embarras, ne comprennent rien aux distractions des hommes et semblent justifier ce qu'on pourrait appeler le sexisme ordinaire de l'homme victorien. Alors qu'habituellement elles sont exclues des rudes plaisirs masculins et envoyées au salon lorsque les hommes sortent le porto et les cigares, elles trouvent sur la Tamise l'occasion de prendre leur revanche et, si on les laissait faire, transformeraient cette rivière en un salon de thé et un défilé de mode. Jerome en a particulièrement aux jeunes demoiselles qui arborent des toilettes pour le moins inadaptées à la vie en barque, craignent de se mouiller et semblent ignorer que leur rôle est de faire la vaisselle dans la rivière (Chap. 7), papotent en halant et mènent la barque à la catastrophe (Chap. 9), ou encore se mettent à pleurer quand on ne trouve plus l'écluse, se conformant ainsi tout à fait au cliché de la « demoiselle en détresse » (Chap. 9). Dans ce catalogue de la malfaisance féminine, on fera une place à part à la « gentille petite madame » qui remmène son fox-terrier du grand magasin avec des airs de victime, alors qu'il vient d'estropier plusieurs de ses congénères (Chap. 13).

La dernière catégorie, de loin la moins réussie, est celle des clichés littéraires. Qu'il s'agisse de la créature éthérée qui apparaît au chevalier dans la forêt à la manière d'un tableau préraphaélite (Chap. 10), des paysannes d'opérette de l'époque de Jean sans Terre (Chap. 11), d'Anne Boleyn cherchant un coin tranquille où pouvoir embrasser son amoureux Henry VIII (Chap. 12) ou encore de la femme noyée promue au rang d'héroïne d'un sombre mélodrame (Chap. 16), elles ont en commun la même irréalité.

Ainsi, le moins qu'on puisse dire est que Jerome n'apparaît pas comme un grand connaisseur de l'âme féminine. Mais doit-on lui en faire le reproche ? Après tout, il nous donne dans son récit un échantillonnage assez complet de ce qui constituait son univers féminin : logeuses fonctionnelles, épouses résignées, maîtresses de maison embarrassées, jeunes filles insupportables, figures littéraires. Il n'en connaissait certainement pas d'autres.

Une fois ce parcours accompli, il reste encore tout
ce qui faisait le projet originel du livre, et qui ne se
laisse malheureusement pas oublier, c'est-à-dire
l' « Histoire de la Tamise ». Là non plus les modèles
et antécédents littéraires ne manquent pas. *Trois
hommes dans un bateau* s'inscrit, en effet, dans un
genre mixte très prisé dans la littérature anglaise
depuis l'époque élisabéthaine, qui fait alterner un récit
de voyage avec des « morceaux » variés qui tiennent à
la fois de l'essai, de la description géographique, de
l'anecdote historique, des réflexions morales et des
conseils pratiques. On en a un exemple célèbre avec
The Compleat Angler (*Le Guide complet du pêcheur*)
(1653-1655) d'Izaac Walton qui, sous prétexte d'un
manuel d'instruction sur la pêche illustré par cinq
journées sur la rivière Lea, est en fait un tissu de
digressions et d'anecdotes sur les sujets les plus variés.
Au XIXe siècle le développement du lien entre littérature et journalisme donna lieu à une floraison de
feuilletons à épisodes difficiles à classer dans un genre
littéraire spécifique, destinés à la fois à instruire et
distraire le lecteur. Dickens s'essaya à ce genre d'écrit
au début de sa carrière littéraire avec les *Sketches by
Boz* (*Esquisses de Boz*) (1836-1837) dont le sous-titre
« Illustrations de la vie de tous les jours et de gens de
tous les jours » indique bien le mélange d'essai, de
satire sociale et de croquis pris sur le vif auquel on a
affaire. Dans la même veine on trouve un ouvrage qui
fut le livre de chevet de bien des victoriens, *Jorrock's
Jaunts and Jollities* (*Les Promenades et joyeusetés de
Jorrock*) (1831-1838) de Robert S. Surtees, essais
humoristiques qui paraissaient en feuilleton dans un
magazine de chasse et racontaient les aventures pittoresques d'un épicier cockney. Dickens s'en inspira
dans les *Aventures de M. Pickwick* (Pickwick était
d'ailleurs le personnage dickensien favori de Jerome).
Jerome au début de sa carrière littéraire continue
tout à fait cette tradition. Ses quatre premiers
ouvrages de prose (*Sur scène et hors scène, Pensées*

futiles d'un oisif, Le Monde de la scène et *Trois hommes dans un bateau*) furent tous publiés d'abord en feuilleton dans des magazines, et mêlent journalisme, essai et fiction. Et on serait bien en peine de définir à quel genre littéraire appartient *Trois hommes dans un bateau*. La trame en est les aventures picaresques de trois Londoniens sur la Tamise, mais sur cette trame viennent sans cesse se greffer de multiples digressions : description géographique des lieux rencontrés accompagnée parfois d'un commentaire artistique et d'anecdotes historiques, morceaux « poétiques », réflexions « philosophiques » et morales sur la vie, souvenirs autobiographiques, etc.

Dans ce pot-pourri l'histoire a une place privilégiée. La littérature anglaise, éprise du passé, aime ainsi associer un espace géographique à des événements qui s'y sont déroulés. On en voit des exemples chez Scott et Hardy, mais c'est peut-être chez Kipling qu'on trouverait quelque chose se rapprochant des vignettes historiques de Jerome, avec *Puck of Pook's Hill* (1906) où le lutin Puck fait revivre pour deux enfants quelques grands moments de l'histoire anglaise en une série de tableaux vivants. Mais ce qui est acceptable dans un conte pour enfants met mal à l'aise chez Jerome, même s'il accentue parfois délibérément le côté livre d'images de son récit, annonçant certaines scènes dans ses intertitres comme « Aperçu historique spécialement destiné à l'usage des écoles ». En fait, ses commentaires historiques ressemblent à une série de mauvaises cartes postales.

Sa vision de l'histoire rappelle à la fois les *historical romances* qui avaient tant de succès auprès du grand public victorien et le burlesque de music-hall. Il semble avoir une prédilection marquée pour l'époque saxonne, y trouvant peut-être un enracinement national qui flatte son tempérament très anglais. Nous apprenons ainsi les noms saxons de Kingston et Dorchester, et nous voyons défiler, comme sur une espèce de frise ou de tableau vivant, toute une galerie de rois et princes saxons aux noms évocateurs :

Edouard l'Ancien, Edwy, Godwine, Aelfgar, Sebert, Offa, Alfred, Ethelred. Cependant, l'ensemble rappelle davantage des souvenirs de livres d'école qu'une véritable évocation historique. Il se plaît parfois à des reconstitutions en costume, comme la page évoquant la vie à Hampton Court à l'époque des Tudor et des Stuart : « la longue avenue menant au portail du palais s'égayait tout le jour du cliquetis des armes, du hennissement des palefrois et du froissement des velours et des soieries » (Chap. 6). Il s'agit de faire battre le cœur du lecteur au rythme du passé, mais la couleur locale évoque un peu trop un spectacle son et lumière.

Son morceau de bravoure est l'évocation du conflit entre le roi Jean sans Terre et ses barons lors de la signature de la Grande Charte (Chap. 12). Il y consacre près de cinq pages et n'hésite pas à faire jouer les grandes orgues : « Puis une immense acclamation s'élève et nous apprend que la pierre angulaire du temple de la liberté anglaise a été enfin, nous le savons aujourd'hui, posée inébranlablement. » Cette apothéose rappelle un peu les grands *pageants* (spectacles historiques) dont les victoriens étaient friands et dont le but était d'exalter l'unité nationale par l'évocation d'un passé glorieux.

Mais le plus souvent les allusions historiques sont très décousues et alternent avec une multitude de détails fort disparates qui font parfois ressembler *Trois hommes dans un bateau* à une espèce d'almanach à l'usage des familles ou à un mauvais guide touristique. Ainsi à la fin du chapitre 8, sur la courte distance qui sépare Walton de Weybridge, nous apprenons en deux pages que César avait un camp à Walton, que plus tard la reine Elisabeth et Cromwell y ont aussi séjourné, que l'église de Walton renferme un « bride-mégère » (renseignement accompagné d'une explication sur la nature de l'objet), que le domaine d'Oatlands Park a appartenu à Henry VIII et renferme une grotte, que la duchesse d'York y a résidé et adorait les chiens au point de leur avoir construit un cimetière, qu'à

Corway Cassivellaunus avait planté des pilotis dans le fleuve pour arrêter César (information hautement discutable car on ne connaît pas vraiment l'origine de ces fameux pilotis), que dans le cimetière de Shepperton il y a une tombe avec un poème, que Halliford et Shepperton sont « deux jolies petites localités, vues de la Tamise, mais qui n'ont rien de remarquable ni l'une ni l'autre » et, enfin, que la Wey est une « jolie petite rivière, navigable jusqu'à Guildford ». On retrouve là toute la culture livresque disparate d'un autodidacte qui déclarait à propos de ses années d'école que « ce qu'un jeune garçon apprend en six ans à l'école, il pourrait, avec l'aide d'un libraire intelligent, l'apprendre chez lui en six mois », et qui, jeune employé à la gare Euston, passait des heures au British Museum pour se cultiver.

Tout cela est agrémenté de petites remarques personnelles au ton délibérément badin qui semblent avoir particulièrement exaspéré les critiques et avoir contribué à faire classer l'ouvrage dans la catégorie du « familier » et même du « vulgaire ». Ainsi, après avoir signalé que la reine Elisabeth est venue à Walton comme en bien d'autres endroits, il ajoute : « Allez où vous voudrez, il est impossible de se débarrasser de cette femme. » Une telle phrase appliquée à la souveraine la plus célèbre de toute l'histoire anglaise suffisait pour convaincre les critiques victoriens que *Trois hommes dans un bateau* n'était décidément pas l'œuvre d'un gentleman. Jules César n'échappe pas non plus aux commentaires très personnels de Jerome, qui semble d'ailleurs avoir eu un faible pour ces deux figures historiques : « César, comme la reine Elisabeth, semble s'être arrêté partout ; mais il était plus convenable que la bonne reine Bess : il n'allait pas au cabaret. Elle en pinçait pour les cabarets (« *She was nuts on public-houses* »), la « reine-vierge » d'Angleterre. Il n'y a pas un seul bistro de quelque notoriété, dans un rayon de vingt kilomètres autour de Londres, où elle ne soit allée, paraît-il, jeter un coup d'œil » (Chap. 6). Ce passage offensa profondément le criti-

que du *Saturday Review* et il le cite dans son article
comme un exemple du style « extrêmement familier »
(« *intensely colloquial* ») du livre.

On n'échappe pas non plus à des astuces qui
évoquent davantage le music-hall que la littérature.
Mentionnant le juge Bradshaw qui condamna à mort
Charles Ier, Jerome précise au passage qu'il ne s'agit
pas du « Bradshaw de l'indicateur des chemins de
fer », et compare les pilotis de Cassivellaunus aux
écriteaux placés par les riverains de la Tamise. On se
rapproche là d'un style burlesque très prisé en Angleterre, qui consiste à jeter une lumière irrévérencieuse
et parfois *nonsensical* sur les grands événements et les
grandes figures du passé. L'exemple le plus célèbre est
1066 and All That[1] (*1066 et tout ça*) (1930) qui, en
imitant le style des manuels d'histoire accompagnés de
questions aux élèves, fait un parcours burlesque de
tous les grands événements de l'histoire anglaise
depuis la date de la fameuse bataille de Hastings. C'est
le même esprit qui anime la célèbre série cinématographique des Monty Python et, en particulier, *Sacré
Graal*, relecture burlesque d'un des mythes les plus
ancrés dans la mémoire culturelle anglaise.

Avec son talent théâtral, Jerome va parfois jusqu'à
mettre en scène de véritables petites saynètes historiques burlesques à partir d'anecdotes plus ou moins
authentiques, comme la scène où le jeune roi saxon
Edwy, échappant à la surveillance de l'archevêque
Dunstan et de l'évêque Odo, va retrouver en cachette
sa jeune épouse Elgiva (Chap. 6) : « Peut-être la hure
de sanglier farcie aux pruneaux ne lui avait-elle pas
réussi (je sais bien qu'à moi elle ne réussirait pas). »
Dans un épisode proche du vaudeville (Chap. 12), il
nous montre le roi Henry VIII et Anne Boleyn « se
faisant des mamours aux environs de Windsor et
Wraysbury » et cherchant vainement un endroit tran-

1. W. C. Sellar et R. J. Yeatman, *1066 and All That*, Londres
Methuen, 1930.

quille pour s'embrasser à l'abri des courtisans. Comme souvent dans la tradition anglo-saxonne, la parodie, même si elle n'est pas très réussie comme c'est le cas, se veut signe d'appartenance et de maîtrise des codes culturels. En traitant les grands sujets historiques avec désinvolture on montre en même temps qu'on connaît tellement bien l'histoire anglaise qu'on peut se permettre de prendre des libertés avec elle. Jerome marque ainsi à sa manière son appartenance à la culture nationale et à la tradition anglaise.

Mais le commentaire cherche parfois à s'élever vers les hauteurs. Jerome a, en effet, du mal à résister à la tentation de donner son avis sur les grandes questions qui agitent le monde. Cela peut être assez drôle lorsqu'il se moque de lui-même et met en perspective ironique ses propres méditations en les contrastant soudain avec une situation burlesque, comme c'est le cas lorsque ses envolées lyriques sur le silence nocturne de la Tamise sont soudain interrompues par la question prosaïque de Harris : « Oui, mais s'il pleuvait ? » (Chap. 2), ou lorsque sa rêverie devant la « clarté mystique » et le « nimbe d'or » du soleil couchant, alors qu'il est à la barre, s'achève en catastrophe, son canot venant heurter violemment une barque de pêcheurs (Chap. 12).

Malheureusement les morceaux « littéraires » ne sont pas toujours rachetés par une telle mise à distance ironique et trop souvent c'est tout simplement Jerome le penseur et le moraliste qui nous livre sa *Weltanschauung*, une sagesse des nations assez affligeante. Ainsi sa tirade contre la « cargaison de vanités » qui encombre « le pauvre petit esquif de la vie » (Chap. 3), ou ses réflexions sur la relativité des objets d'art (Chap. 6), ou encore ses observations plus terre à terre sur « cette domination exercée sur notre intellect par nos organes digestifs » (Chap. 10). La charité conseille de ne pas s'attarder.

Le style prend parfois une ampleur inattendue et s'élève jusqu'à des morceaux de bravoure qui nous font comprendre pourquoi, mis à part *Trois hommes dans un bateau,* Jerome n'a jamais pu conquérir une place de choix dans la littérature anglaise. C'est, par exemple, à la fin du chapitre 10, l'étrange « vision » qui rappelle les allégories médiévales : sombre forêt au nom emblématique de Douleur, chevalier christique aux « blessures saignantes », radieuse apparition d'une jeune fille angélique. Tout le morceau s'inspire du goût victorien pour les *romances* médiévales et en particulier pour la chronique arthurienne telle qu'elle avait été transmise par *Le Morte D'Arthur* (1470) de sir Thomas Malory et telle qu'elle avait été remise à la mode au xixᵉ siècle par le poète Tennyson dans ses *Idylls of the King (Idylles du Roi)* (écrits entre 1859 et 1885).

Curieusement, cette veine allégorique est profonde chez Jerome. En 1891, il alla jusqu'à faire un voyage à Oberammergau en Bavière pour y voir le fameux spectacle du Mystère de la Passion joué tous les dix ans par les habitants du village, et en fit le récit dans le *Diary of a Pilgrimage (Journal d'un pèlerinage)*. Sa pièce de théâtre qui eut le plus de succès, *Le Pensionnaire du troisième étage sur cour* (1907) (elle fut jouée sept ans d'affilée en Angleterre et aux Etats-Unis) est une espèce de *morality play* médiévale située à l'époque moderne dans une pension de famille de Bloomsbury dont les pensionnaires vivent une transformation spirituelle après le passage d'un mystérieux personnage qui rappelle le Christ. Il n'en reste pas moins que l'image d'un Jerome allégoriste chrétien reste assez surprenante lorsqu'on sait que c'était l'individu le moins porté vers la spiritualité et la transcendance. En témoigne son jugement sévère cité plus haut sur l'austérité spirituelle des moines cisterciens. La raison de son goût pour l'allégorisme moral est probablement à chercher davantage dans une appartenance à une tradition anglicane qui différencie peu morale et religion que dans un élan proprement religieux. Jerome ne connaissait probablement pas d'autre religion que cette piété un peu diluée qui représentait pour lui davantage un enracinement dans la tradition anglaise qu'un engagement personnel dans la foi.

Curieusement, l'humour peut coexister chez lui avec le pire mélodrame. Ainsi, la vue d'un cadavre de femme qui flotte sur la Tamise à la fin du chapitre 16 est le point de départ d'une digression qui est un véritable condensé de mélodrame victorien. Jerome se servit là d'un fait divers qui s'était réellement produit près de Goring en 1887 : une femme séduite puis abandonnée s'était jetée dans la Tamise. On retrouve ici tous les ingrédients d'un sentimentalisme larmoyant qui faisait pleurer le public victorien et auquel Dickens lui-même n'a pas échappé. Il est malgré tout intéressant de voir que derrière les clichés se profile surtout le thème de l'exclusion sociale, de l'indignation vertueuse des bien-pensants retranchés derrière le « mur glacial de leur honorabilité ». Et tout le passage prend une résonance presque émouvante lorsqu'on sait que Jerome fit très tôt l'expérience de la solitude à Londres, s'étant retrouvé livré à lui-même et sans le sou à l'âge de quinze ans après la mort de son père et de sa mère. « Ma pauvreté augmentait ma timidité » écrit-il sur cette période dans son autobiographie. Ainsi quand il décrit la misère de cette femme vivant avec son enfant « sur les douze shillings par semaine que lui valait un esclavage quotidien de douze heures », on doit se souvenir qu'il gagnait exactement dix shillings par semaine lorsqu'il était employé aux billets à la gare Euston. Il fait là certainement de la bien mauvaise littérature, mais il sait de quoi il parle.

Dire que *Trois hommes dans un bateau* est une œuvre disparate est donc un euphémisme. Mais en faire le reproche à Jerome, n'est-ce pas se méprendre sur la loi même du genre auquel se rattache son récit ? Mikhaïl Bakhtine[1], dans son étude sur la littérature euro-

1. Mikhaïl Bakhtine, *Esthétique et théorie du roman*, Paris, Gallimard, 1978.

péenne, voit l'origine du roman dans ce qu'il appelle le
« texte hybride » ou « genre intercalaire », mélange
mal unifié de divers genres para-littéraires comme le
récit de voyage, le journal intime, l'essai ou le traité
scientifique. Il note que cette tradition est particulièrement bien représentée dans la littérature anglo-
saxonne et qu'elle y a subsisté jusqu'à l'époque
moderne, ouvrant la voie à un « texte polyphonique »
qui fait éclater l'unité de la narration. Nous n'irons
pas jusqu'à faire de Jerome un ancêtre de l'inter-
textualité en littérature, mais il n'en reste pas moins
que cette hésitation entre encyclopédisme parodique
et roman picaresque est peut-être ce qui fait tout le
charme de son récit. On répondra que ce décalage est
pure immaturité de la part d'un écrivain qui n'est
jamais vraiment devenu adulte. Mais dans l'univers
détraqué de *Trois hommes dans un bateau* l'immaturité
est peut-être le meilleur mode de survie.

André TOPIA.

TROIS HOMMES
DANS UN BATEAU

PRÉFACE A LA PREMIÈRE ÉDITION

La principale beauté de ce livre est moins dans son style littéraire ou dans l'étendue et l'utilité des informations qu'il transmet que dans sa pure et simple véracité. Ses pages constituent un document rapportant des événements qui se sont réellement produits. On n'a rien fait d'autre que leur donner de la couleur ; et pour cela aucun supplément n'est réclamé. George, Harris et Montmorency ne sont pas des idéaux poétiques mais des choses de chair et de sang — particulièrement George qui pèse environ soixante-quinze kilos. Il se peut que d'autres œuvres l'emportent sur celle-ci en profondeur de pensée ou en connaissance de la nature humaine, que d'autres livres l'égalent en originalité et en dimensions. Mais pour ce qui est de l'incorrigible et incurable véracité, on n'a encore rien découvert qui puisse la surpasser. C'est cela, plus que ses autres attraits, qui, nous le pensons, rendra ce volume précieux aux yeux du lecteur sérieux et donnera encore plus de poids à la leçon contenue dans cette histoire.

Londres,
Août 1889

1

Trois égrotants. — Les symptômes de George et de Harris. — Atteint de cent sept maladies mortelles. — Remèdes utiles. — Pour guérir les maux de foie chez les enfants. — Nous convenons que nous sommes surmenés et avons besoin de repos. — Une semaine sur les ondes houleuses. — George propose la Tamise. — Montmorency présente une objection. — La proposition initiale est votée à une majorité de trois contre un.

Nous étions quatre : George, William-Samuel Harris, moi-même, et Montmorency, mon fox-terrier. Réunis dans ma chambre, nous fumions, en causant de notre mauvais état, mauvais du point de vue médical, bien entendu.

Nous nous sentions mal fichus tous les quatre, et cela commençait à nous inquiéter. Harris proclama qu'il éprouvait parfois de singuliers accès de vertige et ne savait plus très bien ce qu'il faisait. Et alors George nous confia que lui aussi avait parfois la tête qui tournait et ne savait plus très bien ce qu'il faisait. Pour moi, c'était mon foie qui fonctionnait mal. Je savais que c'était mon foie qui fonctionnait mal, parce que je venais justement de lire une réclame de pilules pour le foie [1] dans laquelle se trouvaient détaillés les divers symptômes permettant de reconnaître qu'on a le foie détraqué : je les présentais tous.

C'est une chose bien curieuse, mais je ne peux pas lire une réclame de spécialité pharmaceutique sans être amené forcément à conclure que je souffre précisément du mal en question, sous la forme la plus dangereuse. Le diagnostic me paraît chaque fois correspondre exactement à tous les symptômes que je ressens.

Je me rappelle être allé un jour au British Museum[2] pour me renseigner sur le traitement d'une légère indisposition dont j'étais atteint. Il s'agissait, je pense, du rhume des foins. On m'apporta le bouquin, et je lus tout l'article que j'étais venu consulter. Puis, dans un moment de distraction, je tournai les pages sans y penser et me mis machinalement à étudier toutes les maladies l'une après l'autre. Je ne sais plus par laquelle je commençai — c'était, en tout cas, un fléau terrible et dévastateur — mais avant même d'avoir parcouru la moitié de la liste des « symptômes prémonitoires », j'étais convaincu fermement que je l'avais bel et bien attrapée.

Je restai tout d'abord glacé d'horreur. Puis, dans l'abandon du désespoir, je me remis à tourner les pages. J'arrivai à la fièvre typhoïde — lus les symptômes — découvris que j'avais la fièvre typhoïde, que je devais en souffrir depuis des mois sans m'en douter — me demandai ce que je pouvais bien avoir encore, arrivai à la page de la danse de Saint-Guy — et constatai, comme je m'y attendais, que j'en étais également atteint. Mon cas devenait intéressant. Je résolus de tirer la chose au clair, et repris depuis le début, par ordre alphabétique — lus l'article consacré à l'alopécie, et appris que je l'avais déjà contractée et que la période aiguë se déclarerait dans une quinzaine environ. Le mal de Bright[3], je fus soulagé de le voir, je n'en souffrais que sous une forme bénigne, et à cet égard je pouvais vivre encore des années. Le choléra, je l'avais, avec des complications graves ; et quant à la diphtérie, je devais en être atteint de naissance. Je piochai consciencieusement les vingt-six lettres de l'alphabet d'un bout à l'autre et, pour conclure, la seule maladie que je n'avais pas était l'hydarthrose des femmes de chambre.

Je m'en sentis un peu vexé, au début. Pourquoi n'avais-je pas l'hydarthrose des femmes de chambre ? Pourquoi cette restriction jalouse ? Cela me semblait quasi injuste. Mais au bout d'un moment des sentiments moins accapareurs l'emportèrent. Je réfléchis que je collectionnais déjà toutes les autres maladies connues de la pharmacologie et, devenant moins égoïste, je me résignai à me passer de l'hydarthrose des femmes de chambre. La goutte, sous sa forme la plus pernicieuse, paraît-il, s'était emparée de moi à mon insu ; et la zymosis[4], j'en souffrais évidemment depuis mon adolescence. La zymosis étant la dernière maladie du livre, j'en conclus que je n'avais plus rien d'autre.

Je restai à méditer. Quel cas intéressant je devais être, du point de vue médical ! Quelle acquisition je ferais pour un cours de professeur ! Les étudiants seraient dispensés de « courir les hôpitaux », s'ils m'avaient à leur disposition ! J'étais à moi seul tout un hôpital ! Il leur suffirait tout bonnement de faire le tour de mon individu, et après cela ils pourraient obtenir leur diplôme.

Je me demandai ensuite combien de temps il me restait à vivre. J'essayai de m'examiner. Je me tâtai le pouls. Je ne réussis pas, tout d'abord, à le sentir. Puis, tout d'un coup, il se mit en train. Je tirai ma montre et chronométrai ses pulsations. J'en trouvai cent quarante-sept à la minute. J'essayai de tâter mon cœur. Impossible de percevoir ses battements. Il s'était arrêté. J'ai eu, depuis, des raisons de croire qu'il devait être là quand même et qu'il devait battre, mais je n'en répondrais pas. Je me tapotai sur tout le devant du corps, depuis ce que j'appelle ma taille jusqu'à ma tête, et j'allai un peu au-delà de chaque côté et je remontai un petit peu dans le dos. Mais je ne parvins pas à sentir ni à entendre quoi que ce fût. Je tâchai de regarder ma langue. Je la tirai le plus loin possible, et fermai un œil pour essayer de l'examiner avec l'autre.

Je ne pus en voir que le bout, et la seule chose que j'y gagnai, ce fut de me persuader encore davantage que j'avais la fièvre scarlatine.

En entrant dans cette salle de lecture, j'étais un homme heureux et bien portant. J'en sortis courbé en deux, à l'état de misérable épave.

J'allai trouver mon médecin. C'est un de mes vieux copains, qui me tâte le pouls, me regarde la langue, et me parle de la pluie et du beau temps, le tout gratis, quand je me figure que je suis malade ; je pensais que ce serait lui rendre service d'aller le trouver alors. « Ce dont un docteur a besoin, me disais-je, c'est de pratique. Il aura ma personne. Il retirera de moi plus de pratique que de dix-sept cents de ces vulgaires malades, qui n'ont chacun qu'une ou deux maladies au plus. »

J'arrivai donc chez lui, tout fier, et en me voyant, il me dit :

— Eh bien ! qu'est-ce que tu as ?

Je lui répondis :

— Je ne te ferai pas perdre ton temps, mon cher vieux, en te racontant ce que j'ai. La vie est brève, et tu risquerais fort de trépasser avant que j'aie fini. Je préfère te dire ce que je n'ai pas. Je ne suis pas atteint de l'hydarthrose des femmes de chambre. Pourquoi l'hydarthrose des femmes de chambre m'a-t-elle épargné, je ne saurais te le dire ; mais le fait est que j'y échappe. Tout le reste, à part cela, j'en suis atteint.

Et je lui contai en détail comment j'étais arrivé à cette découverte.

Il me fit tirer la langue, y jeta un coup d'œil, et me saisit le poignet, et puis il me tapa sur la poitrine alors que je m'y attendais le moins — j'appelle ça prendre les gens en traître — et tout de suite après y colla son oreille. Après quoi il s'assit, rédigea une ordonnance, la plia et me la remit. Je la glissai dans ma poche et m'en allai.

Je ne l'ouvris pas. Je la portai au pharmacien le plus proche et la lui présentai. Il la lut, et me la rendit.

Il déclara qu'il n'avait pas cela.

Je lui demandai :

— Vous êtes pharmacien ?

Il me répondit :

— Je suis pharmacien, en effet. Si j'étais une coopérative de vente et une pension de famille réunies, je serais peut-être capable de vous satisfaire. N'étant que pharmacien, je me sens gêné.

Je lus l'ordonnance. Elle portait :

1 livre de bifteck, plus
1 pinte de bière
                    toutes les six heures
1 promenade de quinze kilomètres tous les matins.
1 lit à 11 heures précises tous les soirs.
Et ne te bourre pas le crâne de choses auxquelles tu ne comprends rien.

Je suivis les instructions, avec le résultat heureux — pour moi, c'est-à-dire — de sauver ma vie, qui dure toujours.

Dans le cas présent, pour en revenir à la réclame des pilules pour le foie, j'avais indéniablement les symptômes, dont le principal est « une aversion complète pour le travail sous toutes ses formes ».

Ce que je puis souffrir de cette façon-là, il n'est pas de mots pour le dire. Dès mes toutes premières années, j'en fus le martyr. Pendant mon enfance, cette maladie ne me quitta pas un seul jour. On ne savait pas que c'était la faute de mon foie. La science médicale était beaucoup moins avancée qu'aujourd'hui, et on attribuait cela à la paresse. On me disait :

— Mais, satané petit fainéant, secoue-toi ! Tu ne feras donc jamais rien pour gagner ta vie ?

On ne savait pas, bien entendu, que j'étais malade. Et, au lieu de m'administrer des pilules, on m'allongeait des taloches. Et, si singulier que cela puisse paraître, ces taloches me guérissaient souvent — pour une heure. Certaines de ces gifles ont eu plus d'effet sur mon foie, et m'ont bien mieux inspiré le désir de me mettre à la besogne sur-le-champ que ne le fait à présent toute une boîte de pilules.

Il en va souvent ainsi, voyez-vous : les simples remèdes de bonne femme sont quelquefois plus efficaces que toutes les drogues d'apothicaire.

Nous restâmes là pendant une demi-heure à nous décrire nos maladies les uns aux autres. J'expliquai à George et à William Harris l'état où je me trouvais en me levant le matin, et William Harris nous raconta comment il se sentait quand il allait se coucher ; et George se mit debout sur le devant du foyer et se livra à une habile et expressive mimique, démonstrative de ce qu'il éprouvait pendant la nuit.

George, voyez-vous, *s'imagine* qu'il est malade ; mais en réalité il n'a rien du tout.

Nous en étions là quand Mrs. Poppets, notre logeuse, frappa à la porte pour savoir si nous étions disposés à souper. Nous échangeâmes un sourire amer et lui répondîmes que nous allions essayer tout de même d'avaler une bouchée. Harris ajouta qu'un petit quelque chose dans l'estomac tient souvent la maladie en échec. Mrs. Poppets nous apporta le plateau, et nous nous mîmes à table, pour grignoter un peu de rumsteck aux oignons et de tarte à la rhubarbe.

Je devais être alors très affaibli, car je me souviens qu'au bout d'une demi-heure à peine je n'avais plus aucun goût à manger — ce qui ne m'est pas habituel, — et je m'abstins de fromage.

Ce devoir exécuté, nous remplîmes nos verres à nouveau, allumâmes nos pipes, et reprîmes la discussion sur notre état de santé. Ce que nous avions au juste, aucun de nous n'aurait su le dire ; mais l'opinion unanime fut que le mal, quelle qu'en fût la nature, était un résultat de surmenage.

— Ce qu'il nous faut, proclama Harris, c'est du repos.

— Du repos et un changement complet, affirma George. Le surmenage intellectuel a entraîné chez nous une dépression générale de l'organisme. Le changement de milieu, l'absence de la nécessité de penser rétabliront notre équilibre mental.

George a un cousin qui prend d'habitude sur les

procès-verbaux de police la qualité d'étudiant en médecine ; ce qui fait que notre ami tient plus ou moins de famille sa façon doctorale d'exposer les choses.

Je pensais comme George, et je proposai de chercher un coin vieillot et bien tranquille, loin de la foule déchaînée, où nous passerions à rêver toute une radieuse semaine parmi des rues somnolentes ; un petit trou presque ignoré, caché par les fées, à l'abri du tumulte du monde ; un romantique nid d'aigle perché sur les falaises du Temps, où l'on entend à peine, au loin, battre les flots tumultueux du dix-neuvième siècle.

Harris déclara qu'à son idée ce serait assommant. Il connaissait trop le genre de patelin que je voulais dire : où chacun va se coucher à huit heures, où il n'y a pas moyen, pour or ni pour argent, d'acheter un *Referee*[5] et où il faut faire quinze kilomètres de marche pour trouver du tabac convenable.

— Non, dit Harris, si on veut du repos et du changement, rien ne vaut une croisière en mer.

Je m'opposai fortement à la croisière en mer. Ce genre de sport vous fait du bien quand il doit durer un ou deux mois, mais pour une semaine, c'est nuisible.

On part le lundi avec l'idée bien arrêtée qu'on va s'amuser. On envoie un adieu protecteur aux amis sur le quai, on allume sa plus grosse pipe, et on fait le matamore sur le pont, aussi fier que si on était le capitaine Cook[6], sir Francis Drake[7] et Christophe Colomb réunis. Le mardi, on regrette d'être venu. Le mercredi, le jeudi et le vendredi, on souhaiterait être mort. Le samedi, on est en état d'avaler un peu de bouillon, de s'asseoir sur le pont, et de répondre avec un pâle et doux sourire quand des personnes compatissantes vous demandent si vous vous sentez mieux. Le dimanche, on recommence à circuler et à prendre de la nourriture solide. Et le lundi matin, lorsque, valise et parapluie à la main, on se tient près de la rambarde prêt à débarquer, on commence à aimer ça tout à fait.

Cela me rappelle l'aventure de mon beau-frère, lorsqu'il partit faire une petite croisière en mer, pour sa santé. Il prit un aller et retour de cabine Londres-Liverpool ; et dès son arrivée à Liverpool, il n'avait plus qu'un désir, c'était de revendre son billet de retour.

Ce billet, on l'offrit dans toute la ville, à ce qu'on m'a raconté, avec une réduction formidable, et il fut à la fin adjugé pour dix-huit pence à un jeune homme de mine bilieuse, à qui son médecin venait justement de recommander l'air de la mer et l'exercice.

— L'air de la mer ! lui dit mon beau-frère, en lui glissant affectueusement le billet dans la main ; mais, mon bon, vous allez en avoir là pour toute votre vie ; et quant à l'exercice !... vrai, vous prendrez plus d'exercice à rester assis sur ce bateau, que si vous faisiez des sauts périlleux sur la terre ferme.

Quant à lui (mon beau-frère), il revint par le train, en déclarant que le chemin de fer du Nord-Ouest était assez hygiénique pour lui.

Un autre garçon de ma connaissance partit pour une croisière d'une huitaine le long de la côte, et avant le départ, le maître d'hôtel vint lui demander s'il préférait payer chaque repas séparément ou régler d'avance un forfait pour la série entière.

Le maître d'hôtel lui vanta cette seconde méthode comme beaucoup plus économique. Il dit qu'on le nourrirait toute la semaine pour deux livres cinq shillings. Il ajouta qu'au petit déjeuner il y avait du poisson, suivi d'une grillade. Le déjeuner était à une heure, et comportait quatre plats. Le dîner, à six : potage, poisson, entrée, plat de viande, volaille, salade, entremets, fromage et dessert. Plus un souper de viande froide à dix heures.

Mon ami, gros mangeur, décida de choisir la combinaison à deux livres cinq shillings, et c'est ce qu'il fit.

Le déjeuner fut servi juste au départ de Sheerness [8]. Il se sentait moins d'appétit qu'il ne l'aurait cru, et se contenta d'une tranche de bouilli et de fraises à la crème. Il médita beaucoup durant l'après-midi. Tantôt il lui semblait n'avoir rien mangé que du bouilli depuis des semaines, et à d'autres moments il lui semblait n'avoir subsisté que de fraises à la crème depuis des années.

Pas plus le bœuf que les fraises à la crème, du reste, ne semblaient heureux ; ils paraissaient plutôt mécontents.

A six heures, on vint prévenir mon ami que le dîner était servi. Cette nouvelle ne suscita en lui aucun enthousiasme, mais il songea qu'il lui fallait en prendre pour son argent, et, se cramponnant à des cordages et autres engins, il descendit au restaurant. Une bonne odeur d'oignons frits et de jambon chaud, de poisson frit et de légumes, l'accueillit au bas de l'escalier. Le maître d'hôtel surgit avec un sourire patelin, et lui demanda :

— Qu'est-ce que je puis apporter à monsieur ?

— Emportez-moi hors d'ici, répliqua l'autre d'une voix éteinte.

On l'emmena au plus vite en haut, on l'accota, penché sur la lisse de tribord, et on le laissa là.

Les quatre jours suivants, il observa un régime simple et irréprochable, de biscuits et d'eau de Seltz ; mais vers le samedi, il reprit le dessus, et se mit au thé léger et au toast ; le lundi, il se gorgeait de bouillon de poulet. Il quitta le bateau le mardi, et tandis que celui-ci s'éloignait du débarcadère, il lui lança un regard plein de regrets.

— Le voilà qui s'en va, dit-il, qui s'en va, emportant à son bord pour deux livres de nourriture qui m'appartient, et que je n'ai pas mangée.

Il affirmait que si on lui avait laissé un jour de plus, il en serait venu à bout.

Je m'opposai donc à la croisière en mer. Non, comme je l'expliquai, à cause de moi — je n'ai jamais le mal de mer — mais je craignais pour George. George affirma qu'il supporterait fort bien la navigation et qu'elle lui plairait ; mais il nous conseillait, à Harris et à moi, de n'y pas songer, car il était persuadé

que nous serions malades tous les deux. Harris déclara
que, quant à lui, il n'avait jamais compris comment
faisaient les gens pour être malades en mer — ils
devaient le faire exprès, par affectation — et il ajouta
qu'il avait souvent désiré l'être, mais n'y était jamais
parvenu.

Puis il nous conta des anecdotes sur une traversée
du Pas de Calais qu'il avait faite un jour où la mer était
si mauvaise qu'on avait dû amarrer les passagers sur
leurs couchettes et que lui et le capitaine étaient les
deux seuls êtres vivants à bord qui ne fussent pas
malades. Quelquefois, c'était lui et le second qui
n'étaient pas malades ; mais c'était généralement lui et
un autre. Quand ce n'était pas lui et un autre, alors
c'était lui tout seul.

Fait curieux, personne n'a jamais le mal de mer —
à terre. En mer, on rencontre des tas de gens très
malades, par pleins bateaux ; mais je n'ai encore
jamais rencontré personne, à terre, qui ait jamais su ce
que c'est que d'avoir le mal de mer. Où ces myriades
de mauvais marins qui grouillent sur chaque bateau
peuvent bien se cacher quand ils sont à terre, c'est
pour moi un mystère.

Si la plupart des gens étaient comme le citoyen que
j'ai vu un jour sur le bateau pour Yarmouth [9], l'apparente énigme se résoudrait assez facilement. C'était
juste en face de la jetée de Southend [10], je me souviens,
et il se penchait par un des hublots, dans une position
très dangereuse. Je m'approchai de lui pour tenter de
le sauver.

— Hé ! rentrez-vous un peu, lui dis-je en le tirant
par l'épaule. Vous allez tomber à l'eau.

— Oh ! mon Dieu ! je voudrais y être ! fut la seule
réponse que je pus obtenir de lui.

Et je dus le laisser là.

Trois semaines après, je le revis dans le bar d'un
hôtel de Bath [11], qui parlait de ses croisières, et
exposait avec enthousiasme son amour de la mer.

— Si j'ai le pied marin ! s'écria-t-il, en réponse à un
doux jeune homme qui le questionnait avec envie. Eh

bien ! j'avoue que je me suis senti légèrement indisposé, mais une seule fois. C'était au large du cap Horn. Le navire fit naufrage le lendemain.

Je lui dis :

— N'étiez-vous pas un peu barbouillé, devant la jetée de Southend, un jour où vous demandiez qu'on vous jette à l'eau ?

— La jetée de Southend ! répliqua-t-il, d'un air étonné.

— Oui, en allant à Yarmouth, il y a eu vendredi trois semaines ?

— Oh ! Ah... oui, répondit-il, avec un sourire ; maintenant je me rappelle. J'avais la migraine cet après-midi-là. C'était, voyez-vous, la faute des *pickles*[12]. Les plus ignobles *pickles* que j'aie jamais goûtés sur un bateau qui se respecte. En aviez-vous pris ?

Quant à moi, j'ai découvert un excellent médicament préventif contre le mal de mer, c'est de me balancer. On se tient debout au milieu du pont, et quand le bateau roule et tangue, on penche son corps de côté et d'autre, de façon à le tenir toujours vertical. Quand la proue se relève, on s'incline en avant, jusqu'à ce que le pont touche presque votre nez ; quand c'est la poupe qui se soulève, on s'incline en arrière. Cela va très bien pendant une heure ou deux ; mais on ne peut pas se balancer pendant une semaine.

George dit :

— Remontons donc la Tamise !

Il affirma que nous aurions air pur, exercice et repos ; le perpétuel changement de paysage occuperait nos esprits (y inclus ce qu'en possède Harris) ; et le maniement des avirons nous donnerait bon appétit et nous ferait bien dormir.

Harris répondit que, à son avis, George ne devait rien faire qui eût tendance à le rendre plus endormi qu'il ne l'était, car cela pourrait devenir dangereux. Il ne voyait pas trop comment George serait capable de dormir plus qu'il ne faisait déjà, étant donné qu'il n'y a que vingt-quatre heures par jour, été comme hiver ; et de toute façon, s'il arrivait à dormir davantage, il vaudrait tout autant pour lui d'être mort, ce qui lui économiserait sa pension et son logement.

Harris ajouta qu'à part cela, la Tamise lui irait « comme un gant ».

A moi aussi elle allait « comme un gant », et Harris et moi déclarâmes tous deux que George avait eu là une bonne idée. Nous dîmes cela d'un ton qui montrait plus ou moins notre surprise de voir George devenu si intelligent.

Le seul qui ne fût pas emballé par la proposition était Montmorency. Montmorency n'a jamais eu de goût pour la Tamise.

— C'est parfait pour vous, les amis, dit-il ; vous aimez ça, mais moi pas. Ça n'a aucun attrait pour moi. Le paysage me laisse froid, et je ne fume pas. Si je vois passer un rat, vous ne stoppez pas, et si je me mets à dormir, vous faites aussitôt des bêtises avec le bateau et me flanquez dans la flotte. Tout cela, si vous voulez le savoir, pour moi, c'est totalement idiot.

Mais nous étions trois contre un, et la proposition fut votée.

2

Nous tirâmes les cartes d'état-major pour discuter nos plans.

Nous résolûmes de partir le samedi suivant, de Kingston [13]. Harris et moi nous irions, dès le matin, conduire le canot jusqu'à Chertsey [14], et George, qui ne pouvait quitter la Cité [15] avant l'après-midi (George va dormir dans une banque tous les jours de dix à quatre, excepté le samedi, où on le réveille pour le mettre dehors à deux heures), nous y retrouverait.

Devions-nous camper en plein air ou coucher dans les auberges ?

George et moi nous étions pour camper en plein air. Ce serait si bellement primitif et libre, si patriarcal !

Lentement le souvenir vermeil du soleil défunt s'évanouit au sein des nuages gris et mornes. Silencieux comme des enfants en deuil, les oiseaux ont cessé leur ramage, et seuls, le cri plaintif de la poule d'eau et le rauque croassement du râle des genêts troublent le silence solennel qui plane sur le lit du fleuve où le jour mourant exhale son dernier soupir.

Des bois indistincts, sur les deux rives, les ombres grises — armée fantômale de la Nuit — sortent et s'avancent à pas muets, pour chasser les dernières lueurs attardées, et effleurent de leurs pieds invisibles les hautes herbes ondulantes et les roseaux qui soupirent. La Nuit, sur son trône sombre, déploie ses noires ailes au-dessus du monde obscurci, et, du haut de son palais fantôme qu'illuminent les pâles étoiles, elle règne dans la paix silencieuse.

Alors nous abritons notre petit bateau dans quelque recoin paisible. La tente est vite dressée ; on fait cuire et on mange le frugal souper. Puis on bourre et on allume les grosses pipes, et d'agréables bavardages s'échangent à mi-voix, musicalement. Dans les silences de la conversation, le fleuve, jouant à l'entour du bateau, chuchote ses vieux contes et ses secrets, chantonne tout bas la vieille chanson d'enfant que depuis tant de mille et de mille ans il module et qu'il redira encore tant de milliers d'années à venir, avant que sa voix ne se casse de vieillesse — une chanson que nous, qui avons appris à aimer son changeant visage, qui nous sommes si souvent blottis sur son sein accueillant, croyons parfois comprendre, mais sans pouvoir exprimer en paroles vulgaires l'histoire que nous venons d'écouter.

Et nous restons là, sur son bord, tandis que la lune, qui l'aime elle aussi, se penche pour lui donner un baiser de sœur, et l'enlace étroitement de ses bras d'argent. Et nous le regardons couler, sans arrêt, chantonnant et chuchotant, à la rencontre de son roi, l'océan — jusqu'au moment où nos voix se taisent et où les pipes s'éteignent — et où nous, pourtant jeunes gens ordinaires, sentons monter en nous tout un flot de pensées inconnues, mi-douces, mi-mélancoliques, et n'éprouvons plus le désir ni le besoin de parler. Et alors nous nous levons en riant, secouons les cendres de nos pipes archifumées — nous nous disons bonne nuit, et, bercés par le clapotis de l'eau et le bruissement des feuillages, nous nous endormons sous les étoiles, et rêvons que la terre est redevenue jeune — jeune et aimable comme elle l'était avant que les siècles de la hâte et du souci eussent ridé son beau visage, avant que les péchés et les folies de ses enfants eussent vieilli son cœur aimant — aimable comme elle l'était dans ces jours lointains où, jeune mère, elle nous choyait, nous ses enfants, sur son sein profond — avant que les attraits de la civilisation factice nous eussent détournés de ses tendres bras — avant que les ricanements venimeux de l'artifice nous eussent fait honte de la simple vie que nous menions avec elle, de la simple et majestueuse demeure où l'humanité naquit, il y a tant de milliers d'années.

Harris dit :

— Oui, mais s'il pleuvait ?

Impossible d'élever jamais Harris vers les hauteurs. Il n'y a en Harris aucune poésie — aucune folle aspiration vers l'impossible. Jamais il n'arrive à Harris de « pleurer sans savoir pourquoi ». Si les yeux de Harris s'emplissent de larmes on peut parier que c'est parce qu'il vient de manger des oignons crus ou qu'il a mis trop de sauce Worcester [16] sur sa côtelette.

Si, par exemple, vous trouvant le soir au bord de la mer avec Harris, vous lui disiez : « Ecoute ! n'entends-tu pas ? Ne sont-ce pas les sirènes qui chantent dans leurs grottes sous-marines, ou les âmes en peine qui psalmodient des lamentations pour les cadavres blanchis retenus par les algues ? » Harris vous prendrait par le bras et dirait : « Je vois ce que c'est, mon vieux ; tu as pris froid et tu as la fièvre. Allons, viens avec moi. Je connais un bistro à deux pas d'ici, où tu pourras boire un coup du plus fin whisky d'Ecosse que tu aies jamais dégusté — et qui te remettra d'aplomb en cinq secs. »

Harris connaît toujours un bistro à deux pas d'ici, où l'on peut boire quelque chose d'exceptionnel. Je suis sûr que si vous le rencontriez en paradis (à supposer que la chose soit vraisemblable), il vous accueillerait d'emblée par ces mots : « Très heureux de ta venue, vieux frère ! J'ai découvert un chic bistro à deux pas d'ici, où on peut boire un vrai nectar de première classe. »

Dans le cas présent, toutefois, en ce qui concernait le camping, sa façon pratique d'envisager les choses arrivait fort à point : camper à l'air libre par temps de pluie n'a rien d'agréable.

C'est le soir. On est tout trempé, il y a cinq bons centimètres d'eau dans le bateau, et tous les objets sont mouillés. On trouve sur la rive un endroit un peu moins fangeux que les autres, on débarque pour déployer la tente, et on se met à deux pour entreprendre de la dresser.

La toile est imbibée d'eau et pesante ; elle claque au vent, retombe sur vous, s'entortille autour de votre tête et vous rend fou. Cependant, la pluie ne cesse pas de tomber à seaux. C'est déjà assez difficile de dresser une tente par temps sec ; s'il pleut, cela devient un vrai travail d'Hercule. Au lieu de vous aider, il vous semble que le collègue ne fait que des bêtises. Au moment précis où vous venez d'assujettir comme il faut votre côté de la tente, il se met à haler du sien, et démolit tout.

— Hé là ! qu'est-ce que tu fiches donc ? lui criez-vous.

— C'est toi ! Qu'est-ce que tu fiches, toi ! renvoie-t-il. Laisse aller, veux-tu ?

— Ne tire pas dessus, tu t'y prends comme un manche, espèce de gourde ! lancez-vous.

— Non, ce n'est pas moi, hurle-t-il à son tour. Laisse aller ton côté !

— Je te répète que tu t'y prends comme un manche ! rugissez-vous, regrettant de n'être pas plus près de lui ! Et vous tirez si fort sur les cordes que tous les piquets sont arrachés.

— Quel idiot ! l'entendez-vous murmurer tout seul.

Puis survient une traction farouche, et voilà votre côté parti. Vous déposez le maillet et vous mettez en devoir de faire le tour pour aller dire votre façon de penser au copain, mais au même instant il se met à faire le tour dans le même sens pour venir vous exposer son avis. Et vous vous poursuivez l'un l'autre en vous injuriant, tout autour de la tente, qui finit par s'abattre en un tas ; vous restez à vous dévisager par-dessus ses décombres, puis vous vous écriez avec indignation, tous les deux à la fois :

— Là ! tu vois bien ! qu'est-ce que je t'avais dit !

Cependant, le troisième collègue, qui était en train d'écoper le bateau, qui s'est fourré de l'eau plein la manche et qui jure tout seul sans discontinuer depuis dix minutes, voudrait bien savoir, nom d'un tonnerre ! à quoi vous vous amusez et pourquoi cette fichue tente n'est pas encore dressée.

Pour finir, tant bien que mal, la voilà debout, et on débarque le matériel. Il ne faut pas songer à faire un feu de bois. On allume donc le réchaud à alcool, autour duquel on se rassemble.

L'eau de pluie est au dîner le plat principal. Le pain renferme deux tiers d'eau de pluie, le bifteck en est abondamment pourvu, et la confiture, le beurre, le sel et le café se sont associés avec elle pour faire de la soupe.

Après le repas, on constate que le tabac est humide et qu'on ne peut pas fumer. Par bonheur on a une bouteille du liquide qui égaie et enivre [17], si on le prend à la dose voulue, et cet élixir vous rend suffisamment le goût de vivre pour que vous soyez tenté d'aller vous coucher.

Alors, vous rêvez qu'un éléphant est tout d'un coup venu s'installer en plein sur votre estomac, et que le volcan a fait explosion et vous a projeté au fond de la mer — où l'éléphant dort toujours paisiblement sur votre sein. Vous vous réveillez avec l'idée qu'une terrible catastrophe a réellement eu lieu. Votre première impression est que la fin du monde est arrivée ; puis vous réfléchissez que ça ne doit pas être cela, et que ce sont plutôt des voleurs et des assassins, ou encore un incendie, et vous exprimez cette opinion suivant la méthode habituelle. Aucun secours ne vient, cependant, et tout ce que vous savez c'est que

des milliers d'individus sont en train de vous bourrer
de coups de pied, et que vous étouffez.

Quelqu'un d'autre aussi paraît avoir des désagré-
ments. Ses cris indistincts partent de sous votre lit.
Résolu, quoi qu'il advienne, à vendre chèrement votre
vie, vous luttez comme un possédé, cognant des pieds
et des poings à droite et à gauche, le tout sans cesser de
hurler à gorge déployée. A la fin, un obstacle cède, et
votre tête se trouve à l'air libre. A moins d'un mètre de
distance, vous entrevoyez dans l'ombre un bandit à
demi nu, qui s'apprête à vous occire, et vous vous
disposez à soutenir un combat sans merci, quand le
soupçon commence à vous venir que ce bandit n'est
autre que Jim.

— Ah! tiens, c'est toi? vous dit-il, vous reconnaissant au même moment.

— Oui, répondez-vous, en vous frottant les yeux.
Qu'est-ce qui est arrivé?

— Cette fichue tente a été renversée par le vent, je
crois, répond-il. Où est Bill?

Alors vous unissez vos voix tous les deux pour
appeler : « Bill! » et le sol au-dessous de vous ondule
et se soulève, et la voix étouffée que vous entendiez
tout à l'heure réplique du milieu des ruines :

— Vous êtes assis sur ma tête. Retirez-vous un peu,
s'il y a moyen.

Et Bill s'ébroue et surgit, loque humaine boueuse et
piétinée, et d'humeur intempestivement agressive, car
il est évidemment persuadé que tout cela est un coup
monté.

Le matin, vous êtes tous les trois aphones, du fait
du fort rhume que vous avez attrapé pendant la nuit;
vous êtes aussi d'une humeur de chien et vous passez
tout le temps du déjeuner à vous lancer des injures
d'une voix enrouée à peine audible.

Nous décidâmes, en conséquence, que nous cou-
cherions dehors les nuits de beau temps, et que nous
irions à l'hôtel, à l'auberge, au pub, comme des gens
respectables, quand il pleuvrait ou quand nous
aurions envie de changement.

Montmorency salua ce compromis de ses approbations répétées. Lui, ne se complaît pas dans une romantique solitude. Il préfère quelque chose de bruyant ; et si c'est un peu vulgaire, tant mieux. A voir Montmorency, on s'imaginerait volontiers que c'est un ange envoyé sur la terre, pour une raison inconnue de l'humanité, sous la forme d'un petit fox-terrier. Montmorency vous a un de ces airs : Oh !-que-ce-monde-est-méchant-et-comme-je-voudrais-pouvoir-faire-quelque-chose-pour-le-rendre-meilleur-et-plus-noble qui a déjà fait monter les larmes aux yeux de pieuses vieilles dames et vieux messieurs charitables.

Quand il commença à vivre à mes dépens, je n'aurais jamais cru au début, que j'arriverais à le garder longtemps. Je le contemplais assis sur le tapis et les yeux levés vers moi, et je me disais : « Oh ! ce chien ne vivra pas. Il va être emporté dans l'Empyrée sur un char de feu, c'est inévitable. »

Mais lorsque j'eus payé des indemnités pour une douzaine de poulets qu'il avait tués ; quand je l'eus arraché, grognant et gigotant, par la peau du cou, à cent quatorze batailles de rues ; quand un chat crevé m'eut été présenté par une femme en furie qui me traita d'assassin ; quand j'eus été cité en justice par un de mes voisins sous l'accusation de tenir en liberté un chien féroce qui l'avait assiégé pendant plus de deux heures par une nuit glaciale dans sa propre cabane à outils, d'où il n'osait plus sortir ; quand j'eus appris que le jardinier, sans que je le sache, avait gagné trente shillings en pariant sur sa rapidité à tuer des rats, alors je commençai à croire que peut-être bien, en fin de compte, il lui serait permis de rester sur terre encore quelque temps.

Rôder autour des écuries, rassembler une bande des chiens les moins recommandables qui soient dans la ville, et les emmener faire le tour des quartiers populaires pour se battre avec d'autres chiens peu recommandables, c'est l'idée que Montmorency se fait de « la belle vie » ; et voilà pourquoi, comme je l'ai déjà dit, il donna à la proposition de loger dans les

auberges, pubs et hôtels, sa plus vigoureuse approbation.

Ayant ainsi réglé la question du coucher à la
satisfaction de tous quatre, il ne nous restait plus
qu'une chose à mettre au point : ce qu'il nous fallait
emporter. Nous avions commencé à en discuter quand
Harris déclara qu'il en avait assez de palabrer pour ce
soir, et nous proposa de sortir et de rire un peu,
ajoutant qu'il avait découvert un bistro à deux pas, où
l'on trouvait un certain whisky irlandais qui valait la
peine d'être dégusté.

George avoua qu'il se sentait soif (c'est l'habitude de
George depuis que je le connais) ; et comme j'avais le
pressentiment qu'un peu de grog au whisky, très
chaud, avec une tranche de citron, ferait du bien à ma
maladie, la suite du débat fut, d'un commun accord,
reportée au lendemain soir ; et l'assemblée se coiffa et
sortit.

3

Dispositions prises. — Méthode de travail de Harris. —
Comment un père de famille installe un tableau. —
George fait une réflexion sensée. — Joies du premier bain
matinal. — En prévision d'un naufrage.

Ainsi donc, le lendemain soir, nous nous réunîmes
de nouveau, pour discuter et mettre au point nos
plans. Harris dit :

— Maintenant, la première chose à régler, c'est de
savoir ce que nous allons emporter. Toi, Jerome, tu
vas prendre un morceau de papier et écrire ; et toi,
George, le catalogue d'épicerie, et quelqu'un me
donnera un bout de crayon, et alors je dresserai la
liste.

Ça, c'est du Harris tout pur : il est toujours prêt à se
charger lui-même de tout, et à faire exécuter la
besogne par les autres.

Il me rappelle à tout moment mon défunt oncle
Podger. Quand mon oncle Podger entreprenait de
faire un petit travail, c'était du haut en bas de la
maison un remue-ménage comme personne n'en a
jamais vu de sa vie. Un tableau venait d'arriver de
chez l'encadreur et se trouvait dans la salle à manger,
en attendant d'être posé. Ma tante Podger demandait
ce qu'il fallait en faire, et mon oncle répondait :

— Oh ! laisse-moi faire, c'est moi que ça regarde.
Tu n'as pas besoin de t'en occuper, ni personne. Je me
charge de tout.

Et alors il retirait sa redingote et commençait. Il
envoyait la bonne chercher pour six pence de clous,
puis faisait courir après elle un des garçons pour lui
dire de quelle taille il les fallait ; et de cette manière il
mettait peu à peu en branle-bas toute la maison.

— Allons, Will, va me chercher mon marteau,
criait-il ; et toi, Tom, apporte-moi la règle ; et j'aurai
besoin de l'escabeau pour monter dessus ; et je ferais
bien d'avoir aussi une chaise de cuisine ; Jim ! tu vas
courir chez Mr. Goggles, et tu lui diras que ton papa le
salue bien et espère que sa jambe va mieux ; et
voudrait-il avoir l'obligeance de lui prêter son niveau
d'eau... Et ne t'en va pas, Maria, car j'aurai besoin de
quelqu'un pour me tenir la bougie, et quand la bonne
rentrera, il lui faudra ressortir pour aller chercher un
bout de cordelière à tableaux ; et Tom !... où est
Tom ?... Tom, viens ici ; j'ai besoin de toi pour me
tendre le tableau.

Et alors, il soulevait le tableau, et le laissait choir, et
le tableau s'échappait du cadre, et en essayant de
rattraper le verre, mon oncle se coupait ; et alors il
bondissait de tous côtés dans la pièce, en cherchant
son mouchoir. Il ne trouvait pas son mouchoir parce
que ce mouchoir était dans la poche de la redingote
qu'il venait de retirer et qu'il ne savait plus où il avait
mis ce vêtement, et il fallait que toutes les personnes
de la maison cessassent de s'occuper de ses outils pour
se mettre à la recherche de sa redingote. Cependant il
se démenait et les harcelait à la ronde :

— Il n'y a donc personne dans toute la maison qui
sache où est ma redingote ? Je n'ai jamais vu des
empotés comme ça ! Vous êtes là six ! — et vous ne
savez pas trouver une redingote que j'ai déposée il n'y
a pas cinq minutes ! Sacré mille milliards...

Alors il se levait et, constatant qu'il était assis
dessus, il s'écriait :

— Oh ! ça va bien, ne cherchez plus ! Je viens de la

retrouver tout seul. Autant vaudrait demander au chat de retrouver un objet qu'à des gens comme vous.

Et quand une demi-heure s'était écoulée à lui panser le doigt, et qu'on avait acheté un nouveau verre, et qu'on avait apporté les outils, et l'escabeau, et la chaise, et la bougie, c'était une nouvelle représentation. Toute la famille, y compris la bonne et la femme de ménage, se tenait autour de lui, en demi-cercle, prête à l'aider. Il fallait deux personnes pour tenir la chaise — une troisième l'aidait à monter dessus, et l'y maintenait ; une quatrième lui tendait un clou et une cinquième lui passait le marteau. Il prenait le clou et le laissait tomber.

— Ça y est ! disait-il, d'un ton vexé, voilà le clou perdu.

Et il nous fallait nous mettre tous à quatre pattes pour chercher le clou à tâtons, pendant que l'oncle restait debout sur sa chaise à ronchonner et à demander si on allait le tenir là toute la soirée.

Le clou se retrouvait enfin, mais cette fois il avait perdu le marteau.

— Où est le marteau ? Qu'ai-je fait du marteau ? Grands dieux ! vous êtes là sept autour de moi à bayer aux corneilles, et vous ne savez pas ce que j'ai fait du marteau !

Nous lui retrouvions son marteau, mais alors il n'arrivait plus à voir la marque qu'il avait faite sur le mur à l'endroit où devait aller le clou, et nous montions l'un après l'autre sur la chaise, à côté de lui, pour tâcher de la découvrir ; et nous l'apercevions chacun à une place différente, et il nous traitait tous d'imbéciles, l'un après l'autre, et nous ordonnait de descendre. Il prenait la règle, recommençait ses mesures, et constatait qu'il fallait prendre, à partir du coin, la moitié de soixante-quinze centimètres un tiers. Il tentait de faire le calcul de tête, et devenait enragé.

Et nous tentions tous de faire le calcul de tête, et arrivions tous à des résultats différents et nous moquions les uns des autres. Et dans l'affolement général, on oubliait le nombre primitif, et mon oncle Podger était forcé de reprendre encore une fois ses mesures.

Il se servait d'un bout de ficelle, cette fois-ci, et, au moment critique où ce vieux ballot se penchait en dehors de la chaise sous un angle de quarante-cinq degrés, en s'efforçant d'atteindre un point situé dix centimètres plus loin qu'il lui était matériellement possible d'atteindre, la ficelle glissait, et il glissait aussi, s'abattant sur le piano, ce qui produisait un bien charmant effet musical, par la brusquerie avec laquelle son crâne et son corps frappaient toutes les touches en même temps.

Et ma tante Maria déclarait qu'elle ne pouvait permettre aux enfants de rester là pour entendre pareil langage.

Pour finir, mon oncle Podger réussissait à déterminer de nouveau l'endroit, posait dessus la pointe du clou, à l'aide de la main gauche, et prenait le marteau de la main droite. Du premier coup, il s'écrasait le pouce et laissait tomber le marteau, avec un hurlement, sur les orteils de quelqu'un.

Ma tante Maria faisait remarquer avec douceur que la prochaine fois que mon oncle Podger aurait à planter un clou dans le mur, elle espérait qu'il le lui ferait savoir à temps, et elle prendrait ses dispositions pour aller passer une semaine chez sa mère en attendant qu'il eût terminé.

— Oh ! vous, les femmes, vous faites toujours des tas de chichis pour un rien ! répliquait mon oncle Podger, en se relevant. Que veux-tu, si moi ça m'amuse de faire un petit travail de ce genre !

Et alors il s'y reprenait à nouveau, et, au deuxième coup, le clou passait tout à travers le plâtre, et la moitié du marteau avec, et mon oncle Podger était projeté contre le mur avec tant de violence qu'il manquait de s'aplatir le nez.

Alors il nous fallait retrouver encore une fois la règle et la ficelle, et mon oncle faisait un nouveau trou ; et vers minuit le tableau était posé — tout de travers et prêt à tomber. Tout alentour, sur plusieurs mètres carrés, le mur semblait avoir été passé au râteau, et tout le monde était mort de fatigue et de découragement — à l'exception de mon oncle Podger.

— Eh bien ! ça y est ! disait-il, en descendant lourdement de la chaise sur les cors de la femme de ménage, et contemplant avec une fierté évidente les dégâts qu'il avait commis. Hein ! dire qu'il y a des gens qui feraient venir un ouvrier pour une babiole comme ça !

Harris deviendra tout pareil avec l'âge, je le sais, et je le lui ai déclaré. Je lui répondis que je ne lui permettrais pas de s'adjuger un tel labeur. J'ajoutai :

— Non, c'est toi qui vas trouver le papier, le crayon et le catalogue, et George inscrira, et moi je ferai le choix.

La première liste que nous rédigeâmes dut être écartée. Il était clair que les biefs de la Tamise supérieure ne permettraient pas la navigation d'un bateau assez grand pour contenir les objets inscrits comme indispensables : nous déchirâmes donc la liste, et nous nous regardâmes.

George dit :

— Vous savez, nous n'y sommes pas du tout. Nous ne devons pas nous occuper des choses qu'il nous faudrait, mais seulement de celles dont nous ne pouvons pas nous passer.

George se montre parfois réellement très sensé ! Vous en seriez surpris. J'appelle cela de la sagesse authentique, non seulement en ce qui concerne le cas présent, mais d'une manière plus générale, pour ce qui est de notre voyage sur le fleuve de la vie. Combien de gens, pour ce parcours, surchargent tellement leur bateau, qu'ils le mettent en danger de couler, de toute une cargaison de vanités qu'ils croient indispensables à l'agrément et au bien-être du voyage, mais qui ne sont en réalité qu'un encombrement inutile !

Comme ils entassent jusqu'à hauteur du mât, sur le pauvre petit esquif, beaux habits et grandes maisons,

avec une domesticité superflue, et une horde de
prétendus amis qui ne se soucient pas d'eux pour
quatre sous ; et ils y ajoutent des divertissements
coûteux qui n'amusent personne, des cérémonies et
des modes, des simulacres et de l'ostentation, et
surtout — oh ! le plus pesant, le plus fol encombrement de tous ! — la crainte de ce que va dire le voisin,
et les luxes uniquement gênants, et les plaisirs qui
ennuient, et le vain étalage qui, tel le carcan de fer
réservé jadis aux criminels, garrotte et fait saigner la
tête douloureuse qui le porte !

Tout cela, mon frère, c'est de l'encombrement, et
pas autre chose ! Jette-le par-dessus bord ! Cela rend
l'esquif si pesant à mouvoir que tu en défailles presque
sur tes rames. Cela l'encombre et le rend si dangereux
à manœuvrer que l'inquiétude et le souci ne te laissent
pas une minute de liberté, que tu ne peux jamais
t'accorder un instant de répit pour rêver en paix —
que tu n'as pas le temps de contempler les ombres que
la brise légère promène sur les eaux, ni les rais
étincelants du soleil se jouant parmi les vaguelettes, ni
les grands arbres du rivage penchés vers leurs reflets,
ni le vert et l'or des bois, les lis blancs et jaunes, les
roseaux ondulants, les joncs, les orchidées, les bleus
myosotis.

Par-dessus bord l'encombrement, mon frère ! Que
l'esquif de ta vie soit léger, qu'il porte seulement le
nécessaire, un logis accueillant et des plaisirs simples,
un ou deux amis dignes de ce nom, un être que tu
aimes et qui t'aime, un chat, un chien, une pipe ou
deux, de quoi manger et de quoi te vêtir à ta
suffisance, et un peu plus qu'assez à boire, car la soif
est chose dangereuse.

Tu verras que l'esquif est alors plus facile à
mouvoir, qu'il sera moins en danger de chavirer, et
qu'il ne t'importera plus autant s'il chavire : la bonne
et simple marchandise peut braver l'eau. Tu auras le
temps de penser, aussi bien que de travailler, le temps
de te chauffer au grand soleil de la vie, le temps
d'écouter la musique éolienne que le souffle de Dieu

fait vibrer dans les cœurs des hommes qui nous entourent, le temps de...

Je vous demande pardon, en vérité. Je n'y étais plus du tout.

Donc, on laissa George faire la liste, et il la commença.

— Nous ne prendrons pas de tente, suggéra-t-il ; nous aurons un bateau avec bâche. C'est tellement plus simple et plus commode.

L'idée nous parut bonne, et on l'adopta. Je ne sais si vous avez déjà vu l'agencement en question. On adapte au-dessus du bateau des cerceaux de fer, on tend sur ceux-ci une vaste toile, assujettie du bas tout autour, de l'avant à l'arrière. Cela convertit le bateau en une sorte de petite maison, délicieusement intime, quoique un peu trop renfermée : mais que voulez-vous ! toute chose a son revers, comme disait l'autre quand, sa belle-mère étant venue à mourir, on lui présenta la note de l'enterrement.

George décréta que, dans ce cas-là, nous devions prendre une couverture chacun, une lampe, du savon, brosse et peigne (en commun), une brosse à dents (chacun), une cuvette, de la poudre dentifrice, de quoi se raser, et deux serviettes en tissu éponge pour le bain. J'ai remarqué que les gens font toujours des préparatifs gigantesques pour se baigner dès qu'ils vont près de l'eau, mais qu'ils ne se baignent guère lorsqu'ils y sont.

Il en est de même quand on va au bord de la mer. Je décide toujours — quand j'y pense, étant à Londres — que je me lèverai de bonne heure chaque matin pour aller faire un plongeon avant le petit déjeuner, et j'emballe religieusement un maillot et une serviette de bain. Je choisis toujours des maillots rouges. J'aime bien de me voir en maillot rouge. Cela convient fort à mon teint. Mais quand j'arrive à la mer, je m'aperçois que ce bain matinal ne m'inspire plus, et de loin, autant d'envie que quand j'étais en ville.

Au contraire, je sens plutôt que j'ai besoin de rester couché jusqu'au dernier moment, avant de descendre

déjeuner. Une fois ou deux la vertu a triomphé : je me
suis levé à six heures et sommairement vêtu, prenant
maillot et serviette, je me suis mis en chemin à
contrecœur. Mais ce bain ne m'a donné aucun plaisir.
Il semble qu'on tienne en réserve, à mon intention, un
vent d'est particulièrement aigre, quand je vais me
baigner de grand matin ; on trie tous les cailloux
pointus pour les mettre par-dessus les autres, on
aiguise les rochers et on dissimule leurs pointes sous
une légère couche de sable, pour que je ne les voie pas,
et on emmène la mer à trois kilomètres, de sorte que je
suis obligé de serrer mes bras contre moi et de
sautiller, tout grelottant, dans quinze centimètres
d'eau. Et quand j'arrive à la mer, elle est glacée et tout
à fait agitée et mufle avec moi.

Une énorme vague m'enlève et me plaque, de toutes
ses forces, en plein sur un rocher qu'on a mis là pour
moi. Et avant que j'aie pu crier : « Aïe ! Houlà ! » et
me rendre compte des dégâts, la vague s'en retourne et
m'emporte au large. Je me mets à nager frénétiquement vers le rivage, me demandant si je reverrai
jamais mon chez moi et mes amis, et regrettant de
n'avoir pas été plus affectueux envers ma petite sœur
quand j'étais gamin. Je viens juste d'abandonner tout
espoir, lorsqu'une vague, en se retirant, me laisse étalé
sur le sable comme une étoile de mer, et en me
relevant, je me retourne et découvre que je viens de
nager comme un perdu dans soixante centimètres
d'eau. Je regalope vers la plage, me rhabille, et rentre
la tête basse à l'hôtel, où il me faut faire semblant
d'avoir pris un bon bain.

En ce qui nous concernait, nous parlions tous
comme si nous devions nager longuement chaque
matin. George dit qu'il était agréable de se réveiller en
bateau par un matin frais et de piquer une tête dans le
fleuve limpide. Harris affirma qu'il n'y avait rien de
tel qu'un bain avant le déjeuner pour vous mettre en
appétit. George protesta que si cela devait faire
manger Harris plus qu'à l'ordinaire, alors il demande-
rait qu'on lui interdît complètement les bains.

Il ajouta que la corvée serait déjà suffisamment rude de faire avancer contre le courant la charge de vivres suffisante pour Harris en temps normal.

Je remontrai à George, cependant, qu'il serait beaucoup plus agréable d'avoir dans le bateau un Harris propre et frais, même si nous devions pour cela emporter quelques quintaux de provisions en plus ; il finit par se ranger à mon point de vue et cessa de s'opposer au bain de Harris.

On convint, finalement, d'emporter trois serviettes de bain au lieu de deux, pour éviter de nous faire attendre l'un l'autre.

Comme vêtements, George fut d'avis que deux complets de flanelle suffiraient, car nous pourrions les laver nous-mêmes dans le fleuve quand ils seraient sales. On lui demanda s'il avait jamais essayé de laver des complets de flanelle dans le fleuve, et il répondit : Non, pas précisément lui, mais il connaissait des types qui l'avaient fait, et c'était assez facile. Harris et moi eûmes la faiblesse d'imaginer qu'il ne parlait pas à la légère, et que trois honorables jeunes gens sans situation ni influence, et dépourvus d'expérience en matière de blanchissage, pourraient véritablement lessiver leurs chemises et pantalons dans la Tamise à l'aide d'un morceau de savon.

Nous ne devions guère tarder à apprendre, quand il serait trop tard, que George était un misérable imposteur et qu'il n'y connaissait rien du tout. Si vous aviez vu les vêtements après... Mais, comme on dit dans les romans-feuilletons, n'anticipons pas.

George nous persuada de prendre des sous-vêtements de rechange et quantité de chaussettes, pour le cas où nous chavirerions et aurions besoin de nous changer ; et aussi quantité de mouchoirs, qui pourraient servir à essuyer les objets, et une paire de chaussures de cuir, en plus de nos chaussures de bateau, car nous en aurions besoin, si nous faisions naufrage.

4

La question nourriture. — Objections contre le pétrole en
tant qu'atmosphère. — Avantages du fromage comme
compagnon de route. — Une épouse déserte son foyer. —
Autres mesures de précaution en cas de naufrage. —
J'emballe. — Esprit de contradiction des brosses à dents.
— George et Harris emballent. — Déplorable conduite de
Montmorency. — Nous allons prendre du repos.

Nous agitâmes ensuite la question nourriture.
George dit :

— Commençons par le petit déjeuner. (George est
très pratique.) Pour le petit déjeuner, il nous faudra
une poêle à frire (Harris se récria que c'était indigeste ;
mais on le pria simplement de ne pas faire l'imbécile,
et George continua), une théière et une bouilloire, et
un réchaud à alcool.

— Pas au pétrole ! prononça George avec un regard
significatif.

Harris et moi l'approuvâmes.

Nous avions une fois emporté un réchaud à pétrole ;
mais « jamais plus ». Nous avions eu l'impression,
cette semaine-là, de vivre dans un entrepôt de pétrole.
Il suintait, ce pétrole. Je ne connais rien de tel que le
pétrole pour suinter. Nous l'avions mis tout à l'avant
du canot, et, de là, il suintait jusqu'au gouvernail,
imprégnant le bateau entier et tout ce qui se trouvait

sur son chemin. Il suintait sur le fleuve, saturait le paysage et polluait l'atmosphère. Tantôt c'était un vent d'ouest au pétrole qui soufflait, tantôt un vent d'est au pétrole, parfois un vent du nord au pétrole, et peut-être aussi un vent du sud au pétrole ; mais que le vent vînt des neiges arctiques ou qu'il se fût levé sur les sables du désert, il nous arrivait pareillement chargé du même parfum de pétrole.

Ce pétrole suintait jusqu'au ciel et gâchait même les couchers de soleil. Quant aux clairs de lune, ils puaient positivement le pétrole.

A Marlow, nous tentâmes de le fuir. Laissant le bateau près du pont, nous allâmes nous promener dans la ville, pour lui échapper, mais il nous poursuivait. La ville entière était empétrolée. Nous traversâmes le cimetière, et on eût dit que les morts avaient été enterrés dans du pétrole. La grand-rue empestait le pétrole, à se demander comment des gens pouvaient bien y habiter. Et nous fîmes plusieurs kilomètres au-delà des faubourgs sur la route de Birmingham ; mais cela ne servit à rien : tout le pays était saturé de pétrole.

A la fin de cette croisière, nous nous réunîmes à minuit dans un champ solitaire, sous un chêne foudroyé et nous jurâmes solennellement — nous avions déjà toute la semaine juré contre l'ignoble liquide d'une façon ordinaire et bourgeoise, mais cette fois c'était un serment grandiose — nous jurâmes, dis-je, de ne jamais plus prendre avec nous de pétrole dans un bateau.

Dans le cas présent, donc, nous nous bornâmes à l'alcool dénaturé. Ce n'est déjà pas très fameux. Il en résulte du pâté dénaturé et du gâteau dénaturé. Mais l'alcool dénaturé est tout de même plus sain pour l'organisme, à haute dose, que le pétrole.

Comme autres ingrédients pour le petit déjeuner, George proposa des œufs et du lard, qui sont faciles à cuisiner, de la viande froide, du thé, du pain, du beurre et de la confiture. Pour le déjeuner, dit-il, nous pourrions prendre du biscuit de mer, de la viande froide, du pain, du beurre, de la confiture — mais surtout *pas de fromage*. Le fromage, comme le pétrole, est trop envahissant. Il lui faut tout le bateau à lui seul. Il se répand dans le garde-manger et donne un goût de fromage à tout ce qui s'y trouve. On ne sait plus si l'on mange de la tarte aux pommes, de la saucisse de Francfort ou des fraises à la crème. Tout vous semble fromage. Le fromage apporte trop d'odeur.

Cela me rappelle un de mes amis qui avait acheté une paire de fromages à Liverpool. C'étaient de superbes fromages, moelleux et bien faits, et répandant autour d'eux un fumet de la force de deux cents chevaux-vapeur, qu'on aurait pu garantir sur facture comme portant à cinq kilomètres et jetant bas son homme à deux cents mètres. J'étais alors à Liverpool, et mon ami me demanda si cela ne me dérangerait pas de les emporter avec moi à Londres, car lui-même n'y reviendrait pas avant un jour ou deux, et il ne pensait pas que ces fromages dussent se garder beaucoup plus longtemps.

— Mais avec plaisir, cher ami, avec plaisir, lui répondis-je.

J'allai chercher les fromages, et les emportai dans un fiacre. Ce fiacre était une vieille guimbarde, traînée par une rosse somnambule, cagneuse et poussive, que son propriétaire, dans le feu de la conversation, alla jusqu'à qualifier de cheval. Je mis les fromages sur l'impériale, et nous partîmes à une allure qui eût fait honneur au plus rapide des rouleaux à vapeur construits jusqu'à ce jour, et tout alla d'abord aussi gaiement qu'un glas d'enterrement. Mais, quand nous eûmes pris le tournant, le vent apporta une bouffée de ces fromages en plein sur notre coursier. Cela le réveilla net, et avec un hennissement d'effroi, il se mit à filer à cinq kilomètres à l'heure. Le vent soufflait toujours dans sa direction, et avant d'être au bout de la rue, il avait déployé une vitesse de près de sept à l'heure, laissant loin derrière lui les infirmes et les grosses vieilles dames.

A l'arrivée à la gare, il fallut deux porteurs, en sus du cocher, pour le maîtriser ; je doute même qu'ils y fussent parvenus, si l'un des hommes n'avait eu la présence d'esprit de lui jeter un mouchoir sur les naseaux et de brûler un peu de papier.

Je pris mon billet et m'avançai fièrement sur le quai, avec mes fromages, tandis que les gens s'écartaient respectueusement à droite et à gauche. Le train était comble et je dus monter dans un compartiment où il y avait déjà sept personnes. Un vieux monsieur grincheux protesta, mais je montai quand même, et déposant mes fromages dans le filet, me casai avec un gracieux sourire, en disant que la journée était chaude. Quelques minutes se passèrent, et alors le vieux monsieur commença à s'agiter.

— Ça manque d'air ici, dit-il.

— On étouffe positivement, reprit son voisin.

Alors tous deux se mirent à renifler ; au troisième reniflement ils en aspirèrent une bonne bouffée et ils se levèrent sans un mot et sortirent. Puis une grosse dame se leva et dit que c'était honteux de manquer ainsi de respect à une honnête mère de famille ; rassemblant une valise et huit paquets, elle sortit. Les quatre voyageurs restants tinrent bon un moment, mais à la fin un personnage à mine grave, assis dans un coin, et qui, d'après son costume et son aspect général, semblait appartenir à la corporation des pompes funèbres, dit que cela le faisait penser à un petit enfant mort ; sur quoi, les trois autres voyageurs voulurent s'élancer tous à la fois par la portière et se heurtèrent avec force.

Je souris au funèbre personnage, et lui dis qu'il me semblait que nous allions avoir le compartiment à nous seuls. Il eut un rire aimable et me répondit que certaines gens faisaient bien des embarras pour peu de chose. Mais lui-même devint singulièrement déprimé en cours de route ; aussi, en arrivant à Crewe [18], je l'invitai à venir prendre un verre au buffet. Il accepta, et nous gagnâmes le buffet, où nous criâmes et tempêtâmes de nos parapluies pendant un quart d'heure. A la fin, une jeune personne arriva et nous demanda si nous désirions quelque chose.

— Qu'est-ce que vous prenez ? dis-je, m'adressant à mon ami.

— Je prendrai un quadruple cognac sec, s'il vous plaît, mademoiselle, répondit-il.

Après avoir bu, il s'en alla tranquillement et monta dans une autre voiture, ce que je trouvai passablement mufle.

A partir de Crewe, bien que le train fût bondé, j'eus le compartiment à moi seul. Lors des arrêts dans les différentes gares, les gens, à la vue de mon compartiment vide, se précipitaient pour le prendre d'assaut. J'entendais qu'on criait : « Voilà notre affaire, Maria ; viens donc, il y a de la place autant qu'on veut ! — C'est parfait, Tom : montons ici. » Et tous accouraient, chargés de lourdes valises, et se bousculaient devant la portière à qui monterait le premier. Quelqu'un ouvrait ma portière, escaladait le marchepied et titubant, retombait en arrière dans les bras de celui qui le suivait ; ils venaient tous, et après avoir flairé un peu, ils prenaient la fuite et s'encaquaient dans d'autres voitures, ou payaient le supplément et montaient en première.

De la gare d'Euston [19], je portai les fromages chez mon ami. En entrant dans la pièce, sa femme huma l'air un instant à la ronde. Puis elle m'interrogea :

— Qu'est-ce que c'est ? Ne me cachez rien, même le pire.

Je lui répliquai :

— Ce sont des fromages. Tom les a achetés à Liverpool, et m'a prié de les rapporter ici avec moi.

Et j'ajoutai que j'espérais bien qu'elle comprenait que je n'étais pour rien dans cet achat. Elle me répondit qu'elle en était bien certaine, mais qu'elle en dirait deux mots à Tom quand il reviendrait.

Mon ami fut retenu à Liverpool plus longtemps qu'il ne l'avait cru, et trois jours plus tard, comme il n'était pas encore rentré, sa femme vint me rendre visite. Elle me demanda :

— Qu'est-ce que Tom vous a dit au sujet de ces fromages ?

Je répondis qu'il avait donné pour instructions de les tenir en lieu frais, et que personne ne devait y toucher.

Elle reprit :

— Il y a des chances en effet pour que personne n'y touche. Les avait-il sentis ?

C'était, à mon avis, probable, et j'ajoutai qu'il paraissait tenir beaucoup à ses fromages.

— Croyez-vous qu'il serait très contrarié, interrogea-t-elle, si je donnais un souverain à un homme pour qu'il les emporte et aille les enfouir au loin ?

Je répondis que si elle faisait cela, cela lui enlèverait le sourire pour le restant de ses jours.

Une idée lui vint. Elle me proposa :

— Cela vous ennuierait-il de les lui garder ? Je les ferais porter chez vous.

— Madame, répliquai-je, quant à moi j'aime beaucoup le parfum du fromage, et le voyage que j'ai fait l'autre jour avec eux depuis Liverpool restera toujours dans mon souvenir comme l'heureuse conclusion de vacances agréables. Mais, dans ce monde, il nous faut penser à autrui. La dame sous le toit de qui j'ai l'honneur de résider est veuve, et il se pourrait bien qu'elle soit également orpheline. Elle a une manière forte, et je dirai même éloquente, de s'opposer, comme elle dit, à ce qu'on « abuse d'elle ». La présence des fromages de votre mari dans sa maison, le sens d'instinct, lui ferait l'effet d'un abus et il ne sera pas dit que j'aurai abusé de la veuve et de l'orpheline.

— Eh bien ! alors, reprit la femme de mon ami, se levant, il ne me reste plus qu'à emmener les enfants et aller à l'hôtel attendre que ces fromages soient mangés. Je renonce à vivre plus longtemps sous le même toit qu'eux.

Elle tint parole, laissant la maison à la garde de la femme de ménage. Celle-ci, quand on lui demanda comment elle pouvait résister à l'odeur, répondit :

« De quelle odeur parlez-vous ? » et quand on lui eut mis le nez sur les fromages en lui disant de renifler fort, elle avoua qu'elle percevait un léger parfum de melon. D'où l'on conclut qu'il ne résulterait pas grand mal pour elle de vivre dans cette atmosphère, et on l'y laissa.

La note de l'hôtel s'éleva à quinze guinées et mon ami, après avoir tout calculé, constata que les fromages lui étaient revenus à huit shillings et six pence la livre. Il ajouta qu'il adorait en effet le fromage, mais qu'une telle fantaisie était au-delà de ses moyens. Il jeta les fromages dans le canal ; mais il fut obligé de les repêcher, car les bateliers se plaignirent. Ils disaient que cela leur donnait des faiblesses. Et après cela, il les porta par une nuit noire dans la salle mortuaire et les y abandonna. Mais le *coroner* [20] les découvrit et fit un raffut terrible.

Il prétendit que c'était un coup monté pour le priver de son gagne-pain en réveillant les morts.

Mon ami s'en débarrassa pour en finir, en les emportant dans une ville au bord de la mer où il les enterra sur la plage. Ce qui valut à l'endroit toute une réputation. Les visiteurs disaient que jamais encore ils n'avaient remarqué combien l'air était vif, et les gens faibles de la poitrine et atteints de phtisie y vinrent en foule pendant des années.

Tout friand que je sois de fromage, j'estimai, en conséquence, que George avait raison de refuser d'en emporter à bord.

— Nous n'avons pas besoin de prendre le thé de cinq heures, continua George (la figure de Harris s'allongea, en entendant cela) ; mais nous prendrons à sept heures un bon petit repas solide qui sera tout à la fois dîner, thé et souper.

Harris se rasséréna. George proposa du pâté en croûte de viande et de fruits, viande froide, tomates, fruits frais, légumes verts. Comme boisson, nous prîmes une certaine merveilleuse mixture concentrée, une découverte de Harris, qu'on mélangeait avec de l'eau et qui s'appelait alors limonade, du thé en abondance, et une bouteille de whisky, pour le cas, dit George, où nous ferions naufrage.

Il me semblait que George insistait trop sur l'idée de naufrage. Cette disposition d'esprit me paraissait fâcheuse au début d'une croisière.

Mais je suis bien aise tout de même que nous ayons emporté le whisky.

Nous ne prîmes ni bière ni vin. Ces deux boissons-là sont une erreur, en rivière. Elles vous rendent lourd et somnolent. Un verre dans la soirée, lorsqu'on fait une tournée en ville et qu'on lorgne les filles, cela va bien ; mais gardez-vous d'en boire quand le soleil vous tape sur le crâne et que vous devez vous livrer à un exercice violent.

Nous fîmes une liste des objets à emporter, et elle avait atteint une jolie longueur lorsque nous nous séparâmes ce soir-là. Le lendemain, vendredi, tout le matériel fut rassemblé, et nous nous retrouvâmes dans la soirée pour l'emballage. Nous prîmes une grande valise pour les vêtements, et une paire de paniers pour les victuailles et les ustensiles de cuisine. On repoussa la table contre la fenêtre, on empila tout en un tas au milieu de la chambre, et on s'assit à l'entour pour le considérer.

J'annonçai que je me chargeais d'emballer.

Je me flatte d'être un emballeur passable. Emballer est une de ces mille choses où je sens que je m'y connais mieux que personne au monde. (Je m'étonne moi-même, quelquefois, du nombre de ces choses.) Je persuadai George et Harris qu'ils feraient mieux de me laisser m'en occuper seul. Ils acceptèrent la proposition avec un empressement qui offrait quelque chose de suspect. George alluma une pipe et se vautra sur la bergère. Harris croisa ses jambes sur la table et alluma un cigare.

Ce n'était pas tout à fait ainsi que je l'entendais. Ce que j'avais voulu dire, naturellement, c'était que je dirigerais les opérations, et que Harris et George manœuvreraient sous mes ordres, tandis que je les stimulerais de temps à autre d'un : « Oh ! dis donc,

espèce de... — Hé là, laisse-moi faire ça. — Bon sang !
que vous êtes bêtes ! » pour les dresser, en quelque
sorte. Leur façon de le prendre de la sorte m'agaça. Il
n'y a rien qui m'agace plus que de voir les autres assis
à ne rien faire pendant que je travaille.

J'ai habité une fois avec un type qui avait le don de
me taper sur les nerfs de cette façon. Il fainéantait sur
le canapé et me regardait faire des choses, des heures
d'affilée, me suivant des yeux dans la chambre,
partout où j'allais. A l'entendre, cela lui faisait du bien
de me regarder ainsi me donner du mouvement. Cela
lui faisait sentir que la vie n'est pas un vain songe où
l'on doive bayer aux corneilles, mais une noble tâche,
pleine de devoirs et de labeur sévère. Il ajoutait que,
depuis, il se demandait souvent comment il avait pu se
passer de moi si longtemps, sans avoir personne à
regarder travailler.

Moi, je ne suis pas comme cela. Il m'est impossible
de rester tranquille et de voir mes copains turbiner
comme des nègres. Je me sens le besoin de me lever et
de prendre la direction de leur ouvrage, en les suivant
les mains dans les poches et leur expliquant ce qu'ils
doivent faire. C'est dans ma nature énergique. Je n'y
peux rien.

Cependant, je m'abstins de toute réflexion, et
commençai l'emballage. Cela parut plus long que je ne
l'avais prévu ; mais finalement je vins à bout de la
valise, et je m'assis dessus pour boucler les courroies.

— Tu ne vas pas mettre les souliers dedans ?
interrogea Harris.

Je regardai autour de moi, et vis que je les avais
oubliés. Ça, c'est du vrai Harris. Naturellement, il se
serait bien gardé de dire un mot avant de m'avoir vu
fermer et boucler la valise. Et George se mit à rire —
d'un de ces rires exaspérants d'imbécile, bruyants et à
pleines mâchoires, dont il a le secret. Ils me rendent
vraiment enragé.

Je rouvris la valise et y logeai les souliers. Mais
alors, juste au moment où j'allais la refermer, un doute
affreux m'envahit. Avais-je emballé ma brosse à

dents ? Je ne sais pas comment cela se fait, mais je ne
sais jamais si oui ou non j'ai emballé ma brosse à
dents.

Quand je voyage, ma brosse à dents est un ustensile
qui m'obsède et empoisonne mon existence. Je rêve
que je ne l'ai pas emballée, je me réveille avec une
sueur froide et saute à bas du lit pour la chercher. Le
matin, je l'emballe avant de m'en être servi, il me faut
redéballer pour l'avoir, et c'est toujours le dernier
objet que je tire de la valise. Après quoi, je remballe en
l'oubliant. Au dernier moment il me faut grimper
quatre à quatre la chercher, et je l'emporte à la gare,
enveloppée dans mon mouchoir.

Cette fois-ci, bien entendu, je fus obligé de tout
retourner, sans parvenir naturellement à la retrouver.
Je farfouillai si bien dans les objets que je les mis dans
un état analogue à celui où devait être le monde avant
sa création, durant le règne du chaos. Comme de
juste, ma main rencontra dix-huit fois les brosses à
dents de George et de Harris, mais impossible de
découvrir la mienne. Je replaçai les objets, un par un,
en les soulevant et les secouant. Alors, je la retrouvai à
l'intérieur d'un soulier. Une fois de plus, je remballai.

Quand j'eus fini, George me demanda si le savon
était dedans. Je lui répondis que je me fichais pas mal
si le savon était dedans ou non ; puis je claquai la valise
et la bouclai. Mais je m'aperçus que j'y avais enfermé
ma blague à tabac, et je dus rouvrir cette maudite
valise. Elle fut close finalement à dix heures cinq du
soir, et il restait les paniers à faire. Harris déclara que
comme notre départ devait avoir lieu dans moins de
douze heures, il croyait prudent de faire le reste lui-
même, avec George. J'acceptai et m'assis, et la
représentation commença.

Ils s'y mirent d'un cœur léger, évidemment persuadés qu'ils allaient m'en remontrer. Je m'abstins de
commentaire, mais j'attendis la suite. Quand George
aura été pendu, Harris restera le pire emballeur de ce
monde. Je considérai les piles d'assiettes et de tasses,
et les bouilloires, et les bouteilles, et les pots, et les

pâtés, et les réchauds, et les gâteaux, et les tomates, etc., et pressentis que cela ne tarderait pas à devenir joyeux.

C'est ce qui arriva. Ils commencèrent par casser une tasse. Ce fut leur premier ouvrage. Ils le firent simplement pour montrer ce dont ils étaient capables, et pour éveiller l'intérêt du spectateur.

Puis Harris emballa la confiture de fraises au-dessus d'une tomate qui s'écrabouilla, et ils durent enlever la tomate à la petite cuillère.

Ce fut ensuite le tour de George, qui marcha sur le beurre. Je m'abstins de rien dire, mais je me rapprochai d'eux et m'assis sur le bord de la table pour les regarder faire. Cela les agaça plus que tout ce que j'aurais pu dire. Je le sentais. Ils en devenaient nerveux et inquiets, et ils marchaient sur les choses, ou les posaient derrière eux, et puis ne les retrouvaient plus lorsqu'ils en avaient besoin. Ils emballèrent les pâtés au fond et mirent par-dessus des objets lourds, ce qui réduisit les pâtés en marmelade.

Ils répandirent du sel sur tout et, pour ce qui est du beurre ! Je n'ai jamais vu personne en faire autant avec un shilling deux pence de beurre que ces deux types-là. Lorsque George l'eut décollé de sa pantoufle, ils s'avisèrent de l'introduire dans la bouilloire. Il refusa d'y entrer, et ce qui avait réussi à s'insinuer dedans refusait d'en sortir. Ils finirent par l'extraire en le raclant, et le déposèrent sur une chaise. Harris s'assit dessus, le beurre se colla à lui, et ils le cherchèrent dans toute la pièce.

— Je jurerais l'avoir déposé sur cette chaise, dit George, en contemplant avec stupeur le siège vide.

— Je te l'ai vu faire moi-même, il n'y a pas une minute, repartit Harris.

Alors ils se remirent à le chercher dans toute la pièce ; et puis ils se retrouvèrent nez à nez au milieu, et se regardèrent, abasourdis.

— C'est le plus singulier phénomène dont j'aie jamais entendu parler, prononça George.

— Tout à fait mystérieux ! affirma Harris.

Alors George fit le tour de Harris, et découvrit le beurre.

— Ça, alors ! il était là tout le temps ! s'exclama-t-il avec indignation.

— Où ça ? s'écria Harris, en faisant volte-face.

— Tiens-toi tranquille, nom d'un chien ! rugit George, s'élançant sur lui.

Ils détachèrent le beurre et l'emballèrent dans la théière.

Montmorency s'était mis de la partie, bien entendu. L'ambition de Montmorency dans l'existence, c'est de se mettre dans les jambes des gens et de se faire injurier. S'il parvient à se faufiler quelque part où il est particulièrement gênant, à devenir une vraie calamité, à mettre les gens hors d'eux-mêmes, et à se faire lancer des choses à la tête, il estime que sa journée n'a pas été perdue.

Arriver à obtenir que quelqu'un trébuche sur lui et le maudisse pendant une heure sans désemparer, voilà son but et sa fin la plus haute ; et quand il a réussi à l'atteindre, sa fatuité devient tout à fait intolérable.

Il allait s'asseoir sur les objets au moment précis où on en avait besoin pour les emballer ; il semblait travaillé par l'idée fixe que, chaque fois que Harris ou George allongeait la main vers quelque chose, c'est parce qu'ils voulaient caresser son nez froid et humide. Il posa sa patte dans la confiture, s'attaqua aux petites cuillères, voulut jouer à la souris avec les citrons, sauta dans le panier et en tua trois avant que Harris pût lui asséner un coup de poêle à frire.

Harris prétendit que je l'encourageais. Je ne l'encourageais certes pas. Un chien comme celui-là n'a pas besoin d'encouragement. C'est son péché originel qui le fait par nature se conduire de la sorte.

L'emballage fut terminé à minuit cinquante. Harris s'assit sur le grand panier, et dit qu'il espérait qu'on ne trouverait rien de cassé. George répliqua que ce qui était cassé était cassé, et cette réflexion parut le réconforter. Il ajouta qu'il avait envie d'aller se coucher. Nous avions tous envie d'aller nous coucher.

Harris devant passer la nuit chez nous, nous montâmes donc à l'étage.

On tira au sort pour les lits, et Harris dut coucher dans le mien. Il me dit :

— Préfères-tu être en dedans ou en dehors, Jerome ?

Je lui répondis qu'en général je préférais coucher dans un lit plutôt que dehors.

Harris déclara que cette blague n'était pas neuve.

George nous demanda :

— A quelle heure faut-il que je vous réveille, les amis ?

Harris répondit :

— Sept heures.

Je rectifiai :

— Non : six.

Car j'avais des lettres à écrire.

Nous nous chamaillâmes un peu là-dessus, mais on finit par couper la poire en deux, et par dire : six heures et demie.

— Tu nous réveilleras à six heures trente, George.

George ne répondit pas, et nous constatâmes, en passant près de lui, qu'il dormait déjà depuis un moment. Nous disposâmes donc le *tub* [21] de façon qu'il ne manquât pas de trébucher dedans lorsqu'il se lèverait le matin, et allâmes nous aussi nous coucher.

5

Mrs. Poppets nous réveille. — George, le flemmard. —
L'escroquerie des prévisions météorologiques. — Notre
bagage. — Conduite scandaleuse du garçon épicier. —
Nous provoquons un rassemblement. — Notre départ
triomphal, et arrivée à la gare de Waterloo. — Ignorance
des fonctionnaires de la compagnie du Sud-Ouest concernant des questions aussi profanes que l'horaire des trains.
— Nous sommes sur l'eau, sur l'eau dans un canot non
ponté.

Le lendemain matin, ce fut Mrs. Poppets qui nous
réveilla. Elle dit :

— Savez-vous bien, messieurs, qu'il est près de
neuf heures ?

— Neuf quoi ? m'écriai-je, en sursaut.

— Neuf heures, répondit-elle par le trou de la
serrure. Je me suis dit que vous dormiez bien
longtemps.

Je réveillai Harris et lui annonçai l'heure. Il me
lança :

— Je croyais que tu voulais te lever à six heures ?

— C'était bien mon intention, répliquai-je. Pourquoi ne m'as-tu pas réveillé ?

— Comment aurais-je pu te réveiller sans que tu
me réveilles d'abord ? riposta-t-il. Maintenant, nous
ne serons pas sur l'eau avant midi passé. Je m'étonne
que tu aies même pris la peine de te lever.

— Hum ! repris-je, tu as de la veine que je me sois

levé. Si je ne t'avais pas réveillé, tu aurais pu rester là
encore quinze jours à dormir.

Nous continuâmes à nous asticoter de la sorte
pendant quelques minutes ; mais nous fûmes inter-
rompus par un outrageux ronflement de George. Cela
nous rappela son existence pour la première fois
depuis notre réveil. Il était donc là, l'homme qui nous
avait demandé à quelle heure il devait nous réveiller, il
était là, couché sur le dos, la bouche grande ouverte,
et les genoux relevés.

Je ne sais pas pourquoi, mais le spectacle de
quelqu'un en train de dormir dans un lit, quand je suis
levé, m'exaspère. Il me paraît tellement scandaleux de
voir un homme perdre dans un sommeil bestial les
précieuses heures de sa vie, les inestimables moments
qu'il ne retrouvera jamais.

Ainsi faisait George, gaspillant en une hideuse
fainéantise l'inappréciable don du temps ; laissant
fuir, sans l'employer, cette vie dont il lui faudra
rendre compte, plus tard, jusqu'à la dernière seconde.
Alors qu'il eût pu être levé, à se bourrer d'œufs au
lard, à agacer le chien ou à flirter avec la servante, au
lieu de rester vautré là, l'âme engloutie dans un oubli
opaque.

C'était une pensée terrible. Harris et moi nous en
fûmes frappés au même instant. Nous résolûmes de
sauver le malheureux, et ce noble dessein nous fit
oublier notre dispute. Nous nous élançâmes pour lui
arracher ses draps, et Harris lui appliqua un grand
coup de pantoufle, tandis que je lui hurlais dans
l'oreille. Il s'éveilla.

— Qu'est-ce qui se passe ? balbutia-t-il, en se
dressant sur son séant.

— Debout, espèce d'andouille ! rugit Harris. Il est
dix heures moins le quart.

— Quoi !... hurla-t-il en sautant du lit, les pieds en
plein dans le *tub*. Nom d'un tonnerre ! qui est-ce qui a
fourré ça là ?

On lui répondit qu'il lui fallait être idiot pour ne pas
avoir vu ce récipient.

Nous finîmes de nous habiller, et, l'instant venu des fignolages, nous nous rappelâmes que les brosses à dents étaient emballées, comme la brosse à cheveux et le peigne (cette brosse à dents me fera mourir, décidément) et il nous fallut aller en bas les repêcher dans la valise. Quand nous eûmes fini, George réclama le rasoir mécanique. On lui répondit qu'il se passerait de se raser pour ce matin, car on n'allait pas, une fois de plus, défaire cette valise pour lui ni pour n'importe qui de son espèce.

Il nous dit :

— Ne soyez pas ridicules. Est-ce que je peux décemment aller dans la Cité comme ceci, non rasé ?

C'était assurément bien fâcheux pour la Cité, mais que nous importait la souffrance humaine ? Harris, vulgaire et grossier comme toujours, déclara qu'il se contrefichait de la Cité.

Nous descendîmes déjeuner. Montmorency avait invité deux autres chiens à venir assister à son départ, et ils étaient en train de se battre sur le seuil pour passer le temps. On les calma à coups de parapluie, et on s'attabla devant des côtelettes et du rosbif froid.

Harris dit :

— Le principal, c'est de faire un bon petit déjeuner.

Et il débuta par une paire de côtelettes, ajoutant qu'il les prenait tandis qu'elles étaient chaudes et que le rosbif pouvait attendre.

George s'empara du journal, pour nous lire tous les accidents de canotage et les prévisions météorologiques. Celles-ci prophétisaient : « Pluvieux et froid, nuageux avec des éclaircies (on se demande en quoi ça pouvait être pire que d'habitude), orages locaux çà et là, vent d'E., avec dépression générale sur les comtés du S. (Londres et Manche). Baromètre en baisse. »

J'estime que, de toutes les ridicules et irritantes balivernes qui font notre tourment, cette fumisterie de la « prévision météorologique » est peut-être la plus agaçante. Elle « prédit » exactement ce qui est arrivé

la veille ou l'avant-veille, et tout juste le contraire de
ce qui va arriver le jour même.

Cela me rappelle des vacances, une année vers la fin
de l'automne, qui ont été complètement gâchées parce
que nous avons tenu compte du bulletin météorologique de la gazette locale. « On peut s'attendre aujour-
d'hui à de fortes ondées, avec orages locaux » décla-
rait-elle le lundi. C'est pourquoi nous renonçâmes à
notre pique-nique, et restâmes enfermés toute la
journée, en attendant la pluie. Les excursionnistes
passaient devant la maison, en chars à bancs et en
voitures ouvertes, farauds et gais au possible, sous un
soleil splendide et un ciel sans nuage.

— Ah ! disions-nous, en les regardant par la fenêtre, ce qu'ils vont revenir trempés !

Nous riions de pitié en pensant à l'averse qu'ils
allaient recevoir, et nous retournions tisonner le feu,
et nous mettre à lire, et classer nos collections d'algues
et de coquillages. Vers midi, quand le soleil envahit la
pièce, la chaleur devint étouffante, et nous nous
demandions si ces fortes averses et orages locaux
allaient bientôt commencer.

— Cela va venir dans l'après-midi, vous verrez,
nous disions-nous l'un à l'autre. Ce que ces gens vont
se faire saucer ! Ce sera rigolo !

A une heure, la propriétaire vint nous demander si
nous n'allions pas sortir par cette délicieuse journée.

— Non, non, répondîmes-nous, avec un petit rire
entendu. Nous nous en garderions bien. Nous n'avons
pas envie de nous faire arroser, nous autres... non,
non.

Quand l'après-midi fut presque écoulé, sans aucune
trace de pluie, nous essayâmes de nous réjouir à l'idée
qu'elle se mettrait à tomber tout d'un coup, lorsque
les gens seraient déjà en route pour revenir, loin de
tout abri, et qu'ils n'en seraient que mieux trempés.
Mais il ne tomba pas une goutte, la journée fut
ravissante jusqu'au bout, et la nuit qui suivit fut
exquise.

Le lendemain matin, nous lûmes qu'il allait faire

une « journée chaude, entre beau et beau fixe ; température élevée » ; et nous nous habillâmes légèrement pour sortir. Mais nous n'étions pas partis depuis une demi-heure qu'il se mit à pleuvoir à verse et qu'un vent glacé se leva, pluie et vent qui durèrent toute la journée. Nous rentrâmes chez nous avec des coryzas, tout perclus de rhumatismes, et dûmes nous mettre au lit.

Le temps qu'il fera est une chose qui me dépasse entièrement. Je n'y ai jamais rien compris. Le baromètre ne sert à rien ; il est aussi trompeur que les prévisions des journaux.

Il y en avait un au mur dans un hôtel d'Oxford où je fis un séjour au printemps dernier. Lors de mon arrivée, il marquait « beau fixe ». Dehors, la pluie tombait tout bonnement à seaux, et elle n'avait pas cessé de tout le jour. Cette contradiction me parut singulière, et je tapotai le baromètre, qui fit un bond et marqua « très sec ». Le garçon de l'hôtel s'arrêta en passant et me dit qu'à son idée le baromètre parlait du lendemain. Je demandai si par hasard il ne pensait pas plutôt à la semaine précédente : mais le garçon me répondit qu'il ne le croyait pas.

Le lendemain matin, je tapotai de nouveau le baromètre, et il monta encore plus haut, tandis que la pluie tombait toujours plus dru. Le mercredi, j'allai de nouveau lui donner un coup. L'aiguille se mit à tourner vers « beau fixe », « très sec » et « forte chaleur », et elle ne s'arrêta qu'en rencontrant le butoir, qui l'empêcha d'aller plus loin. Il était plein de bonne volonté, cet instrument, mais il était construit de façon à ne pouvoir, sans se briser, prédire un beau temps plus intensif encore. Son intention évidente était de continuer à monter et de pronostiquer sécheresse, disette d'eau, insolation, simoun, et autres fléaux analogues, mais le butoir l'en empêcha, et il dut se contenter d'indiquer ce banal « très sec ».

Pendant ce temps-là, la pluie tombait en un torrent continu, et la partie basse de la ville était déjà inondée par suite du débordement du fleuve.

Le garçon me dit que sans aucun doute nous allions avoir, un jour ou l'autre, une période de temps magnifique. Et il me lut ces deux vers inscrits sur le fronton de l'oracle :

L'avenir que je prédis s'est passé jadis ;
Ce que j'annonce pour bientôt sera vite passé.

Le beau temps ne vint pas du tout cet été-là. Je suppose que la mécanique devait faire allusion au printemps suivant.

Il y a aussi ce nouveau genre de baromètre : les droits tout en longueur. Ceux-là, je n'y ai jamais vu que du feu. Il y a un côté pour hier à dix heures du matin, et l'autre pour aujourd'hui même heure ; mais on ne peut pas toujours se trouver là dès dix heures, n'est-ce pas ? Ce baromètre descend ou monte pour la pluie et le beau temps, avec plus ou moins de vent, et si on le tapote, il n'en dit pas davantage. Il vous faut d'ailleurs corriger ses indications d'après la température et les ajuster au niveau de la mer, et même après tout cela je ne suis pas mieux renseigné.

Mais quel besoin avons-nous de nous faire prédire le temps ? C'est déjà assez fâcheux quand il arrive, sans que nous ayons encore l'ennui de le savoir d'avance. Le seul prophète à notre goût est le bon vieillard qui, au matin particulièrement menaçant d'une journée que nous souhaiterions belle entre toutes, considère l'horizon d'un air des plus connaisseurs et déclare :

— Oh ! non, monsieur, je pense que cela ne tardera pas à s'éclaircir. Les nuages vont se dissiper complètement.

Ah ! il s'y connaît, jugeons-nous, en lui souhaitant le bonjour et nous mettant en route. C'est merveilleux ce que ces vieux bonshommes sont capables de prédire.

Et nous éprouvons pour ce vieillard une sympathie que ne réussit pas à entamer ce petit détail que le temps ne s'éclaircit pas du tout, et qu'il continue de pleuvoir sans arrêt toute la journée.

« Ah ! et puis quoi, vous dites-vous, il a fait de son mieux. »

Envers l'individu qui nous prophétise du mauvais temps, au contraire, nous n'entretenons que des sentiments d'amertume vengeresse.

— Est-ce que ça va s'éclaircir, à votre idée ? crions-nous, tout joyeux, en passant.

— Ma foi, non, monsieur. J'ai bien peur que ce temps-là soit établi pour la journée, répond-il, en branlant la tête.

— Stupide vieux crétin ! murmurons-nous. Qu'est-ce qu'il y connaît ?

Et si son oracle se vérifie, nous revenons de promenade encore plus fâchés contre lui, et avec une vague idée qu'il en est plus ou moins responsable.

Il faisait un trop beau soleil ce matin-là pour que George pût nous émouvoir beaucoup avec ses horrifiques : « Baromètre en baisse », « Perturbations atmosphériques s'avançant en oblique sur le S. de l'Europe », etc. Aussi, voyant qu'il n'arrivait pas à nous donner d'inquiétudes et qu'il perdait son temps, il me chipa la cigarette que je venais de rouler avec soin, et s'en alla.

Puis Harris et moi, après avoir fini de manger les quelques victuailles qui restaient sur la table, nous charriâmes notre bagage jusqu'à la porte et attendîmes le passage d'un fiacre.

Ce bagage, une fois réuni, semblait assez imposant. Il y avait la grosse valise et le petit sac, puis les deux paniers d'osier, un gros ballot de couvertures, quatre ou cinq manteaux et imperméables et plusieurs parapluies, puis encore un melon tout seul dans un sac, parce qu'il était trop volumineux pour entrer ailleurs, plus un kilo ou deux de raisin dans un autre sac, une ombrelle japonaise en papier, et une poêle à frire qu'il eût été trop long d'emballer et que nous avions enveloppée dans du papier.

Cela faisait beaucoup de volume, et Harris et moi commencions à nous sentir un peu gênés, bien qu'il n'y eût certes pas de quoi. On ne voyait aucun fiacre à l'horizon, mais en revanche il passait des gamins, qui semblaient s'intéresser au spectacle et qui s'arrêtaient.

Le premier à s'approcher fut le garçon de courses de chez Biggs. Le talent principal de Biggs, « Fruits et Primeurs », consiste à s'assurer la collaboration des petits voyous les plus mal élevés et les plus dépourvus de principes que la civilisation ait jamais produits. S'il survient dans notre voisinage quelque méfait dépassant en scélératesse ce dont le gamin moyen est capable, on peut être sûr que c'est le dernier coup du garçon de chez Biggs. Il paraît que, lors du crime de Great Coram Street [22], on en vint promptement à conclure, dans notre rue, que le garçon de chez Biggs (celui de l'époque) y était mêlé ; et, s'il n'avait pas réussi — durant le sévère interrogatoire auquel il fut soumis en venant prendre les commandes le lendemain du crime, par la dame du n° 19 assistée de la dame du n° 21 qui se trouvait justement sur sa porte — à faire la preuve d'un alibi complet, il aurait sûrement passé un mauvais quart d'heure. Je ne connaissais pas le garçon de chez Biggs, à l'époque, mais, d'après ce que j'ai appris depuis sur ses successeurs, je n'aurais pas, pour ma part, fait grand cas de cet alibi-là.

Donc, comme je le disais, le garçon de chez Biggs s'approcha. Il était évidemment fort pressé quand il surgit à l'horizon, mais dès qu'il nous eut aperçus, Harris et moi, et Montmorency, et les colis, il ralentit pour nous considérer. Harris et moi lui lançâmes un coup d'œil sévère, bien fait pour blesser une sensibilité plus délicate, mais en règle générale les garçons de courses de chez Biggs ne sont pas susceptibles. Il s'arrêta net à un mètre de notre perron, et s'adossant contre la grille, il se mit à mâchonner un brin de paille et ne nous quitta plus des yeux. Il tenait évidemment à voir ce qui allait sortir de là.

Un instant plus tard, le garçon de chez l'épicier passa sur l'autre trottoir. Le garçon de chez Biggs le héla :

— Ohé ! le rez-de-chaussée du 42 qui déménage !

Le garçon de chez l'épicier traversa la rue et prit position de l'autre côté du perron. Puis le jeune apprenti du cordonnier s'arrêta et se joignit au garçon de chez Biggs ; cependant le préposé aux bouteilles vides de la *Taverne bleue* se postait isolément au bord du trottoir.

— Ils ne mourront toujours pas de faim, pas vrai ? dit l'apprenti cordonnier.

— Ah ! c'est qu'il y a pas mal de choses à emporter, répondit l'homme aux bouteilles, quand on part pour faire la traversée de l'Atlantique dans un petit bateau.

— Ils ne partent pas pour faire la traversée de l'Atlantique, interrompit le garçon de chez Biggs. Ils partent à la recherche de Stanley [23].

Il s'était alors formé tout un petit rassemblement, et les gens se demandaient les uns aux autres ce qui se passait. Les uns — la partie jeune et écervelée de la foule — affirmaient que c'était une noce, et désignaient Harris comme le marié ; tandis que d'autres, plus âgés et plus réfléchis, inclinaient à croire que c'était un enterrement et voyaient en moi le frère du défunt.

A la fin, un fiacre libre survint — dans notre rue, il passe en général une moyenne de trois fiacres libres à la minute, quand on n'en a pas besoin : ils maraudent et gênent la circulation — et, nous y entassant nous et notre matériel, et chassant à coups de pied une paire de chiens amis de Montmorency qui avaient manifestement juré de ne pas l'abandonner, nous nous éloignâmes parmi les acclamations de la foule. Le garçon de chez Biggs nous lança une carotte pour faire bonne mesure.

Nous arrivâmes à la gare de Waterloo [24] à onze heures, et demandâmes de quel quai partait le train de 11 h 05. Naturellement, personne ne le savait : personne à la gare de Waterloo ne sait jamais de quel quai va partir un train, ni où va un train en partance, ni rien de rien. Le porteur qui s'était emparé de nos colis croyait que le train en question devait partir du quai n° 2, mais un autre porteur, avec qui il discuta de la question avait entendu courir le bruit que ce serait du quai n° 1. Le chef de gare, par ailleurs, était convaincu que ce devait être du quai de banlieue.

Pour tirer la chose au clair, nous montâmes à l'étage et demandâmes à voir le Directeur général de la traction. Celui-ci nous affirma qu'il venait de rencontrer un employé qui lui avait dit avoir vu ce train au quai n° 3. Nous allâmes donc au quai n° 3, mais les autorités qui étaient là nous dirent qu'ils croyaient plutôt que ce train-ci était l'express de Southampton[25] ou la navette de Windsor[26]. Mais ils étaient sûrs que ce n'était pas le train de Kingston, tout en ne sachant pas pourquoi ils en étaient sûrs.

Notre porteur nous déclara alors qu'à son avis ce train devait se trouver sur une voie de la gare surélevée. Il ajouta qu'il l'y avait déjà vu. Nous nous rendîmes donc sur le quai de la gare surélevée, et nous adressant au mécanicien, lui demandâmes s'il allait bien à Kingston. Il nous répondit qu'il ne pouvait pas l'affirmer avec certitude naturellement, mais que c'était quand même probable. En tout cas, si son train n'était pas le 11 h 05 pour Kingston, il espérait bien que c'était le 9 h 32 pour Virginia Water[27] ou l'express de 10 heures pour l'île de Wight[28] ou quelque part dans cette direction, et que, bref, nous le verrions bien quand nous y serions. Nous lui glissâmes dans la main une demi-couronne, et le priâmes de vouloir bien être le 11 h 05 pour Kingston.

— Personne ne saura jamais sur cette ligne ce que vous êtes ou vers quelle destination vous allez. Vous savez comment vous y prendre, vous filez en douce et vous allez à Kingston.

— Ma foi, messieurs, je ne dis pas non, répliqua-t-il, magnanimement. Après tout, il faut bien qu'un train ou un autre aille à Kingston. Ce sera le mien. Donnez-moi cette demi-couronne.

Ce fut ainsi que nous nous rendîmes à Kingston par le chemin de fer de Londres et du Sud-Ouest.

Nous apprîmes par la suite, que le train que nous avions pris était en réalité le train postal d'Exeter[29].

qu'on avait passé des heures à le chercher dans toute la gare de Waterloo, et que personne n'avait jamais compris ce qu'il était devenu.

Notre canot nous attendait à Kingston, juste sous le pont. Nous nous y rendîmes, et après avoir embarqué nos colis, nous montâmes à bord.

— Vous y êtes, messieurs ? demanda le patron du hangar à bateaux.

— Nous y sommes, répondit-on.

Et avec Harris aux avirons et moi aux tire-veilles de barre, et à la proue Montmorency, mal à son aise et plein de méfiance, nous nous élançâmes sur ces eaux qui, pour une quinzaine, allaient être notre demeure.

6

C'était par une matinée splendide de la fin du printemps ou du début de l'été, comme on voudra, de cette saison où les tons délicats de l'herbe et des feuillages sont en train de virer à un vert plus foncé, où l'année ressemble à une belle jeune fille, tremblante d'émoi de sentir battre en ses veines l'éveil de sa féminité.

Les curieuses vieilles rues de Kingston, qui descendent jusqu'au bord de l'eau, apparaissaient tout à fait pittoresques, sous le flamboiement du soleil. Le fleuve miroitant, avec ses chalands qui glissaient, le chemin de halage bordé de verdure, les pimpantes villas de l'autre rive ; Harris, en blazer rouge et orangé, peinant aux avirons ; le vieux château grisâtre des Tudors entrevu au loin, tout cela faisait un tableau ensoleillé, éblouissant, mais si calme, si plein de vie, si paisible que, malgré l'heure peu avancée de la journée, je me laissai bercer par une nonchalante rêverie.

Je rêvai à Kingston, ou « Kyningestun », comme il

s'appelait jadis au temps où les « kinges [30] » saxons [31] s'y faisaient couronner. Le grand César y passa le fleuve et les légions de Rome campèrent sur les pentes de ses rives. César, comme plus tard la reine Elisabeth, semble s'être arrêté partout ; mais il était plus convenable que la bonne reine Bess [32] : il n'allait pas au cabaret.

Elle en pinçait pour les cabarets, la Reine Vierge d'Angleterre. Il n'y a pas une seule auberge de quelque notoriété, dans un rayon de vingt kilomètres autour de Londres, où elle ne soit allée, paraît-il, jeter un coup d'œil, ou s'arrêter, ou loger une fois ou l'autre. Or, je me demande, à supposer que Harris fasse peau neuve, devienne un grand et noble personnage, arrive à être premier ministre, et qu'il meure, je me demande, dis-je, si l'on mettrait des plaques commémoratives sur les cabarets auxquels il aurait accordé sa clientèle : « Harris a pris un verre de bière dans cet établissement » ; « Harris a pris ici deux whiskies durant l'été de 1888 » ; « Harris fut expulsé d'ici en décembre 1886. »

Non, il y en aurait trop ! Ce seraient les établissements où il ne serait jamais entré qui deviendraient célèbres. « La seule maison du sud de Londres où Harris n'ait jamais bu ! » Les gens accourraient en foule pour voir ce qui a bien pu l'en empêcher.

Comme ce pauvre esprit falot de roi Edwy [33] devait détester Kyningestun ! La fête du couronnement l'avait excédé. Peut-être la hure de sanglier farcie aux pruneaux ne lui avait-elle pas réussi (je sais bien qu'à moi elle ne réussirait pas), et il avait assez bu de xérès et d'hydromel ; en tout cas, laissant la bacchanale effrénée, il s'en alla passer en paix une heure au clair de lune avec sa bien-aimée Elgiva.

Peut-être se mirent-ils à la fenêtre, main dans la main, pour contempler le beau clair de lune sur le fleuve, tandis que, des salles lointaines, les échos de la bruyante débauche arrivaient jusqu'à eux, par bouffées atténuées.

Alors le féroce Odo et saint Dunstan pénétrèrent de

force dans leur tranquille retraite, et accablant de farouches insultes la reine au doux visage, ils ramenèrent brutalement ce pauvre Edwy parmi l'affreuse bacchanale de l'assistance ivre.

Des années plus tard, aux éclats des fanfares guerrières, les rois saxons et la débauche saxonne furent enterrés côte à côte, et la grandeur de Kingston s'éclipsa pour un temps. Mais elle reparut de nouveau quand Hampton Court [34] fut devenu le palais des Tudors et des Stuarts, quand les gondoles royales venaient s'amarrer au bord du fleuve, et quand les beaux seigneurs vêtus de manteaux fastueux descendaient les marches du quai en criant : « Avez-vous fait bonne traversée, Sire ? Dieu vous garde ! *grammerci !* »

Beaucoup de vieilles maisons aux alentours témoignent clairement de ce temps où Kingston était un bourg royal, où noblesse et courtisans y habitaient, auprès de leur roi, où la longue avenue menant au portail du palais s'égayait tout le jour du cliquetis des armes, du hennissement des palefrois et du froissement des velours et des soieries. Les hautes et spacieuses maisons, avec leurs fenêtres en saillie, leurs vitraux, leurs cheminées immenses et leurs toitures à pignons, évoquent le temps des hauts-de-chausses et des pourpoints, des corsages brodés de perles et des jurons compliqués. Elles furent édifiées à l'époque où « l'on savait encore bâtir ». Avec le temps, les dures briques rouges ne se sont que mieux tassées, et leurs escaliers de chêne ne craquent ni ne grincent quand on s'efforce de les descendre sans bruit.

A propos d'escaliers de chêne, cela me rappelle qu'il y en a un magnifique dans une des maisons de Kingston. Cette maison, sur la place du marché, est aujourd'hui une boutique, mais elle fut évidemment jadis l'hôtel de quelque grand personnage. Un de mes amis, qui habite à Kingston, y entra un jour pour s'acheter un chapeau, et, dans un moment d'étourderie, il mit la main à la poche et le paya séance tenante.

Le boutiquier, qui connaît les habitudes de mon ami, fut naturellement un peu surpris tout d'abord ;

mais il se ressaisit bien vite et, comprenant qu'il lui fallait faire quelque chose pour encourager un si louable procédé, il demanda à notre héros si cela lui ferait plaisir de voir du beau chêne sculpté. Mon ami accepta, et le boutiquier lui fit traverser le magasin et monter l'escalier de la maison. La rampe était un véritable chef-d'œuvre, et le mur, tout le long de l'escalier jusqu'en haut, était revêtu de panneaux de chêne dont les sculptures auraient fait honneur à un palais. De l'escalier, ils passèrent dans le salon, pièce vaste et claire, tendue d'un papier à fond bleu, un peu criard mais assez gai. L'appartement, d'ailleurs, ne présentait rien de remarquable, et mon ami se demandait pourquoi on l'y avait amené. Le propriétaire s'approcha du papier de tenture et le tapota. Cela rendit un son de bois.

— Du chêne, expliqua-t-il. Du chêne sculpté, jusqu'au plafond, tout pareil à ce que vous avez vu dans l'escalier.

— Miséricorde ! s'écria mon ami, vous n'allez tout de même pas me dire que vous avez recouvert votre chêne sculpté avec du papier de tenture bleu ?

— Si fait, répondit le boutiquier ; et ce travail m'a coûté cher. Il a fallu commencer par recouvrir tout ça de planches, vous comprenez. Mais la pièce a maintenant l'air gai. C'était affreusement sombre, avant.

Je ne dirai pas que je blâme absolument cet homme. De son point de vue, qui est celui du propriétaire ordinaire, désireux de se rendre la vie aussi douce que possible, et non pas celui d'un maniaque amateur d'antiquités, il a la raison pour lui. Le chêne sculpté, c'est très agréable à regarder, et même à posséder en petite quantité ; mais ce doit être à coup sûr quelque peu déprimant d'habiter dedans, pour ceux qui n'en ont pas particulièrement le goût. On doit avoir l'impression de vivre dans une église.

Non, ce qu'il y avait de triste dans le cas de ce boutiquier, c'est que cet homme, qui n'avait cure du chêne sculpté, en eût son salon tout lambrissé, alors que des gens qui apprécient ce genre de boiserie

doivent payer des prix fabuleux pour s'en procurer.
C'est d'ailleurs la règle dans ce monde : tel possède ce
qu'il ne désire pas, et d'autres ont ce que celui-là
convoite.

Les gens mariés ont des femmes auxquelles ils ne
tiennent pas, et les jeunes célibataires se lamentent de
ne pouvoir en trouver. Les pauvres gens qui subsis-
tent avec à peine de quoi vivre vous ont des huit
enfants doués de vigoureux appétits. Les vieux
ménages riches, qui ne savent que faire de leur
fortune, meurent sans enfants.

Il y a aussi les jeunes filles avec leurs amoureux. Les
jeunes filles qui ont des galants ne tiennent pas à eux.
Elles disent qu'elles s'en passeraient volontiers, qu'ils
les excèdent, et leur demandent pourquoi ils ne vont
pas plutôt faire la cour à Miss Smith ou à Miss Brown,
qui sont laides et prennent de l'âge sans trouver
d'amoureux. Quant à elles, elles n'en désirent pas.
Elles n'ont pas l'intention de se marier jamais.

Mais il ne sert à rien de s'appesantir sur ce sujet.
C'est tellement attristant.

Il y avait à notre école un élève que nous appelions
d'ordinaire Sandford et Merton [35]. Son vrai nom était
Stivvings. C'était le garçon le plus extraordinaire que
j'aie jamais rencontré. Je crois bien qu'il aimait
réellement l'étude. Il se faisait épouvantablement
disputer parce qu'il restait éveillé dans son lit à lire du
grec ; et quant aux verbes irréguliers français, il n'y
avait tout bonnement pas moyen de l'en arracher. Il
était rempli d'idées baroques comme on n'en a pas, se
figurant qu'il faisait la joie de sa famille et l'honneur
de l'école ; il aspirait à remporter des prix, à devenir
en grandissant un homme de savoir, et des tas de
billevesées semblables, dignes d'un esprit faible. Je
n'ai jamais vu d'être aussi étrange, mais par ailleurs, je
dois dire, innocent comme l'enfant nouveau-né.

Eh bien ! cet élève était régulièrement malade au
moins deux fois par semaine, ce qui l'empêchait de
venir en classe. Aucun élève n'a jamais été malade
aussi souvent que ce Sandford et Merton. S'il surve-

nait une épidémie quelconque dans un rayon de vingt kilomètres autour de lui, il contractait le mal et sous une forme aiguë. Il attrapait des bronchites en pleine canicule, et il avait le rhume des foins à Noël. Après une période de sécheresse qui durait six semaines, il était terrassé par une fièvre rhumatismale ; et s'il sortait par un brouillard de novembre, il revenait chez lui avec une insolation.

Une année, on mit ce pauvre garçon sous les anesthésiques pour lui arracher toutes ses dents, et on lui posa un râtelier, parce qu'il souffrait de terribles maux de dents : ceux-ci furent alors remplacés par des névralgies et des douleurs d'oreilles. Il n'était jamais sans un rhume, excepté une fois, pendant les neuf semaines où il eut la scarlatine ; et il avait toujours des engelures. Lors du choléra de 1871 [36], notre voisinage en fut par exception épargné. Il n'y eut dans toute la paroisse qu'un seul cas avéré : ce cas était le jeune Stivvings.

Quand il était malade, on le faisait rester au lit, et il mangeait du poulet, des flans et du raisin de serre : mais il ne cessait de sangloter, parce qu'on lui interdisait de faire des exercices latins et qu'on lui enlevait sa grammaire allemande.

Et nous, les autres élèves, qui aurions volontiers sacrifié dix trimestres de notre vie scolaire pour obtenir la grâce d'être malades un seul jour, et qui n'avions aucun désir de donner à nos parents le moindre prétexte d'être fiers de nous — nous ne pouvions même pas attraper un simple torticolis. Nous nous exposions à tous les courants d'air, et ils nous faisaient du bien, en nous rafraîchissant. Nous prenions des drogues pour nous rendre malades, et elles nous profitaient en nous donnant de l'appétit. Rien ne semblait pouvoir nous rendre malades avant l'arrivée des vacances. Alors, le jour même de la libération, nous attrapions des coryzas, des coqueluches et toutes sortes de maladies qui duraient jusqu'à la reprise des cours. Aussitôt, en dépit de tout ce que nous pouvions tenter pour nous y opposer, nous nous retrouvions guéris et mieux portants que jamais.

Que voulez-vous ! c'est la vie, et nous sommes pareils à l'herbe des champs que l'on coupe et qui demain sera jetée au four [37].

Pour en revenir au chêne sculpté, nos arrière-arrière-grands-pères devaient avoir une très haute idée de ce qui est beau et artistique. Cependant, tous nos trésors d'art d'aujourd'hui ne sont que les banalités, déterrées, d'il y a trois ou quatre cents ans. Je me demande s'il y a une réelle beauté intrinsèque dans toutes ces vieilles assiettes à soupe, ces chopes à bière, et ces éteignoirs que nous prisons tellement aujourd'hui, ou si c'est seulement le prestige de l'antiquité qui, en auréolant ces objets, leur confère un tel charme à nos yeux. Les faïences « bleu ancien », que nous accrochons à nos murs en guise d'ornements, étaient les vulgaires ustensiles ménagers d'il y a quelques siècles ; les bergers roses et les bergères jaunes que nous présentons à l'admiration de nos amis, et sur lesquels ils font semblant de s'extasier, étaient des bibelots de cheminée sans valeur, qu'une mère du dix-huitième siècle aurait donnés à sucer à son petit enfant pour l'apaiser quand il pleurait.

En sera-t-il de même dans l'avenir ? Les trésors précieux d'aujourd'hui seront-ils toujours les bagatelles à bon marché de la veille ? Verra-t-on des rangées de nos assiettes à fleurs s'aligner au-dessus des marbres de cheminées chez les gens cossus de l'an 2000 et quelques ? Et les tasses blanches à filet d'or avec au fond la jolie fleur (d'espèce inconnue), que notre petite bonne casse maintenant à plaisir, figureront-elles, après de soigneux raccommodages, sur un piédestal où ne les époussètera que la maîtresse de maison ?

Voyez ce chien de porcelaine qui orne la chambre à coucher de mon logement garni. C'est un chien blanc. Il a les yeux bleus. Son nez est d'un rouge fin, tacheté de noir. Il dresse la tête avec effort, et sa grimace d'amabilité lui donne l'air quasi idiot. Moi, je ne l'admire pas du tout. Considéré comme objet d'art, je dirais même qu'il m'irrite. Des amis sans délicatesse le blaguent, et ma logeuse elle-même n'a pour lui aucune sympathie : s'il est là, dit-elle, c'est parce que sa tante lui en a fait cadeau.

Mais dans deux cents ans il est plus que probable que ce chien aura été déterré dans un endroit quelconque, les pattes en moins, la queue cassée, et qu'il sera vendu comme porcelaine ancienne et placé dans une étagère vitrée. Les gens en feront le tour pour mieux l'admirer. Ils seront charmés par les tons merveilleux du rouge de son nez, et se récrieront sur la beauté que devait sans aucun doute avoir le bout de queue perdu.

Nous-mêmes, dans ce siècle-ci, nous ne voyons pas la beauté de ce chien. Il nous est trop familier. C'est comme les couchers de soleil et les étoiles : nous ne sommes pas confondus d'admiration devant leur splendeur, parce qu'ils sont trop banals à nos yeux. De même ce chien de porcelaine. En 2288, on s'extasiera sur lui. La fabrication de ces chiens-là sera devenue un art dont le secret est perdu. Nos arrière-neveux se demanderont comment nous faisions et s'étonneront de notre habileté. On parlera de nous avec amour en nous appelant « ces grands artistes d'autrefois qui fleurissaient au dix-neuvième siècle et produisaient ces chiens de porcelaine ».

Le « modèle » que la fille aînée a brodé en classe deviendra « tapisserie du siècle de Victoria » et sera d'une valeur quasi inestimable. Les chopes de faïence bleues et blanches des auberges campagnardes d'aujourd'hui seront recherchées, toutes craquelées et ébréchées, et vendues au poids de l'or, les gens riches s'en serviront comme de verres à bordeaux, et des voyageurs venus du Japon achèteront tous les « Bonjour de Ramsgate » et les « Souvenir de Margate [38] » qui auront échappé à la destruction et les remporteront à Yedo comme antiquités britanniques.

J'en étais là de mes réflexions quand Harris lâcha les avirons, fut projeté à bas de son siège et s'étala sur le dos, les jambes en l'air. Montmorency poussa un hurlement, fit la cabriole, le panier de dessus sauta en l'air et tout son contenu se répandit.

Je fus quelque peu surpris, mais ne perdis pas mon sang-froid. Je dis à Harris, assez gentiment :

— Holà ! Qu'est-ce que tu fais donc ?

— Quoi, ce que je fais ? Mais sacré...

Et puis non, réflexion faite, je ne veux pas répéter ce que me répondit Harris. J'étais peut-être en faute, je l'avoue, mais rien n'excuse la violence de langage et la grossièreté d'expression, surtout chez un homme bien élevé, comme c'était le cas pour Harris. Je pensais à autre chose, et j'avais oublié, comme il est facile de le comprendre, que j'étais au gouvernail et le résultat, c'est que nous avions heurté le chemin de halage. Nous eûmes tout d'abord quelque peine à débrouiller ce qui était nous et ce qui était la berge du fleuve côté Middlesex [39]. Mais nous ne tardâmes pas à y arriver et nous opérâmes la séparation.

Harris, cependant, m'annonça qu'il en avait fait assez pour le moment, et m'engagea à prendre mon tour. Je débarquai donc, pris la corde et halai le bateau jusque passé Hampton Court.

Ah ! comme je l'aime, ce vieux mur qui borde ici le fleuve ! Chaque fois que je passe devant, sa vue me revigore. Il est si joliment patiné, ce cher vieux mur ! Quel délicieux tableau il ferait, couvert çà et là de lichen et de mousse, avec cette jeune vigne vierge qui se hausse timidement par-dessus sa crête pour voir ce qui se passe sur le fleuve affairé, avec le vieux lierre sévère qui le drape un peu plus loin ! Sur dix mètres, il offre cinquante tons, nuancés et dégradés, ce vieux mur. Si j'étais capable de dessiner, et si je savais peindre, j'en ferais une charmante étude, c'est certain. J'ai souvent pensé que j'aimerais vivre au château de Hampton Court. Ça a l'air d'un endroit si paisible et si calme, où il serait si agréable de flâner de bon matin avant qu'il y ait trop de monde dehors.

En fait, je ne crois pas que cette vie-là me plairait tellement dans la pratique. Ce serait épouvantablement lugubre et désolant, le soir, lorsque la lampe projette des ombres suspectes sur le lambris des murs et que résonne sur les froides dalles des corridors l'écho lointain de pas qui se rapprochent d'abord pour s'éteindre ensuite dans le lointain, et que tout retombe dans un silence de mort où l'on n'entend plus que le seul battement de son propre cœur.

Hommes et femmes, nous sommes faits pour voir le soleil. Nous aimons la lumière et la vie. C'est pourquoi nous nous entassons dans les villes et les cités et c'est pourquoi la campagne devient chaque année plus déserte. A la lumière du soleil, le jour, tandis que tout autour de nous la nature est éveillée et active, les pentes nues des montagnes et les sombres forêts nous enchantent ; mais la nuit, alors que notre mère la terre s'est endormie et que nous restons seuls à veiller, ah ! le monde semble bien solitaire, et nous prenons peur, comme des enfants dans une maison muette. Nous soupirons alors, nous aspirons à revoir les rues éclairées de becs de gaz, à réentendre le son des voix de nos semblables et la rassurante pulsation de la vie humaine. Nous nous sentons si faibles et si petits dans le grand silence où les sombres ramures frémissent à la brise nocturne ! Nous sommes environnés de tant de fantômes, dont les muets soupirs nous rendent si tristes ! Oh ! oui, rassemblons-nous tous dans les grandes villes, allumons les grands feux de joie d'un million de becs de gaz, et crions et chantons ensemble pour nous sentir rassurés.

Harris me demanda si je connaissais le labyrinthe de Hampton Court. Lui, il y était allé une fois pour montrer le chemin à quelqu'un. Il l'avait étudié sur le plan, et c'était d'une simplicité dérisoire, qui ne valait même pas les deux pence de l'entrée. Au dire de Harris, ce plan était plutôt destiné à servir d'attrape, car il n'avait aucun rapport avec la réalité et ne faisait que vous égarer. Harris y avait emmené un sien cousin de la campagne. Il lui avait dit :

— Nous allons entrer ici simplement pour que tu puisses dire que tu y as été, mais c'est par trop simple. C'est ridicule d'appeler cela un labyrinthe. On n'a qu'à prendre tout le temps le premier tournant à droite. Nous allons y faire un tour d'une dizaine de minutes, et puis nous irons déjeuner.

Peu après être entrés, ils rencontrèrent des gens qui leur dirent qu'ils étaient là-dedans depuis trois quarts d'heure et qu'ils en avaient assez. Harris leur affirma qu'ils pouvaient le suivre s'ils voulaient, car il ne faisait qu'entrer, et ensuite il ferait demi-tour pour regagner la sortie.

Les gens égarés le remercièrent de son obligeance et se mirent à le suivre.

Ils recueillirent, chemin faisant, diverses autres personnes, lasses d'errer en vain, et leur caravane finit par absorber tous les visiteurs présents dans le labyrinthe. Ceux qui avaient renoncé à tout espoir de jamais atteindre ni le centre ni la sortie, et de revoir leur foyer ni leurs amis, reprirent courage à la vue de Harris et de sa suite, et se joignirent au cortège, en le bénissant. D'après Harris, ils devaient bien être une vingtaine en tout à l'escorter ; et une femme portant un bébé, qui était là depuis le matin, voulut à toute force lui donner le bras, de crainte de le perdre.

Harris ne cessait de tourner à droite, mais le chemin lui semblait long, et son cousin hasarda l'opinion que c'était un très grand labyrinthe.

— Oh ! l'un des plus importants d'Europe, répondit Harris.

— Oui, c'est probable, répliqua le cousin, car nous avons déjà marché au moins trois kilomètres.

Harris lui-même commençait à trouver ça un peu bizarre, mais il tint bon, jusqu'au moment où enfin ils virent à terre la moitié d'une brioche à un penny que le cousin de Harris jurait y avoir remarquée dix minutes plus tôt. « Oh ! impossible ! » dit Harris. Mais la femme au bébé répondit : « Pas du tout », car c'était elle qui avait retiré au marmot ce bout de brioche pour le jeter là, juste avant de rencontrer Harris. Elle ajouta aussi qu'elle regrettait fort d'avoir fait sa rencontre et exprima l'opinion qu'il était un imposteur. Harris, furieux, tira le plan de sa poche et exposa sa théorie.

— Le plan nous serait sans doute très utile, dit
quelqu'un de la compagnie, si vous saviez à quel
endroit du labyrinthe nous sommes à présent.

Harris l'ignorait, et il suggéra que la meilleure chose
à faire serait de retourner à l'entrée, et de recommencer. Pour ce qui était de recommencer, il n'y eut pas
grand enthousiasme ; mais quant à l'opportunité de
retourner à l'entrée, l'unanimité fut complète. On fit
donc volte-face, et on se remit à suivre Harris dans la
direction opposée. Dix minutes encore se passèrent,
après quoi on se trouva au centre.

Harris songea d'abord à prétendre que c'était bien
là ce qu'il avait voulu ; mais la foule prit un air
menaçant, et il décida de traiter la chose en simple
incident.

En tout cas, ils avaient trouvé un point de repère.
Ils savaient où ils étaient. On consulta encore une fois
le plan, et la solution parut plus simple que jamais. Ils
se remirent en route pour la troisième fois.

Et trois minutes plus tard, ils étaient de retour au
centre.

Après cela, il leur fut tout bonnement impossible
d'arriver ailleurs. Tous les chemins qu'ils prenaient
les ramenaient au milieu. Cela devint à la longue si
immanquable qu'une partie des gens s'y arrêtèrent
pour attendre que les autres, après avoir fait un tour
de promenade, fussent revenus auprès d'eux. Harris,
au bout d'un moment, tira de nouveau son plan, mais
la seule vue de cet objet mit la foule en fureur et on
pria son possesseur d'aller s'en faire des papillotes.
Harris avoua qu'il eut alors l'impression d'être devenu
quelque peu impopulaire.

A la fin ils furent tous pris d'affolement et se mirent
à hurler pour faire venir le gardien. Celui-ci arriva, et
grimpant sur l'échelle située à l'extérieur, il leur cria
des indications. Mais ils avaient tous, à ce moment, si
bien perdu la tête, qu'ils furent incapables d'y rien
comprendre. Le gardien les avertit donc de rester où
ils étaient et qu'il allait venir les chercher. Ils se
blottirent les uns contre les autres en un tas, pour

l'attendre ; il descendit de son échelle et entra dans le labyrinthe.

Comme par un fait exprès du hasard, c'était un jeune gardien, nouveau dans le métier. Quand il fut à l'intérieur, il n'arriva pas à les rejoindre et se trouva perdu, lui aussi. Ils l'apercevaient de temps à autre, courant de l'autre côté de la haie, et lui aussi les voyait et galopait pour arriver à eux, et eux restaient à l'attendre pendant environ cinq minutes, et puis il réapparaissait exactement au même point et leur demandait par où ils étaient passés.

Il leur fallut attendre que l'un des vieux gardiens fût rentré de déjeuner, pour pouvoir sortir.

Harris me dit qu'à son avis c'était un très beau labyrinthe, autant qu'il en pouvait juger ; et nous convînmes de décider George à y entrer, au retour.

7

Le fleuve, en sa parure des dimanches. — Comment s'habiller sur la Tamise. — Les hommes ont de la chance. — Absence de goût chez Harris. — Le blazer de George. — Une journée avec la jeune fille gravure-de-mode. — La tombe de Mrs. Thomas. — Le monsieur qui n'aime ni les tombes, ni les cercueils, ni les crânes. — Harris en démence. — Son opinion sur George, les rives et la limonade. — Il exécute des tours d'acrobatie.

Harris me conta son aventure du labyrinthe tandis que nous franchissions l'écluse de Moulsey. Cela nous prit un certain temps, car nous étions le seul bateau et c'est une grande écluse. Je ne me rappelle pas avoir jamais vu, avant, l'écluse de Moulsey avec un seul bateau. C'est, je crois, sans même excepter celle de Boulter, l'écluse la plus fréquentée du fleuve.

Je suis resté à la regarder parfois, quand l'eau disparaissait entièrement sous un fouillis éclatant de blazers bariolés, casquettes claires, chapeaux pimpants, ombrelles multicolores, écharpes et manteaux de soie, flots de rubans et complets de flanelle immaculés. En regardant alors du haut du quai dans le sas de l'écluse, on pouvait se figurer celle-ci comme une caisse énorme dans laquelle on aurait jeté pêle-mêle des fleurs de toutes les couleurs et de toutes les teintes qui remplissaient tout le fond d'un amoncellement arc-en-ciel.

Par un beau dimanche, c'est presque tout le jour que l'écluse offre cet aspect, tandis qu'en aval et en amont du fleuve s'alignent indéfiniment des files d'autres bateaux qui attendent leur tour [40], et les bateaux arrivent et s'en vont, si bien que le fleuve ensoleillé, depuis le palais jusqu'à l'église de Hampton, est parsemé et paré de jaune, de bleu, d'orange, de blanc, de rouge, de rose. Tous les habitants de Hampton et de Moulsey s'habillent en plaisanciers et viennent, avec leurs chiens, flâner aux alentours de l'écluse, où ils flirtent, fument et regardent les bateaux. Et tout cet ensemble avec les casquettes et les vestes des hommes, les jolies robes de couleur des femmes, les chiens en gaieté, le passage des bateaux, les voiles blanches, l'agréable paysage, l'eau étincelante, cela fait un des plus joyeux spectacles que je connaisse aux environs de cette morne ville de Londres.

La Tamise fournit une bonne occasion de s'habiller. Grâce à elle, une fois en passant, il nous est permis aussi, à nous les hommes, de déployer notre goût en matière de couleur, et je crois, en vérité, que nous nous en tirons fort coquettement. J'aime toujours qu'il y ait un peu de rouge dans mes effets, qui sont rouge et noir. Comme on sait, mes cheveux sont châtain doré, une assez jolie nuance, m'a-t-on dit, et le rouge sombre leur convient très bien. Je pense aussi qu'une cravate bleu clair s'accorde parfaitement avec le châtain clair, ainsi qu'une paire de souliers en cuir de Russie, et un foulard de soie rouge autour de la taille ; car le foulard a bien meilleure grâce qu'une ceinture.

Harris s'en tient toujours aux nuances et aux mélanges d'orange ou de jaune, mais je ne crois pas que ce soit tout à fait judicieux de sa part. Il a le teint trop foncé pour porter du jaune. Le jaune ne lui va pas : c'est indiscutable. J'aimerais qu'il s'en tînt au bleu, rehaussé par un soupçon de blanc ou de crème ; mais, hélas ! ceux qui ont le moins de goût pour s'habiller sont toujours les plus obstinés. C'est fort regrettable, parce qu'il n'obtiendra jamais aucun succès, tandis qu'il y a une ou deux couleurs avec lesquelles il n'aurait pas trop mauvais air, son chapeau sur la tête.

George a acheté pour ce petit voyage quelques nouveaux objets qui m'offusquent un peu. Son blazer est criard. Je ne voudrais pas le dire à George, mais il n'y a réellement pas d'autre terme. Il l'apporta chez nous le jeudi soir pour nous le montrer. Nous lui demandâmes comment s'appelait cette couleur, mais il l'ignorait. Il ne croyait pas qu'elle eût un nom. Le marchand lui avait affirmé que c'était un modèle oriental. George mit le blazer sur lui, et nous demanda ce que nous en pensions. Harris répondit que, pendu au-dessus d'un parterre de fleurs au début du printemps, pour faire peur aux moineaux, ce blazer ne ferait pas mal ; mais que, envisagé comme article d'habillement pour un être humain autre qu'un chanteur nègre ambulant [41] de Margate, ça lui donnait mal au cœur. George fut très froissé ; mais, comme le lui dit Harris, si son avis lui déplaisait, pourquoi le demandait-il ?

Ce qui nous chiffonne, Harris et moi, au sujet de ce blazer, c'est que nous craignons qu'il n'attire l'attention sur notre équipe.

Les femmes non plus n'ont pas l'air trop mal, en canot, lorsqu'elles savent s'habiller gentiment. Rien ne leur sied mieux, à mon avis, qu'un costume de canotage choisi avec goût. Mais un costume de canotage, il serait bon que toutes les dames le comprissent, doit être un costume que l'on puisse mettre en canot et pas seulement sous vitrine. Il y a de quoi gâter complètement une excursion, d'avoir dans le bateau des gens qui pensent tout le temps à leur toilette beaucoup plus qu'à la balade. J'eus le malheur, une fois, d'aller à un pique-nique sur l'eau avec deux jeunes filles de ce genre. Ah ! nous ne nous sommes pas ennuyés !

Elles étaient toutes les deux sur leur trente et un : toutes en dentelle et étoffes de soie, et des flaflas, et des rubans, et des souliers fins, et des gants clairs. Mais c'était une toilette pour atelier de photographe, et non pour un pique-nique sur l'eau : le « costume de canotage » d'une gravure de mode française. C'était ridicule de se hasarder en cette tenue à l'air libre, au voisinage de la terre et de l'eau.

Pour commencer, elles trouvèrent que le canot n'était pas propre. On épousseta leurs sièges, et on leur dit qu'il l'était, mais elles n'en crurent rien. L'une d'elles frotta son coussin avec l'index de son gant et montra le résultat à l'autre. Elles soupirèrent toutes deux et s'assirent, de l'air des premiers martyrs chrétiens s'efforçant de faire bonne figure sur le bûcher. Il peut vous arriver à l'occasion d'éclabousser un peu en ramant. Or, on eût dit que ces beaux costumes étaient perdus pour une goutte d'eau : la trace ne s'en effaçait jamais et le vêtement était souillé pour toujours.

J'étais aviron d'arrière. Je faisais de mon mieux. Je plumais [42] à deux bons pieds de haut, je m'arrêtais à la fin de chaque brassée pour laisser les pales s'égoutter avant de les retourner, et je choisissais chaque fois un endroit où l'eau était lisse pour les y replonger. (L'aviron d'avant me dit au bout d'un moment qu'il ne se sentait pas rameur assez consommé pour souquer avec moi, et qu'il allait, si je voulais bien le lui permettre, arrêter de ramer et étudier mon coup d'aviron, qui l'intéressait.) Mais, malgré tout, j'avais beau faire, je ne pouvais empêcher que quelques gouttes n'aillent de temps à autre asperger les costumes de ces demoiselles.

Elles ne se plaignaient pas, mais blotties l'une contre l'autre, elles serraient les lèvres, et à chaque fois qu'une goutte les touchait, elles se reculaient en frissonnant. C'était un spectacle sublime de les voir ainsi souffrir en silence, mais cela me démoralisait un peu. Je suis trop sensible. Ma nage devint incohérente et saccadée, et j'éclaboussai d'autant plus que je faisais plus d'efforts pour m'en abstenir.

Finalement j'y renonçai, et demandai à passer à

l'avant. L'aviron d'avant estima qu'en effet cela vaudrait mieux, et je changeai de place avec lui. En me voyant partir, les demoiselles poussèrent un soupir de soulagement involontaire, et elles furent très gaies pendant un moment. Les pauvres filles ! Elles auraient mieux fait de s'accommoder de moi. Le rameur qu'elles avaient obtenu pour voisin était un joyeux luron, goguenard et sans souci, doué d'à peu près autant de sensibilité qu'un jeune chien de Terre-Neuve. On pouvait le foudroyer du regard pendant une heure sans qu'il s'en aperçût, ou sans que ça le dérangeât s'il s'en apercevait. Il adopta un joli coup d'aviron plein d'aisance et d'entrain qui fit jaillir l'écume sur tout le bateau comme une fontaine et vous mit en un clin d'œil tous les passagers au garde-à-vous. Quand il étalait plus d'une pinte d'eau sur un de ces beaux costumes, il disait avec un petit rire aimable :

— Oh ! je vous demande pardon, vraiment.

Et il leur offrait son mouchoir pour s'essuyer.

— De rien, cela n'a pas d'importance, répondaient dans un murmure les pauvres filles.

Et subrepticement elles tiraient sur elles couvertures et manteaux, et tentaient de se protéger avec leurs parasols de dentelle.

Au déjeuner, elles passèrent un bien mauvais moment. On voulait les faire asseoir sur l'herbe, et l'herbe était poussiéreuse ; les troncs d'arbres auxquels on les invitait à s'appuyer n'avaient pas dû être brossés depuis des semaines. Elles étalèrent donc leurs mouchoirs à terre, et s'assirent dessus, très dignes. Quelqu'un, en passant avec une assiette de bœuf à la gelée, trébucha contre une racine et fit voler la gelée. Elles n'en reçurent pas, heureusement, mais cet accident leur fit craindre un nouveau danger, et après cela, chaque fois que quelqu'un se déplaçait à proximité en tenant à la main quelque chose qui pouvait tomber et faire du dégât, elles surveillaient ce quelqu'un avec une inquiétude croissante, jusqu'à ce qu'il se fût rassis.

— Allons, mesdemoiselles, leur dit notre ami l'aviron avant quand on eut terminé, allons-y, c'est à vous de laver la vaisselle !

Elles ne le comprirent pas tout d'abord. Quand elles eurent saisi, elles lui répondirent qu'elles craignaient de ne pas savoir comment faire.

— Oh ! je vous aurai vite montré, s'écria-t-il. C'est très amusant ! Vous vous allongez à plat... je veux dire que vous vous étendez sur la berge, et vous trempez les choses dans l'eau.

La sœur aînée objecta que leurs robes n'étaient peut-être pas des plus appropriées à cette besogne.

— Oh ! elles iront très bien, répondit le sans-cœur ; vous n'avez qu'à les retrousser.

Elles durent s'exécuter. Il leur affirma que cet intermède constituait la moitié du plaisir du pique-nique. Elles convinrent que c'était très intéressant.

Maintenant que j'y repense, je me demande si ce jeune homme était aussi obtus que nous le croyions, ou bien était-il ?... Mais non, impossible ! son visage reflétait trop une candeur d'enfant !

Harris avait envie d'aller jusqu'à l'église de Hampton, pour voir la tombe de Mrs. Thomas[43].

— Qui est-ce, Mrs. Thomas ? demandai-je.

— Je n'en sais rien, répondit Harris. C'est une dame qui s'est fait faire une tombe rigolote, et je tiens à la voir.

Je protestai. Je ne sais pas si c'est parce que j'ai l'esprit mal tourné, mais pour ma part je n'ai jamais été très amateur de tombes. Je sais fort bien que quand on arrive dans une ville ou dans un village, la première chose à faire est de courir au cimetière pour s'offrir la vue des tombes ; mais c'est une récréation que je me refuse toujours. Je ne prends aucun plaisir à faire lentement le tour de sombres et froides églises, derrière des vieillards asthmatiques, pour lire des épitaphes. La vue d'une plaque de cuivre craquelé incrustée dans une dalle ne suffit même pas à me procurer ce qui s'appelle un bonheur sans mélange.

Je scandalise les respectables sacristains par l'imperturbabilité que j'arrive à garder en présence d'inscriptions passionnantes et par mon manque d'enthousiasme quant à l'histoire des nobles seigneurs de l'endroit, tandis que je blesse leur amour-propre par mon impatience mal dissimulée de me retrouver dehors.

Par un matin de soleil radieux, j'étais accoudé au petit mur de pierre qui entourait une petite église de village, et je fumais ma pipe en savourant le bonheur calme et profond émanant de ce spectacle doux et paisible : la vieille église grise revêtue de lierre, au portail de bois naïvement sculpté, la blanche allée sinuant jusqu'au bas de la colline entre deux rangées de grands ormes, les maisons à toit de chaume dépassant de leurs haies bien taillées, la Tamise argentée dans le creux, les collines boisées derrière...

C'était un paysage délicieux. Son idyllique poésie m'inspirait. Je me sentais bon et noble. J'étais résolu à ne plus pécher. Je voulais venir habiter là, et ne plus jamais faire le mal, et mener une vie pure et irréprochable, et avoir de beaux cheveux blancs quand je deviendrais vieux, enfin tout ça.

En ce moment-là je pardonnais à tous mes amis et connaissances leurs mauvais tours et leur muflerie, et je les bénissais. Ils n'ont pas su que je les bénissais. Ils ont persévéré dans leur voie dissolue, ignorants de ce que moi, tout là-bas dans ce paisible village, je faisais pour eux ; mais je ne l'en fis pas moins et j'aurais voulu pouvoir les en avertir, car je tenais à les rendre heureux. J'étais perdu dans ces pensées d'amour sublime, lorsque ma rêverie fut interrompue par une aigre voix glapissante qui piaillait :

— Me voilà, monsieur, j'arrive. Me voilà, monsieur, ne vous impatientez pas.

Je levai les yeux et vis dans le cimetière un vieux bonhomme chauve qui se dirigeait vers moi en clopinant et qui portait à la main un énorme trousseau de clefs qu'il entrechoquait et faisait tinter à chaque pas.

Avec une dignité muette, je lui fis signe de s'éloigner, mais il continua d'avancer en glapissant :

— J'arrive, monsieur, j'arrive. Je boite un peu. Je n'ai plus mes jambes d'autrefois. Par ici, monsieur.

— Allez-vous-en, misérable vieillard ! lui dis-je.

— Je suis venu aussi vite que j'ai pu, monsieur, répliqua-t-il. Ma bourgeoise vient seulement de vous apercevoir. Suivez-moi, monsieur.

— Allez-vous-en, répétai-je ; laissez-moi tranquille ou sinon je passe par-dessus le mur et je vous occis.

Il parut surpris et me demanda :

— Vous ne voulez donc pas voir les tombeaux ?

— Non, répondis-je, je ne veux pas. Je veux rester ici, accoudé sur ce vieux mur de pierre. Allez-vous-en, et cessez de m'importuner. Je déborde de belles et nobles pensées, et je veux rester ainsi, parce que je me sens merveilleusement bien. Ne venez donc pas faire l'imbécile, me rendre enragé, et mettre en fuite mes bons sentiments avec vos ridicules absurdités de pierres tombales. Allez plutôt chercher quelqu'un qui vous enterre à bon marché, et je paierai la moitié de la dépense.

Une minute, il demeurera stupide. Puis il se frotta les yeux et me regarda attentivement. J'avais pourtant les apparences d'un être humain. Il n'y comprenait rien.

Il m'interrogea :

— Vous êtes étranger au pays ? Vous n'habitez pas ici ?

— Non, répliquai-je, je n'y habite pas. Vous-même vous n'y seriez pas si j'y étais.

— Eh bien alors, reprit-il, il faut que vous veniez voir les tombes... monuments... gens enterrés... Vous comprendre... cercueils.

La moutarde me monta au nez.

— Ce n'est pas vrai, ripostai-je. Je n'ai nul besoin d'aller voir ces tombes — vos tombes. Qu'est-ce qui m'y oblige ? Nous avons nos tombes à nous, celles de ma famille. Ainsi, mon oncle Podger a, dans le cimetière de Kensal Green [44] un tombeau qui fait l'orgueil de tous les environs : et le caveau de mon grand-père à Bow [45] peut contenir huit visiteurs, et ma grand-tante Suzanne a dans le cimetière de l'église, à Finchley [46], un monument de brique, muni d'une dalle, où l'on voit en bas-relief un de ces machins qui ressemblent à une cafetière, et tout autour une bordure de quinze centimètres, en très belle pierre blanche, qui a coûté un joli prix. Quand j'ai envie de voir des tombes, c'est à celles-là que je vais me distraire. Je n'ai pas besoin de celles des autres gens. Quand vous serez vous-même enterré, je viendrai rendre visite à la vôtre. C'est tout ce que je peux faire pour vous.

Il fondit en larmes. Il m'assura que sur la dalle d'une des tombes on voyait un fragment de pierre qui passait pour être probablement un reste d'une statue d'homme, et que sur une autre étaient sculptés des mots que personne n'avait jamais été capable de déchiffrer.

Comme je restais inflexible, il reprit d'un ton navré :

— Voyons, vous consentirez bien à venir voir la fenêtre commémorative ?

Je refusai de voir même cela, et alors il me décocha donc son dernier trait, et se rapprochant de moi, il chuchota d'une voix rauque :

— En bas, dans la crypte, j'ai aussi une paire de crânes. Oh ! venez voir mes crânes ! Vous êtes un jeune homme en vacances, il faut bien que vous en profitiez. Venez voir mes crânes !

Alors je fis demi-tour et pris la fuite, mais j'étais déjà loin qu'il me criait encore :

— Oh ! venez voir mes crânes, venez voir mes crânes !

Harris cependant raffole des tombes, des épitaphes et des inscriptions funéraires, et à l'idée de ne pas voir la tombe de Mrs. Thomas il fut pris de démence. Il me dit qu'il avait compté voir cette tombe dès le premier instant où nous avions projeté la croisière, et il ajouta même qu'il ne serait pas venu avec nous s'il n'avait eu l'intention de voir la tombe de Mrs. Thomas.

Je lui rappelai l'existence de George, et que nous

devions remonter avec le canot jusqu'à Shepperton
pour l'y retrouver à cinq heures. Alors, il s'en prit à
George.

Pourquoi George restait-il à batifoler presque tout le
jour et à nous laisser remorquer, tout seuls, ce vieux
sabot surchargé, d'un bout à l'autre de la Tamise,
pour aller le retrouver lui, George ? Qu'est-ce qui
l'empêchait de venir turbiner un peu avec nous ?
Pourquoi n'avait-il pas pu prendre un jour de congé
pour nous accompagner dès le départ ? Zut pour sa
banque ! A quoi était-il bon à sa banque ?

— Chaque fois que j'y suis allé, continua Harris, il
était toujours à ne rien faire. Il n'en fiche pas une
datte. Il reste assis toute la journée derrière une vitre à
tâcher d'avoir l'air de faire quelque chose. Moi, il faut
que je travaille pour gagner ma vie. Pourquoi ne
travaille-t-il pas, lui aussi ? A quoi donc sert-il, et à
quoi servent les banques ? Elles prennent votre argent,
et quand vous tirez un chèque, elles vous le renvoient
tout balafré de « Sans provision », « Retour au
tireur ». La semaine dernière ils m'ont fait ce coup-là
deux fois. Je ne le supporterai pas plus longtemps. Je
vais leur retirer mon compte. Si George était ici, nous
pourrions aller voir cette tombe. Je ne crois pas du
tout qu'il soit à sa banque. En réalité, il est allé
s'amuser je ne sais où, et il nous laisse faire toute la
besogne. Je vais débarquer pour aller boire un verre.

Je lui fis observer que nous étions à des kilomètres
de tout estaminet. Alors il s'en prit à la Tamise ; à quoi
servait-elle, et fallait-il mourir de soif quand on allait
sur la Tamise ?

Il est toujours préférable de laisser parler Harris
quand il se met dans cet état-là. Il finit par s'épuiser et
se tient tranquille ensuite.

Je lui rappelai qu'il y avait dans le panier de l'extrait
de limonade et, à l'avant du bateau, une bonbonne de
cinq litres d'eau, et que les deux ingrédients n'atten-
daient que d'être mélangés pour former une boisson
fraîche et hygiénique.

Alors il s'emporta contre la limonade et toutes ces

drogues « d'école du dimanche [47] », comme il les appelait : soda au gingembre, sirop de framboise, etc. Toutes, à l'entendre, produisaient la dyspepsie, détraquaient le corps et l'âme et étaient cause de la moitié des crimes commis en Angleterre.

Il tenait cependant à boire quelque chose et, grimpant sur son siège, il se pencha sur le panier pour atteindre le flacon. Celui-ci était tout au fond, et pour y parvenir il se penchait de plus en plus ; mais comme il barrait en même temps et voyait les choses à l'envers, il tira la barre du mauvais côté et envoya le bateau en plein dans la berge. La secousse le renversa, et il plongea la tête la première au fond du panier, où il resta debout les jambes en l'air et gigotant désespérément, cramponné de toutes ses forces au bordage du canot. Il n'osait pas bouger de crainte de tomber à l'eau, et il dut rester là jusqu'au moment où je pus l'attraper par les jambes et le dégager, ce qui le rendit plus frénétique que jamais.

8

Chantage. — La vraie méthode à suivre. — Egoïsme et
muflerie du propriétaire riverain. — Les écriteaux
« Attention ! » — Sentiments peu chrétiens de Harris. —
Harris chanteur comique. — Une soirée dans le grand
monde. — Honteuse conduite de deux jeunes sacripants.
— Quelques renseignements inutiles. — George achète
un banjo.

Nous fîmes halte pour déjeuner sous les saules, aux
abords de Kempton Park. Il y a là un endroit assez
joli, un agréable plateau de gazon qui longe le bord du
fleuve, à l'ombre des saules. Nous en étions à peine au
troisième service — pain et confiture — lorsqu'un
citoyen en bras de chemise et bouffarde au bec
s'approcha de nous et nous déclara que nous n'avions
pas l'air de savoir que nous étions sur une propriété
privée. Nous lui répondîmes que nous n'avions pas
encore examiné la chose d'assez près pour arriver sur
ce point à une conclusion définitive, mais que, s'il
nous donnait sa parole d'honneur que nous étions en
effet sur une propriété privée, nous n'hésiterions pas
plus longtemps à le croire.

Il nous donna l'assurance requise, et nous le
remerciâmes, mais comme il ne s'en allait toujours pas
et qu'il semblait mécontent, nous lui demandâmes si

nous pouvions faire encore quelque chose pour lui. Harris, qui est à la bonne franquette, lui offrit une tartine de confiture.

Ce personnage devait appartenir, j'imagine, à une société où l'on jurait de s'abstenir de tartines de confiture, car il refusa d'un ton rogue, comme s'il était fâché d'avoir à subir cette tentation, et il ajouta qu'il se voyait dans l'obligation de nous expulser.

Harris lui répondit que si tel était son devoir, il lui fallait s'en acquitter, et il l'interrogea sur les moyens qu'il jugeait les meilleurs pour l'accomplir. Harris est ce qu'on peut appeler un type bien bâti et de belle taille, et il a l'air d'un rude costaud. Notre visiteur le mesura du regard et répondit qu'il allait consulter son maître, après quoi il reviendrait nous flanquer tous les deux à l'eau.

Naturellement, on ne le revit plus. Ce qu'il voulait, bien entendu, c'était un shilling. Il y a tout le long de la Tamise un certain nombre d'écumeurs des rives qui se font de vraies rentes pendant l'été, en rôdant sur les berges et en faisant chanter de cette façon les pauvres nigauds. Ils se prétendent envoyés par le propriétaire. La vraie méthode à suivre est de leur décliner vos noms et adresse et de laisser le propriétaire — si celui-ci a en effet quelque chose à voir avec l'aventure — vous convoquer devant les tribunaux et faire la preuve du dommage que vous avez causé à ses terres en vous asseyant sur leur bord. Mais la majorité des gens sont d'une mollesse et d'une timidité si grandes qu'ils préfèrent encourager l'imposture en lui cédant, plutôt que d'y mettre fin en faisant preuve d'un peu de fermeté.

Là où ce sont réellement les propriétaires qui sont coupables, on devrait les montrer du doigt. L'égoïsme des propriétaires riverains augmente chaque année. Si on les laissait faire, ils clôtureraient complètement la Tamise. Ils le font déjà sur les petits affluents et dans les bras-morts. Ils plantent des piquets dans le lit de la rivière, tendent des chaînes d'une rive à l'autre et clouent d'énormes écriteaux sur chaque arbre. La vue de ces écriteaux réveille tous les mauvais instincts de mon être. Je me sens l'envie de les arracher tous l'un après l'autre et d'en marteler la tête de l'individu qui les a fait poser, jusqu'à ce que mort s'ensuive, après quoi je l'enterrerais et mettrais la pancarte sur sa tombe en guise d'épitaphe.

Je fis part de mes sentiments à Harris, et il me répondit que les siens étaient pires encore. Il éprouvait non seulement le désir d'assassiner le misérable qui avait fait poser les écriteaux, mais il aimerait, en outre, massacrer sa famille entière avec tous ses amis et connaissances et mettre ensuite le feu à sa maison. Cette vengeance me parut aller un peu loin, et j'en fis part à Harris. Mais il répliqua :

— Pas du tout. Il n'aurait que ce qu'il mérite, et j'irais chanter des chansonnettes comiques sur les ruines.

J'étais fâché d'entendre Harris donner cours à ces tendances sanguinaires. Il ne faut pas que nos instincts de justice dégénèrent en pur esprit de vindicte. Il me fallut un bon moment pour ramener Harris à des sentiments plus chrétiens, mais j'y réussis enfin ; il me promit d'épargner en tout cas les amis et connaissances et de ne pas chanter de chansonnettes comiques sur les ruines de la maison.

Vous n'avez jamais entendu Harris se livrer à cet exercice, sinon vous comprendriez le service que je venais de rendre à l'humanité. C'est une des idées bien arrêtées de Harris qu'il sait chanter la chansonnette comique. Ceux de ses amis qui l'ont entendu sont, au contraire, bien persuadés qu'il ne sait pas et ne saura jamais chanter, et qu'on ne devrait même pas lui permettre d'essayer.

Quand Harris est à une soirée où on le prie de chanter, il répond :

— Oui, mais je vous préviens, je ne sais chanter que la chansonnette comique.

Et il vous dit cela d'un ton à faire croire à sa maestria dans cette partie, et que c'est une chose qu'on doit entendre une fois avant de mourir.

— Oh ! ça, c'est gentil ! reprend la maîtresse de maison. Chantez-en une, monsieur Harris.

Et Harris se lève et s'approche du piano, avec la joie rayonnante d'un cœur généreux qui s'apprête à faire un cadeau à quelqu'un.

— Allons, silence, s'il vous plaît, que tout le monde se taise ! dit la maîtresse de maison s'adressant à ses invités. M. Harris va nous chanter une chanson comique.

— Oh ! charmant ! murmure-t-on.

Et on revient en hâte du jardin d'hiver, on remonte les escaliers, on va s'avertir les uns les autres par toute la maison, et on s'entasse dans le salon où on fait le cercle, en souriant à l'avance.

Puis Harris commence.

Certes, on ne considère pas qu'il faille mettre beaucoup de voix dans une chanson comique. On ne s'attend pas à une diction ni à des vocalises impeccables. On se soucie peu que le chanteur s'aperçoive, au milieu d'une note, qu'il l'a prise trop haut, et qu'il descende brusquement d'un ton. On ne se préoccupe pas de la mesure. On se moque que l'exécutant soit de deux mesures en avance sur l'accompagnateur et s'interrompe au milieu d'un couplet pour se mettre d'accord avec le pianiste, afin de reprendre la strophe. Mais on espère au moins qu'il connaît les paroles.

On ne s'attend pas à ce que le monsieur ne se rappelle plus que les trois premiers vers du premier couplet et ne cesse de les répéter jusqu'au moment d'entonner le refrain. On ne s'attend pas à ce qu'il s'arrête au beau milieu d'un vers et avoue, avec un sourire niais, que c'est très drôle mais qu'il n'est pas capable de se rappeler la suite, et puis qu'il tente de l'improviser lui-même ; et qu'alors il se la rappelle tout à coup, une fois arrivé à un endroit tout différent du morceau, et s'interrompe sans crier gare pour la reprendre et vous la servir illico. On ne s'attend pas... Mais je préfère vous donner une petite idée de Harris en tant que chanteur comique, et vous pourrez ainsi en juger par vous-même.

HARRIS, debout à côté du piano et s'adressant
à la foule en attente.

Je crains que ce ne soit un peu vieux, vous
comprenez. Je suppose que vous la connaissez tous,
n'est-ce pas ? Mais c'est la seule que je sache. C'est la
chanson du juge dans *Le Pinafore*[48]... Non, je me
trompe, ce n'est pas *Le Pinafore* que je veux dire...
C'est... Vous savez bien... l'autre opérette, quoi. Vous
reprendrez tous au refrain, n'est-ce pas ?

Murmures d'approbation et impatience de reprendre
au refrain. Brillante exécution du prélude à la chanson
du Juge dans *Cour d'assises*, par le pianiste nerveux.
Vient le moment où Harris doit entamer sa partie.
Harris n'en tient pas compte. Le pianiste nerveux
recommence son prélude et Harris, qui commence à
chanter en même temps que lui, démarre sur l'air de
l'amiral dans *Le Pinafore*. Le pianiste nerveux tente de
poursuivre son prélude, y renonce, et s'efforce de
suivre Harris avec l'accompagnement à la chanson du
juge dans *Cour d'assises*, s'aperçoit que cela ne correspond pas, se demande où il en est, ce qu'il fait là, sent
qu'il perd la tête et s'arrête court.

HARRIS, l'encourageant avec amabilité.

C'est parfait, vous vous en tirez très bien. Conti-
nuez.

LE PIANISTE, nerveux.

Je crains qu'il n'y ait erreur quelque part. Que
chantez-vous ?

HARRIS, vivement.

Mais la chanson du juge dans *Cour d'assises* ! Vous
ne la connaissez pas ?

UN AMI DE HARRIS, du fond de la salle.

Mais non, tu n'y es pas, andouille, ce n'est pas cela que tu chantes, c'est la chanson de l'amiral dans *Le Pinafore*.

Discussion prolongée entre Harris et l'ami de Harris sur la question de savoir ce que Harris chante en réalité. Pour finir, l'ami reconnaît que peu importe la chanson, pourvu que Harris continue à la chanter, et Harris, évidemment blessé par cette injustice, prie le pianiste de recommencer. Le pianiste, donc, entame le prélude de la chanson de l'amiral, et Harris, saisissant dans la musique ce qu'il croit être l'instant favorable, commence :

HARRIS

Dans ma jeunesse, appelé au barreau.

Eclat de rire général, que Harris prend pour un compliment. Le pianiste, songeant à sa femme et ses enfants, renonce à une lutte inégale et se retire. Il est remplacé par un monsieur aux nerfs plus solides.

LE NOUVEAU PIANISTE, jovial.

Allons-y, mon vieux, attaque, je te suis. Nous nous fichons du prélude.

HARRIS, qui a fini par comprendre, riant.

Ah ! saperlipopette ! je vous demande pardon. C'est juste, j'ai confondu les deux morceaux. C'est Jenkins qui m'a embrouillé, vous comprenez. Maintenant, allons-y.

Il chante. Sa voix semble sortir de la cave, et elle fait songer aux premiers grondements sourds d'un tremblement de terre.

Dans ma jeunesse je fus une saison
Saute-ruisseau dans une étude de notaire.

Au pianiste, à part.

C'est trop bas, mon vieux, nous allons recommencer ça si cela ne te fait rien.

Il rechante les deux premiers vers d'une voix de fausset suraiguë. Grand étonnement dans l'auditoire. Une vieille dame nerveuse près de la cheminée se met à pleurer : on l'emmène.

HARRIS, continuant.

Je balayais les vitres, je balayais la porte
Et je...

Non... non, ce n'est pas ça. Je nettoyais les vitres de la porte d'entrée et je cirais le parquet... Non, zut... je vous demande pardon... C'est rigolo, je n'arrive pas à retrouver ce couplet. Et je... et je... Ma foi ! tant pis, nous allons passer au refrain.

(Il chante.)

Et je digue digue digue digue digue don,
Je suis devenu le grand chef de la marine royale.

Allons-y en chœur pour le refrain : on répète les deux derniers vers, simplement.

TOUS EN CHŒUR

Et il digue digue digue digue digue don,
Il est devenu le grand chef de la marine royale.

Et Harris ne s'aperçoit jamais qu'il se rend ridicule et qu'il ennuie à mourir un tas de gens qui ne lui ont jamais fait de mal. Il se figure sincèrement qu'il leur a procuré un grand plaisir, et il promet de chanter une autre chanson comique après le dîner.

A propos de chanson comique et de soirée, ça me rappelle un autre incident assez curieux auquel j'ai un jour assisté. Comme il éclaire le fonctionnement intime de l'esprit humain en général, il convient, je crois, de le relater ici.

Nous étions à cette soirée tous gens comme il faut et très cultivés. Nous avions nos plus beaux habits, nous causions avec distinction, et nous tous étions fort aises — je dis bien tous, à l'exception de deux jeunes étudiants retour d'Allemagne, jeunes gens vulgaires qui avaient l'air agités et mal à l'aise, comme s'ils trouvaient le temps long. A la vérité, nous étions trop intelligents pour eux. Notre conversation brillante, mais raffinée, les dépassait, ainsi que nos goûts de gens bien élevés. Ils n'étaient pas à leur place parmi nous. Ils n'auraient jamais dû s'y trouver. Ce fut, après coup, l'avis unanime.

On joua des morceaux des vieux maîtres allemands. On discuta philosophie et morale, on flirta avec une dignité pleine de grâce. On eut même de l'esprit — comme dans le grand monde.

Après le dîner, quelqu'un récita un poème français, qui fut déclaré admirable. Puis une dame chanta en espagnol une romance sentimentale, si touchante qu'elle fit pleurer un ou deux d'entre nous.

Ces deux jeunes gens se levèrent ensuite et nous demandèrent si nous avions déjà entendu Herr Slossenn Boschen (qui venait précisément d'arriver et se trouvait en bas, dans la salle à manger) chanter en allemand son grand air comique.

Personne de nous ne l'avait entendu, à notre souvenance.

Les jeunes gens affirmèrent que c'était la chanson la plus désopilante que l'on eût jamais composée, et ils nous offrirent, si nous voulions, de la faire chanter à Herr Slossenn Boschen, qu'ils connaissaient très bien. Elle était si tordante, ajoutèrent-ils, que certain jour où Herr Slossenn Boschen l'avait chantée devant l'empereur d'Allemagne, on avait dû l'emporter (l'empereur d'Allemagne) pour le mettre au lit.

Personne au monde, d'après eux, ne savait la
chanter comme Herr Slossenn Boschen : il gardait
d'un bout à l'autre un sérieux si absolu que c'était à
croire qu'il débitait une tragédie, et naturellement
c'en était d'autant plus tordant. Pas une fois il ne
laissait deviner, à ses intonations ni à ses gestes, qu'il
chantât un air drolatique — ce qui eût gâté l'effet.
C'était son apparence de sérieux, presque de souffrance, qui lui conférait un comique tellement irrésis-
tible.

Nous répondîmes que nous aspirions vivement à
l'entendre et que cela nous amuserait beaucoup. Et ils
descendirent chercher Herr Slossenn Boschen.

Celui-ci ne demandait certes pas mieux que de
chanter son grand air, car il arriva aussitôt et se mit au
piano sans mot dire.

— Oh ! cela vous amusera. Vous allez rire ! chucho-
tèrent les jeunes gens, en traversant le salon pour aller
se poster modestement derrière le dos du professeur.

Herr Slossenn Boschen s'accompagnait lui-même.
Le prélude n'annonçait pas précisément une chanson
comique. C'était un air plein d'âme, et d'un lugubre à
vous donner la chair de poule ; mais nous nous disions
tout bas l'un à l'autre que c'était la méthode allemande, et nous nous apprêtions à nous amuser.

Quant à moi, je ne comprends pas l'allemand. Je l'ai
appris à l'école, mais je n'en savais plus un mot deux
ans après la fin de mes études, et ne m'en suis pas
trouvé plus mal depuis. Mais je ne tenais pas, dans ce
salon, à laisser deviner mon ignorance, et je m'avisai
d'un subterfuge qui me parut assez bon. Je ne quittai
pas des yeux les deux jeunes étudiants, et je suivis leur
exemple. Quand ils gloussaient, je gloussais, quand ils
éclataient de rire, j'éclatais aussi ; et de temps à autre
j'ajoutais pour mon compte un léger ricanement,
comme si j'apercevais un trait d'esprit qui avait
échappé aux autres. Cet artifice me semblait particulièrement heureux.

Au cours de la chanson, je ne tardai pas à remarquer
que bon nombre d'autres personnes tenaient les yeux

fixés, tout comme moi, sur les deux jeunes gens. Ces autres personnes gloussaient quand les jeunes gens gloussaient et pouffaient quand ils pouffaient, et comme les deux jeunes gens ne cessèrent pour ainsi dire pas de glousser, de pouffer et de se tordre d'un bout à l'autre du morceau, cela marchait parfaitement bien.

Mais malgré tout, le Herr Professor n'avait pas l'air satisfait. Quand on se mit à rire pour la première fois, une expression de surprise intense se peignit sur son visage, comme s'il se fût attendu à un tout autre accueil qu'à des rires. Cela nous parut très drôle ; son sérieux imperturbable formait le meilleur de son art comique. S'il eût le moins du monde laissé voir qu'il se rendait compte de cet effet burlesque, il l'aurait entièrement gâché. Comme on riait encore, la surprise fit place sur ses traits à un air de contrariété et d'irritation, et il promena sur nous tous (sauf sur les deux jeunes gens qui se trouvaient derrière son dos et qu'il ne voyait pas) des regards indignés et farouches. Cela nous désopila. Nous n'en pouvions plus. Décidément il nous ferait mourir, ce farceur. A elles seules, déclarions-nous, les paroles suffisaient à faire pâmer de rire, mais qu'il y ajoutât encore cette gravité postiche, non, vrai, c'était trop !

Au dernier couplet, il se surpassa. Il promena tout autour de lui un tel regard de férocité concentrée, que, si nous n'avions été prévenus que c'était la méthode allemande de chanter le comique, nous en aurions éprouvé de l'inquiétude ; et il mit dans cette musique lugubre un tel accent de douleur déchirante que si nous n'avions pas su que c'était une chanson comique nous en aurions sans doute pleuré.

Il acheva au milieu d'un complet délire d'hilarité. C'était, affirmions-nous, la plus belle drôlerie que nous eussions entendue de toute notre vie. Nous jugions étrange qu'en présence de faits comme celui-ci pût subsister le préjugé vulgaire que les Allemands ne possèdent pas le sens comique [49]. Nous demandâmes au Herr Professor pourquoi il ne faisait pas traduire sa chanson en anglais, pour permettre aux profanes de la comprendre et d'apprécier l'intensité de son comique.

Alors Herr Professor Slossenn Boschen se leva et devint terrible. Il nous injuria en allemand (langue à mon avis singulièrement appropriée à cet effet), et il trépigna, nous montrant le poing et nous donnant tous les noms qu'il savait en anglais. Il n'avait de sa vie, disait-il, reçu pareil outrage.

La vérité nous apparut. Son morceau n'était pas du tout une chanson comique. Il concernait une jeune fille vivant dans les montagnes du Harz[50] et qui avait donné sa vie pour sauver l'âme de son fiancé. A sa mort, celui-ci retrouvait l'âme sœur dans les airs mais pour finir, au dernier couplet, il répudiait l'esprit de sa fiancée et s'enfuyait avec un autre esprit. Je ne garantis pas les détails, mais l'histoire était en tout cas des plus navrantes. Herr Boschen ajouta qu'il l'avait chantée un jour devant l'empereur d'Allemagne, et qu'il (l'empereur d'Allemagne) avait sangloté comme un petit enfant. Il (Herr Boschen) nous dit que ce morceau était considéré généralement comme un des plus tragiques et des plus émouvants de la littérature allemande.

La situation était embarrassante pour nous, très embarrassante. Il n'y avait rien à répondre. On chercha du regard les deux jeunes gens, auteurs du méfait, mais ils avaient subrepticement quitté la maison dès la fin du morceau.

La soirée prit fin là-dessus. Je n'ai jamais vu de soirée finir aussi discrètement et avec si peu de cérémonie. On ne se dit pas bonsoir. On descendit l'escalier, un par un, à pas furtifs, et en se tenant dans l'ombre. Au vestiaire, chacun demandait tout bas chapeau et manteau, puis s'éclipsait, tournant au coin de la rue au plus vite, en évitant les autres.

Depuis lors, je n'ai jamais plus pris grand intérêt aux chansons allemandes.

Nous atteignîmes l'écluse de Sunbury à trois heures et demie. Le fleuve y est d'une beauté exquise, juste avant d'arriver aux portes, et le canal de décharge est charmant; mais n'essayez pas de le remonter à la rame.

Je le tentai une fois. J'étais aux avirons, et je demandai aux copains qui étaient au gouvernail s'ils croyaient que ce fût faisable. Certes oui, rien de plus faisable, me répondirent-ils, à condition de souquer ferme. Nous étions alors juste sous la petite passerelle qui franchit le canal entre les deux barrages. Me courbant sur les rames, je me mis à souquer.

Je ramais superbement, à longs coups d'un rythme égal. Mes bras, mes jambes, mon torse y coopéraient. Je réalisai un excellent coup d'aviron, merveilleusement rapide, et ce fut un travail de grand style. D'après mes deux amis, c'était plaisir de me voir. Au bout de cinq minutes, persuadé que nous devions être tout près du barrage, je levai les yeux. Nous étions toujours sous la passerelle, exactement au même point qu'au début, et devant moi ces deux idiots se tordaient de rire. Je m'étais démené comme un perdu pour maintenir le canot immobile sous la passerelle. Aussi, maintenant, je laisse à d'autres le soin de remonter à l'aviron contre de forts courants.

Nous arrivâmes ensuite, toujours ramant, à Walton, ville de moyenne importance. Comme dans toutes les agglomérations riveraines, on n'en voit du bord de l'eau qu'un tout petit coin, si bien que, du canot, on la prendrait pour un village d'une demi-douzaine de maisons, au plus. Windsor et Abingdon[51] sont les deux seules villes entre Londres et Oxford, dont on aperçoive réellement quelque chose de la Tamise. Toutes les autres se cachent derrière des tournants et n'ont qu'une vue furtive sur le fleuve, du haut d'une rue. Je leur suis reconnaissant de vouloir bien laisser les rives aux bois, aux champs et aux stations hydrauliques.

Reading[52] même a beau faire son possible pour déshonorer, salir et rendre hideuse toute la partie du fleuve qu'elle peut atteindre, elle a quand même le bon esprit de tourner d'un autre côté son laid visage.

César, bien entendu, avait un établissement à

Walton : camp, retranchement ou autre chose de ce genre. César ne manquait jamais de remonter les cours d'eau. La reine Elisabeth est venue là, elle aussi. Allez où vous voudrez, il est impossible de se débarrasser de cette femme. Cromwell et Bradshaw [53] (pas le Bradshaw de l'indicateur des chemins de fer, mais l'exécuteur du roi Charles) ont pareillement séjourné ici. Ils ont eu, j'imagine, un petit entretien fort agréable.

Il y a, dans l'église de Walton, un « bride-mégère [54] » de fer. On employait ces instruments, jadis, pour dompter les langues féminines. On y a renoncé, depuis. Je suppose que le fer est devenu rare, et qu'on n'a pas trouvé d'autre métal assez résistant.

Il y a aussi dans l'église des tombeaux remarquables. Je craignais de ne pouvoir en arracher Harris ; mais il ne parut pas s'aviser de leur existence, et nous continuâmes notre chemin. En amont du pont, le fleuve fait énormément de méandres, qui le rendent fort pittoresque, mais qui sont exaspérants du point de vue halage ou aviron, et entraînent des disputes entre l'homme de barre et celui qui souque.

On aperçoit ici, sur la rive droite, Oatlands Park. C'est un vieux domaine célèbre. Henry VIII le vola [55] à l'un ou à l'autre de ses seigneurs, j'ai oublié à qui, et y habita. Le parc renferme une grotte [56] que l'on peut visiter en payant, et qui est, paraît-il, merveilleuse ; mais ce n'est pas mon avis. La feue duchesse d'York, qui résidait à Oatlands, aimait beaucoup les chiens et en possédait une quantité innombrable. Elle avait fait établir un cimetière spécial où on les enterrait après leur mort. Ils y reposent, au nombre d'une cinquantaine, et chacun a sa pierre tombale munie d'une épitaphe.

Je reconnais d'ailleurs que les chiens le méritent tout autant que n'importe quel chrétien.

Aux « Pilotis de Corway [57] », le premier tournant après le pont de Walton, fut livrée une bataille entre César et Cassivellaunus [58]. Cassivellaunus avait barré le fleuve pour arrêter César, en y plantant une foule de pilotis (et il les munit sans aucun doute d'un écriteau).

Mais César n'en passa pas moins. Impossible d'écarter César de ce fleuve. Voilà le genre d'homme qu'il nous faudrait maintenant pour ramer dans le canal de décharge.

Halliford et Shepperton sont deux jolies petites localités, vues de la Tamise, mais qui n'ont rien de remarquable ni l'une ni l'autre. Il y a toutefois, dans le cimetière de Shepperton, une tombe sur laquelle se lit un poème [59] et j'appréhendais qu'il ne prît envie à Harris d'aller rôder par là.

Je le vis lancer un regard de désir sur le débarcadère dont nous approchions. Je fis donc en sorte, par une secousse opportune, d'envoyer sa casquette à l'eau et son empressement à la repêcher, joint à son indignation de ma maladresse, lui firent oublier ses tombes chéries.

A Weybridge, la Wey (jolie petite rivière, navigable jusqu'à Guildford pour les canots légers, et que j'ai toujours eu le désir de remonter, sans jamais le faire), la Bourne et le canal Basingstoke se jettent tous trois dans la Tamise. L'écluse est juste avant la ville, et la première chose que nous aperçûmes, sur l'une des portes du sas, fut le blazer de George, et dans ce blazer, un examen plus attentif nous le révéla, était George en personne.

Montmorency se mit à aboyer avec fureur, je poussai de grands cris, Harris beugla. George agita sa casquette et nous répliqua par des hurlements. L'éclusier se précipita hors de chez lui, armé d'un croc, car il était persuadé que quelqu'un venait de tomber dans l'écluse, et il parut mécontent de voir qu'il n'en était rien.

George portait à la main un paquet bizarre, revêtu de toile cirée. C'était arrondi et plat par un bout, et il en sortait de l'autre un long manche droit.

— Qu'est-ce que c'est que ça ? demanda Harris. Une poêle à frire ?

— Non, répondit George, avec un regard étrange et illuminé, cela fait fureur, cet été ; tout le monde en a sur la Tamise [60] : c'est un banjo.

— Je ne savais pas que tu jouais du banjo ! nous
écriâmes-nous en même temps, Harris et moi.

— Je n'en joue pas encore tout à fait, répliqua
George, mais c'est très facile, m'a-t-on dit. J'ai acheté
la méthode pour apprendre.

9

On met George au travail. — Diaboliques manies des cordelles de halage. — Ingratitude d'un skiff à deux rameurs. — Haleurs et halés. — Un moyen d'utiliser les amoureux. — Etrange disparition d'une vieille dame. — Plus on se hâte, moins on va vite. — Etre halé par des jeunes filles, expérience passionnante. — L'écluse disparue ou le fleuve hanté. — Musique. — Sauvés !

Maintenant que nous le tenions, il s'agissait de faire travailler George. Mais George, cela va sans dire, n'était pas en goût de travailler. Il s'était déjà beaucoup fatigué à sa banque, prétendait-il. Harris, d'un naturel peu sensible et peu enclin à la pitié, lui répondit :

— Bah ! tu te fatigueras sur la Tamise, pour changer : la diversion fait toujours du bien. Allons, ouste ! attrape la corde et tire-nous.

En toute conscience (pas même la sienne) George ne pouvait s'y refuser. Il insinua pourtant qu'il vaudrait mieux pour lui rester dans le canot à préparer le thé, tandis que Harris et moi nous halerions[61], car la confection du thé est une besogne pénible. Et Harris et moi paraissions fatigués. Pour toute réponse à cette proposition, nous lui lançâmes la cordelle de halage, dont il s'empara.

Ce genre de cordage a des propensions aussi

étranges qu'inexplicables. Vous l'enroulez avec autant de patience et de soin que s'il s'agissait de plier un pantalon neuf, et cinq minutes plus tard, quand vous le ramassez, vous ne trouvez plus qu'un épouvantable enchevêtrement tout à fait révoltant.

Ce n'est pas pour être insultant, mais je crois fermement que si vous preniez une cordelle au hasard, après l'avoir étendue bien droite de tout son long au milieu d'un champ, il vous suffirait de lui tourner le dos trente secondes pour découvrir, en la regardant de nouveau, qu'elle s'est rassemblée toute en un tas, au centre du champ, et s'est entortillée sur elle-même et toute remplie de nœuds, qu'elle a perdu ses deux bouts et qu'elle n'est plus que boucles. Vous mettriez une bonne demi-heure, assis là sur l'herbe et sans cesser de jurer, pour la débrouiller.

Telle est mon opinion sur les cordelles en général. Bien entendu, il peut y avoir des exceptions honorables : je ne dis pas le contraire. Il peut exister des cordelles qui fassent honneur à leur corporation — des cordelles consciencieuses et respectables, des cordelles qui ne se prennent pas pour un ouvrage au crochet et ne tentent pas de figurer un dessus de canapé dès l'instant où on les laisse à elles-mêmes. Il se peut, dis-je, qu'il y ait de ces cordelles-là. Je souhaite sincèrement qu'il en existe. Mais je n'en ai pas encore rencontré.

La cordelle en question, je venais de la rassembler moi-même, juste avant d'arriver à l'écluse. Je n'avais pas permis à Harris d'y toucher, vu sa maladresse. Je l'avais bouclée en rond avec une sage lenteur, arrêtée par un nœud au milieu, pliée en deux, et déposée doucement au fond du canot. Harris l'avait soulevée méthodiquement et passée à George. George l'avait prise d'une main ferme, et, s'éloignant un peu, avait commencé à la dérouler comme s'il eût démailloté un enfant nouveau-né. Il n'en eut pas déroulé dix mètres que l'engin ne ressemblait plus à rien d'autre qu'à un paillasson en mauvais état.

C'est toujours la même chose, et il s'ensuit toujours

le même résultat. Le copain de la berge qui s'efforce de débrouiller le cordage croit que toute la faute en est au collègue qui l'a enroulé ; et sur la Tamise, quand on pense quelque chose, on le dit.

— Qu'est-ce que tu as prétendu fabriquer avec cette corde ? Un filet de pêche ? Tu en as fait du propre ! Tu ne pouvais donc pas l'enrouler convenablement, espèce d'empoté ! grommelle-t-il de temps à autre, tout en se débattant frénétiquement avec la cordelle, qu'il étale à plat sur le chemin de halage et qu'il examine en tous sens, dans l'espoir d'en trouver le bout.

D'autre part, celui qui l'a enroulée croit que la seule responsabilité du gâchis revient à celui qui a essayé de la dérouler.

— Elle était très bien arrimée quand tu l'as prise, s'écrie-t-il, indigné. Tu ne penses donc pas à ce que tu fais ! Tu manies les objets sans aucune précaution ! Tu arriverais à faire s'enchevêtrer un poteau d'échafaudage !

Ils se mettent si en colère l'un contre l'autre qu'ils souhaiteraient se pendre réciproquement avec l'objet du litige. Dix minutes se passent, et le premier copain, perdant la tête, pousse un hurlement, trépigne sur la corde, puis prétend la débrouiller plus vite en attrapant le premier nœud qui lui tombe sous la main et en tirant dessus. Il n'aboutit, naturellement, qu'à rendre l'écheveau plus inextricable. Alors le second copain sort du canot pour venir à son aide, et ils s'embarrassent et se gênent mutuellement. Ils s'emparent tous deux du même bout de corde, tirent dessus en sens opposés et se demandent ce qui le retient. En fin de compte, le malheur est réparé. Alors ils se retournent et voient le canot, parti à la dérive, qui file droit vers le barrage.

Je me rappelle un jour où l'aventure est arrivée réellement. C'était un peu au-dessus de Boveney, par un matin assez venteux. Nous descendions le fleuve à l'aviron, lorsque, passé le tournant, nous avisâmes sur la berge deux canotiers. Ils s'entre-regardaient avec

une expression de stupeur et de désolation telle que je
n'en ai jamais vue avant ni depuis sur d'autres
physionomies humaines : ils tenaient par les deux
bouts une longue cordelle de halage. Comprenant
qu'il leur était arrivé un accident, nous stoppons pour
demander aux confrères ce qui leur arrive.

— C'est notre canot, notre canot qui a fichu le
camp ! répondent-ils, d'un air furieux. Nous venions
enfin de débrouiller la corde et, le temps de nous
retourner, il avait disparu !

Ils semblaient offensés de cette fugue, qu'ils regar-
daient évidemment comme un trait de basse ingratitude de la part de leur canot.

Nous rattrapâmes le fugitif, arrêté dans les roseaux,
huit cents mètres plus loin, en aval, et le ramenâmes à
ses propriétaires. Je parie bien qu'ils l'ont surveillé de
près pendant au moins huit jours.

Je n'oublierai jamais le tableau de ces deux canotiers
arpentant la berge avec leur corde et cherchant en vain
leur bateau.

Le halage, sur la haute Tamise, vous fait assister à
bon nombre d'incidents drolatiques. L'un des plus
fréquents est le spectacle d'une paire de haleurs
s'avançant d'un bon pas, plongés dans une discussion
animée, tandis que le collègue resté dans le canot à
cent mètres derrière eux leur braille en vain d'arrêter
et fait avec un aviron de frénétiques signaux de
détresse. Il a eu un accident : le gouvernail s'est
détaché, ou la gaffe a filé par-dessus bord, ou son
chapeau est tombé à l'eau et s'enfuit avec le courant. Il
leur crie d'arrêter, très aimable et poli d'abord.

— Oh ! halte ! une minute, s'il vous plaît, lance-t-il,
gaiement. J'ai laissé tomber mon chapeau.

Puis :

— Hé là ! Tom... Dick ! vous ne m'entendez donc
pas — d'un ton déjà un peu moins affable.

Ensuite :

— Hé là ! sacrée bande d'idiots ! Hé là ! Halte ! Oh !
tas de...

Après quoi il bondit, trépigne, devient cramoisi à

force de hurler, et les injurie tant qu'il peut. Sur la berge les petits gamins s'arrêtent pour se moquer de lui, et lui jettent des cailloux quand il passe devant eux, remorqué à l'allure de six kilomètres à l'heure, sans pouvoir leur échapper.

La plupart de ces incidents fâcheux seraient évités si les haleurs voulaient bien se souvenir qu'ils sont en train de haler, et s'ils se retournaient de temps à autre pour voir ce que devient le remorqué. Il est préférable de n'avoir qu'un seul haleur. S'ils sont deux, ils s'oublient à bavarder ; et la faible résistance offerte par le canot n'est pas suffisante pour les rappeler à la réalité.

Comme exemple du total oubli de leur besogne où peuvent en arriver parfois deux haleurs, George nous raconta, plus tard dans la soirée, alors que nous causions de ce sujet après le souper, une bien curieuse anecdote.

Ils étaient un soir, nous dit-il, lui et trois copains, dans un canot lourdement chargé où ils ramaient contre le courant. Ils avaient dépassé Maidenhead, et un peu au-dessus de l'écluse de Cookham, ils remarquèrent, marchant sur le chemin de halage, un jeune homme et une jeune fille apparemment plongés dans une conversation d'un intérêt captivant. Ils portaient à eux deux un croc de bateau et, amarrée au croc, une corde qui traînait derrière eux, le bout dans l'eau. Nul canot à proximité, nulle barque en vue. A un moment donné, la chose était certaine, il devait y avoir eu, attachée à cette corde, une embarcation. Qu'en était-il advenu, quel sombre destin l'avait ravie, elle et ses occupants ? Ténébreux mystère !

L'accident, quel qu'il fût, n'avait d'ailleurs troublé en rien les deux jeunes gens qui halaient. Il leur restait le croc et la corde, et c'était, semblait-il, tout ce qu'ils jugeaient nécessaire à leur travail.

George s'apprêtait à les tirer de leur illusion, lorsqu'une idée lumineuse lui traversa l'esprit, et il s'abstint de les prévenir. A l'aide d'une gaffe, il accrocha et ramena à son bord le bout de la corde : on boucla celle-ci autour du mât, puis rentrant les avirons, les canotiers allèrent s'asseoir à l'arrière et allumèrent leurs pipes.

C'est ainsi que le jeune homme et la jeune fille halèrent ces quatre gros fainéants et leur lourd canot jusqu'à Marlow.

George nous dit que jamais il n'avait vu autant de désolation muette concentrée en un seul regard, qu'au moment où les deux jeunes gens, arrivés à l'écluse, se rendirent compte que depuis trois kilomètres ils tiraient un autre canot que le leur. George estimait que, n'eût été la présence apaisante de la jeune fille, le jeune homme se serait livré à des violences de langage.

La demoiselle fut la première à revenir de sa surprise. Elle joignit les mains et s'écria, affolée :

— Oh ! Henry, où peut donc être ma tante ?

— Est-ce qu'ils ont retrouvé cette bonne dame ? demanda Harris.

George lui répondit qu'il l'ignorait.

Un autre témoignage de ce dangereux défaut d'entente entre haleurs et halés se produisit un jour sous nos yeux, à George et à moi, un peu au-dessus de Walton. C'était à l'endroit où le chemin de halage s'abaisse en pente douce jusqu'à descendre dans l'eau. Nous campions sur l'autre rive, et nous ne perdîmes rien du spectacle. A un moment donné arrive un petit canot, qui fendait l'eau à toute vitesse, tiré par un puissant cheval de bélandre, sur lequel était perché un tout petit gamin. Jonchant le canot en des poses nonchalantes et rêveuses se prélassaient cinq types, et l'homme de barre avait l'air particulièrement béat.

— J'aimerais le voir se tromper de direction, murmura George, comme ils passaient.

Et à cet instant même, voilà le barreur qui se trompe, et le canot s'élance sur le plan incliné, le remontant avec un bruit pareil à la déchirure de quarante mille chemises de toile. Deux hommes, une bourriche et trois avirons quittèrent à la fois le canot par bâbord et s'étalèrent sur la berge. Et une seconde et demie plus tard, deux autres hommes se déversaient de tribord et s'affalaient au milieu de grappins, voiles, sacs de voyage et bouteilles. Le cinquième occupant débarqua vingt mètres plus loin, sur la tête.

Allégé par ce délestage, le canot repartit de plus belle, et le petit gamin, criant à tue-tête, lança son coursier au galop. Les types, redressés sur leur séant, s'entre-regardaient avec stupeur. Ils mirent plusieurs secondes à comprendre ce qui leur était arrivé, et alors, de toutes leurs forces, ils crièrent au petit gamin d'arrêter. Mais celui-ci était trop occupé de son cheval pour les entendre. Nous les vîmes s'élancer à sa poursuite et ils disparurent à nos yeux.

Je ne fus pas fâché, je l'avoue, de leur mésaventure. Loin de là : je souhaiterais voir pareille tribulation arriver à tous les jeunes imbéciles qui se font haler de la sorte — et ils sont nombreux. Indépendamment de leurs risques personnels, ils constituent un danger et une gêne pour tout autre canot qu'ils rencontrent. A l'allure où ils vont, il leur est impossible de se garer des autres, et aux autres de se garer d'eux. Leur corde se prend dans votre mât et vous fait chavirer, ou bien elle heurte quelqu'un à bord et l'envoie à l'eau, ou lui balafre la figure. Le meilleur procédé à employer avec eux est de ne pas broncher, et de se tenir prêt à les repousser avec le gros bout d'un mât.

De toutes les aventures ayant trait au halage, la plus délectable est d'être remorqué par des demoiselles. C'est une sensation qu'il faut avoir connue. Le halage exige toujours trois demoiselles : deux tiennent l'amarre et l'autre court de côté et d'autre, en poussant de petits rires. Elles commencent d'ordinaire par s'empêtrer dans la corde. Elles se sont pris les jambes dedans et sont obligées de s'asseoir au bord du chemin pour se délivrer l'une l'autre ; puis c'est autour de leur cou qu'elles l'enroulent, au risque de s'étrangler. La corde en place, pour finir, elles démarrent bride abattue, entraînant le canot à une allure positivement périlleuse. Au bout de cent mètres, elles sont, bien entendu, essoufflées, s'arrêtent subitement, et toutes trois s'asseyent sur l'herbe en riant, tandis que votre bateau dérive en plein courant où il se met à tournoyer, avant que vous ayez eu le loisir de vous reconnaître et d'empoigner un aviron. Alors elles se relèvent toutes surprises.

— Oh ! regardez, disent-elles, le canot qui est parti là-bas, au milieu.

Après cela, elles tirent comme il faut durant quelques minutes ; mais bientôt l'une d'elles s'avise tout à coup qu'il lui faut épingler sa jupe. Elles font halte à cette intention, et voilà le canot échoué.

Vous vous levez d'un bond pour le pousser loin du bord et vous leur criez de ne pas s'arrêter.

— Hein ? Qu'est-ce qu'il y a ? répliquent-elles.

— Ne plus vous arrêter ! hurlez-vous.

— Ne plus quoi ?

— Ne plus vous arrêter... Avancez... avancez !...

— Retourne donc, Emily. Va voir ce qu'ils veulent, dit l'une.

Et Emily revient demander ce qu'il y a.

— Qu'est-ce que vous désirez ? fait-elle. Il est arrivé quelque chose ?

— Non, répondez-vous, tout va bien ; mais avancez toujours : il ne faut pas vous arrêter.

— Pourquoi ça ?

— Parce que nous ne pouvons plus gouverner si vous vous arrêtez. Il faut que le canot garde toujours un peu d'erre.

— Qu'il garde un peu de quoi ?

— Un peu d'erre... de l'élan. Il vous faut maintenir le canot en marche.

— Ah ! très bien ! Je vais le leur répéter. Est-ce que nous nous en tirons comme il faut ?

— Oui, oui, parfaitement, mais surtout n'arrêtez plus.

— Ce n'est pas difficile du tout, de haler. Je croyais que c'était bien plus dur.

— Oh ! non, c'est fort simple. Il suffit de ne pas s'arrêter.

— Je comprends. Passez-moi donc mon châle rouge, qui est sous le coussin.

Vous dénichez le châle et le lui tendez. Mais en voilà une autre qui est revenue en arrière pour réclamer le sien aussi, et elles prennent à tout hasard celui de Mary, laquelle n'en veut pas, et elles le rapportent et demandent en échange un peigne de poche. Il se passe bien vingt minutes avant qu'elles se remettent en route ; au premier tournant elles voient une vache et il vous faut quitter le canot pour chasser la bête de leur chemin.

On n'a pas le temps de s'ennuyer dans un bateau quand ce sont des jeunes filles qui le halent.

George cependant finit par mettre sa cordelle en place, et nous tira consciencieusement jusqu'à l'écluse de Penton. Là, nous examinâmes l'importante question du campement. Nous avions décidé de coucher à bord cette nuit-là, et il nous fallait ou bien nous amarrer dans ces environs, ou bien continuer jusqu'après Staines. Mais il était trop tôt pour songer à s'arrêter, car le soleil était encore haut dans le ciel. Nous décidâmes de gagner, à cinq kilomètres, Runnymede où des bois paisibles, en bordure du fleuve, offrent un bon abri.

Par la suite, néanmoins, nous regrettâmes tous de n'avoir pas fait halte à Penton Hook. Cinq ou six kilomètres à contre-courant, ce n'est rien, au début de la matinée, mais c'est un coup d'aviron plutôt pénible à la fin d'une longue journée. Durant ces quelques derniers kilomètres, on ne prend plus aucun intérêt au paysage. Fini de bavarder et de rire : chaque demi-kilomètre que l'on parcourt semble long comme deux tout entiers. Vous avez peine à croire que vous en êtes seulement là, et vous êtes persuadé que la carte doit se tromper. Quand vous avez trimé sur une distance qui vous paraît d'au moins quinze kilomètres et que l'écluse n'est toujours pas en vue, vous commencez à craindre sérieusement que quelqu'un l'ait chipée et se soit enfui avec.

Je me rappelle une fois, sur la Tamise, où j'ai été terriblement renversé (au sens métaphorique, s'entend). J'étais en canot avec une jeune demoiselle, ma

cousine du côté maternel, et nous descendions à
l'aviron vers Goring. Il se faisait tard, et nous avions
hâte — elle du moins — d'arriver. Il était six heures et
demie quand nous passâmes l'écluse de Benson, le soir
commençait à venir, et ma compagne s'inquiétait. Elle
déclara qu'il lui fallait absolument être rentrée pour
souper. Je lui affirmai que j'en avais également bien
envie ; et je tirai de ma poche une carte pour voir à
quelle distance exactement nous étions. Je vis que
nous avions juste deux kilomètres à faire pour atteindre la prochaine écluse — Wallingford — et encore
huit de là jusqu'à Cleeve.

— Oh ! tout va bien, dis-je. Nous aurons passé la
prochaine écluse avant sept heures, et après il n'en
reste plus qu'une.

Et je me mis à ramer vigoureusement.

Peu après avoir dépassé le pont, je demandai à ma
compagne si elle voyait l'écluse. Non, elle ne voyait
aucune écluse. Je me contentai de faire : « Ah ! » et de
pousser de l'avant. Au bout de cinq nouvelles
minutes, je la priai de regarder encore une fois.

— Non, répondit-elle, je ne vois toujours pas trace
d'écluse.

— Vous êtes sûre, ma cousine, de reconnaître une
écluse quand vous en voyez une ? lui demandai-je non
sans hésitation, car je craignais de l'offenser.

Mais ma question ne l'offensa pas du tout, et elle me
proposa de regarder moi-même. Je déposai donc les
avirons pour jeter un coup d'œil. Dans le crépuscule,
le fleuve s'allongeait devant nous en ligne droite sur
l'espace de quinze cents mètres. On n'apercevait pas
l'ombre d'une écluse.

— Ne croyez-vous pas que nous nous sommes
égarés, dites ? interrogea ma compagne.

Je ne voyais pas comment c'était possible. J'insinuai
néanmoins que, d'une façon ou d'une autre, nous
avions pu nous fourvoyer dans le courant de dérivation, ce qui nous menait droit aux chutes.

Cette perspective ne la rassura pas du tout, et elle se

mit à pleurer. Elle affirma que nous allions être noyés tous les deux et que ce serait là son châtiment d'être venue en canot avec moi.

Le châtiment me parut excessif; mais ma cousine n'était pas de cet avis, et elle espérait, du moins, que notre fin serait prompte.

Je tentai de la rassurer et de prendre l'aventure en riant. Il était évident, lui dis-je, que je ne ramais pas aussi vite que je le croyais, mais nous ne pouvions manquer d'atteindre bientôt l'écluse. Et j'avançai encore de quinze cents mètres.

Alors je commençai à devenir inquiet, moi aussi. Je consultai de nouveau ma carte. L'écluse de Wallingford s'y trouvait nettement indiquée, à deux kilomètres en aval de Benson. Ma carte était bonne, on pouvait s'y fier; d'ailleurs je me rappelais fort bien cette écluse : je l'avais franchie deux fois. Où étions-nous? Que nous était-il arrivé? Je commençais à croire que tout cela devait être un songe, qu'en réalité je me trouvais endormi dans mon lit et que j'allais me réveiller dans une minute et m'entendre annoncer qu'il était dix heures passées.

Je demandai à ma cousine si elle croyait que ce fût un songe, et elle me répondit qu'elle allait précisément me poser la même question. Et alors cette perplexité nous envahit l'un et l'autre : étions-nous endormis tous les deux; et, si oui, lequel de nous était le vrai personnage qui rêvait, et lequel n'était rien qu'un songe [62]? Cela devenait tout à fait intéressant.

Cependant je continuais à ramer, et toujours pas d'écluse en vue. Le fleuve se faisait de plus en plus sombre et mystérieux sous les ombres croissantes de la nuit, et les choses prenaient un aspect étrange et surnaturel. Je songeais aux farfadets et aux lutins, aux feux follets, et à ces méchantes sorcières qui passent la nuit sur les rocs à guetter les voyageurs pour les séduire et les précipiter dans les tourbillons; et je regrettais de n'avoir pas mené une vie plus vertueuse et n'avoir pas chanté davantage d'hymnes. Au milieu de mes réflexions, j'entendis les bienheureux accords du refrain « Qu'il est chic [63] ! » joué, et fort mal, sur un accordéon —, et je compris que nous étions sauvés.

Je n'admire pas, en règle générale, les accents de l'accordéon, mais, oh ! combien alors sa musique nous parut belle à tous deux ! Beaucoup, infiniment plus belle que la voix d'Orphée, le luth d'Apollon ou tout autre instrument de ce genre. Une mélodie céleste, dans notre état d'esprit, n'aurait servi qu'à nous affoler plus encore. Une harmonie émouvante, correctement exécutée, nous l'aurions prise pour la voix d'un fantôme, et tout espoir nous eût abandonnés. Mais dans les accords de « Qu'il est chic ! », tirés, à contretemps et avec des variations involontaires, d'un accordéon poussif, il y avait quelque chose de singulièrement humain et rassurant.

Les doux sons se rapprochèrent, et la barque d'où ils émanaient fut bientôt bord à bord avec nous.

Elle contenait une société de joyeux provinciaux en route pour une partie de canot au clair de lune. (Il n'y avait pas de lune, mais ce n'était pas de leur faute.) Je n'ai, de ma vie, vu gens plus aimables et sympathiques. Je les hélai, et les priai de m'indiquer le chemin de l'écluse Wallingford, que je cherchais en vain depuis deux heures.

— L'écluse Wallingford ! me répondit-on. Mon Dieu ! monsieur. Elle est supprimée depuis plus d'un an. Il n'y a plus d'écluse Wallingford, monsieur. Vous voici presque arrivé à Cleeve… Dis donc, Bill, c'est à crever de rire : voilà un honorable citoyen qui cherchait l'écluse Wallingford.

Je n'avais pas songé à cette explication. Volontiers je leur eusse sauté au cou, de joie ; mais le courant était trop fort à cet endroit-là pour me le permettre, et je dus me contenter de simples paroles de reconnaissance, qui me parurent froides.

Nous les remerciâmes à plusieurs reprises, ajoutant que la nuit était admirable et leur souhaitant bonne excursion. Je crois même que je les invitai tous à venir passer une semaine chez moi, et que ma cousine leur dit que sa mère serait très heureuse de faire leur connaissance. Nous chantâmes le « Chœur des soldats » de *Faust*[64] et, en fin de compte, nous fûmes de retour chez nous à temps pour souper.

10

Notre première nuit. — Sous la tente. — Un appel au
secours. — L'esprit de contradiction des bouilloires à thé.
— Souper. — Comment se sentir vertueux. — On
demande une île déserte convenablement installée, bien
drainée, voisinage de l'océan Pacifique Sud, de préférence. — Singulière aventure arrivée au père de Harris.
— Une nuit agitée.

Je commençais à croire avec Harris que l'écluse de
Bell Weir avait disparu de la même façon. George
nous avait halés jusqu'à Staines ; nous l'avions relayé à
partir de là, et il nous semblait tirer derrière nous
cinquante tonnes et marcher depuis soixante kilomètres. A sept heures et demie seulement nous fûmes
dans le bief supérieur. Et, nous rembarquant tous et
marchant à l'aviron, nous longeâmes la rive gauche en
quête d'un endroit favorable pour nous arrêter.

Notre intention primitive était de débarquer sur
l'île de la Grande Charte, ce coin délicieux où le fleuve
sinue à travers une molle vallée verdoyante, et de
camper dans l'une des multiples anses pittoresques
qui découpent cette terre minuscule. Mais en somme,
le pittoresque ne nous attirait plus autant, et de loin,
qu'au début de la journée. Le petit espace d'eau
compris entre un chaland à charbon et une usine à gaz

nous eût amplement satisfaits pour ce soir. Le paysage nous était bien égal. Nous ne demandions plus qu'à souper et à nous coucher. Malgré tout, nous fîmes halte à la pointe de l'île, qui s'appelle le cap du Pique-nique[65], et accostâmes dans un joli recoin, sous un grand orme, aux racines saillantes duquel fut amarré le bateau.

Nous comptions alors prendre le souper — nous étant passés de thé pour gagner du temps — mais George nous en dissuada. Il valait mieux, d'après lui, monter la tente avant l'obscurité complète, afin de voir ce que nous faisions. La besogne terminée, ajouta-t-il, nous pourrions nous mettre à manger, l'esprit en repos.

L'installation de cette bâche nous donna plus de tintouin qu'aucun de nous ne l'avait prévu. En théorie, c'est tout simple. Vous prenez cinq demi-cercles en fer, pareils à des arceaux de croquet gigantesques, vous les ajustez par-dessus le canot, puis les recouvrez de la toile, qui se fixe par le bas. Cela devait nous demander au plus dix minutes, pensions-nous.

Nous étions loin du compte.

Nous prîmes les cerceaux pour les emboîter dans les mortaises à eux destinées. On ne croirait pas que ce puisse être là un travail dangereux, mais lorsque j'y pense, je trouve miraculeux qu'aucun de nous soit encore vivant pour faire ce récit. Ce n'étaient pas des cerceaux, mais de vrais démons. D'abord ils refusè-rent absolument d'entrer dans leurs mortaises ; il nous fallut les y contraindre à coups de talon, et taper dessus avec la gaffe. Puis, une fois ajustés, on découvrit que ce n'étaient pas les cerceaux destinés à ces mortaises-là, et il fallut les retirer.

Mais ils ne voulaient plus sortir. A la fin, quand deux d'entre nous eurent bataillé avec eux pendant cinq minutes, ils jaillirent subitement, dans l'intention évidente de nous jeter à l'eau et de nous noyer. Ils étaient articulés par le milieu, et lorsqu'on ne les regardait pas, ils nous pinçaient avec leurs charnières aux endroits sensibles du corps ; tandis qu'on luttait avec un côté du cerceau et qu'on s'efforçait de le persuader de faire son devoir, l'autre moitié vous arrivait par-derrière, en traître, et vous frappait sur le crâne.

Nous réussîmes enfin à les fixer, et il ne resta plus qu'à les recouvrir de la toile. George la déroula, et assujettit l'une de ses extrémités par-dessus l'avant du bateau. Harris se tint au milieu pour la prendre à George et me la faire passer, et je restai à l'arrière pour la recevoir. Elle mit longtemps à me parvenir. George remplissait son rôle correctement, mais c'était pour Harris un travail nouveau, et il le sabotait.

Comment il s'y prit, je l'ignore, et lui-même fut incapable de l'expliquer, mais par quelque procédé mystérieux, il réussit, après dix minutes d'efforts surhumains, à s'emberlificoter complètement dedans. Il était si bien entortillé dans les replis de la toile qu'il n'arrivait pas à se dégager. Il fit, bien entendu, des pieds et des mains pour recouvrer sa liberté (selon le droit imprescriptible de tout Anglais) et, par la même occasion (je l'appris ensuite), il bourrait George de coups. Alors George, tout en injuriant Harris, se mit également à se débattre, et lui aussi fut empêtré et garrotté dans la toile.

Je ne me rendis pas compte de tout cela sur le moment. Je n'étais pas au courant de la manœuvre. On m'avait dit de ne pas bouger et d'attendre que la toile me parvînt, et nous restions là, Montmorency et moi, à attendre, sages comme des images. Nous nous apercevions bien que la toile avait des soubresauts violents et s'agitait beaucoup ; mais nous supposions que cela faisait partie du système, et nous n'avions garde d'intervenir.

Beaucoup de gros mots étouffés nous arrivaient aussi de dessous la bâche, mais, nous figurant que les copains trouvaient simplement l'ouvrage un peu difficile, nous résolûmes d'attendre pour nous en mêler que les choses eussent pris une allure un peu plus aisée.

Nous attendîmes quelque temps, et les complications ne faisaient que croître. A la fin, la tête de George se dégagea en se tortillant, parut au-dessus du bordage et parla.

Elle dit :

— Donne-nous donc un coup de main, espèce de crétin. Tu restes là comme un empaillé, alors que nous sommes en train d'étouffer, tu le vois bien, andouille !

Je n'ai jamais su résister à un appel au secours : j'allai donc les dégager. Il n'était que temps, d'ailleurs, car Harris avait déjà la figure toute bleue.

Il nous fallut encore une demi-heure de travail acharné pour mettre la bâche en ordre. Après quoi on déblaya le plancher et on passa au souper. La bouilloire mise à chauffer tout à l'avant du canot, nous nous retirâmes à l'arrière en faisant semblant de ne pas la regarder et de nous occuper à sortir les autres accessoires.

Tel est, sur la Tamise, le seul moyen d'obtenir qu'une bouilloire consente à bouillir. Si elle voit que vous attendez sa bonne volonté avec impatience, elle refusera de chanter. Il vous faut vous éloigner et entamer votre repas, comme si vous n'alliez pas prendre de thé. Il ne faut même pas vous retourner vers elle. Alors vous l'entendrez bientôt bouillir à gros bouillons, folle d'envie de se transformer en thé.

C'est également une bonne méthode, si vous êtes très pressés, de vous dire les uns aux autres en parlant très haut, que vous n'avez pas besoin de thé et que vous n'allez pas en faire. Vous vous rapprochez de la bouilloire de façon qu'elle puisse vous entendre, et vous lancez très haut : « Moi, je ne veux pas de thé. Et toi, George ? » A quoi George répond, de même : « Oh ! non, moi, je n'aime pas le thé. Prenons plutôt de la limonade. Le thé est trop indigeste. » A l'instant, la bouilloire déborde et éteint le réchaud.

Grâce à cette innocente supercherie, la table était à peine dressée que le thé attendait. La lanterne allumée, on s'assit en tailleur pour souper.

Ce dîner, nous en avions besoin.

Trente-cinq minutes durant, dans toute l'étendue de notre canot, on n'entendit d'autre bruit qu'un cliquetis de couteaux et de vaisselle, et le broiement incessant de quatre paires de mâchoires. Au bout de trente-cinq minutes Harris fit : « Ah ! » et retira sa jambe gauche de dessous lui pour l'y remplacer par la droite.

Cinq minutes plus tard, George à son tour dit : « Ah ! » et jeta son assiette au loin sur la rive. Trois autres minutes après, Montmorency donna le premier signe de contentement qu'il eût encore manifesté depuis le départ : il se laissa rouler sur le flanc, les pattes étendues. Puis à mon tour je fis « Ah ! » et rejetai en arrière ma tête, qui rebondit sur l'un des cerceaux, mais peu m'importait : je ne poussai même pas un juron.

Qu'on se sent bien lorsqu'on a bien mangé ! Comme on est en paix avec soi-même et avec le reste du monde !

Les gens qui en ont essayé m'affirment qu'une conscience pure vous rend très heureux et content ; mais un estomac garni fait tout aussi bien l'affaire, à meilleur compte, et est plus facile à obtenir. On se sent d'une générosité à tout pardonner, après un repas copieux et qui se digère bien ; on a l'esprit noble, le cœur bienveillant.

Elle est fort étrange, cette domination exercée sur notre intellect par nos organes digestifs. Nous ne travaillons, nous ne pensons, que si notre estomac nous y autorise. Il nous dicte nos sentiments, nos passions. Après des œufs au lard, il ordonne : « Travaille ! » Après un bifteck arrosé de bière, il décrète : « Dors ! » Après une tasse de thé (deux petites cuillerées par tasse et ne pas laisser infuser plus de trois minutes), il dit au cerveau : « Allons, debout, et montre ta force. Sois éloquent, profond, ému ; plonge un regard lucide dans la nature et dans la vie. Déploie les blanches ailes de la pensée palpitante et, dominant de haut le tourbillon du monde, prends ton essor,

esprit divin, par les longues avenues d'astres flam-
boyants qui mènent aux portes de l'éternité ! »

Après des petits pains tout chauds : « Sois pesant et
sans âme comme le bétail des champs, sois un animal
sans pensée, à l'œil vague, que n'éclaire nulle lueur
d'imagination, ni d'espoir, ni de crainte, ni d'amour,
ni de vie ! » Et après du cognac pris à la dose
suffisante, il prononce : « Allons, fou, grimace et
cabriole, fais rire tes frères humains, divague et
bavasse des mots sans suite et montre quel impuissant
fantoche est un pauvre humain dont l'esprit et la
volonté sont noyés dans deux centimètres d'alcool,
comme des chats nouveau-nés allongés côte à côte. »

Nous ne sommes que les authentiques et très
humbles esclaves de notre estomac. Inutile de nous
efforcer vers la droiture et la moralité, mes amis :
surveillez votre estomac avec vigilance, et réglez son
régime avec soin et discernement. Alors la sérénité de
la vertu régnera dans votre cœur, sans nul effort de
votre part, vous serez un bon citoyen, un mari aimant,
un tendre père, un homme pieux et noble.

Avant notre souper, Harris, George et moi étions
hérissés, grincheux et querelleurs ; après le repas,
nous débordions d'une bienveillance mutuelle qui
rayonnait jusque sur le chien. Nous nous aimions les
uns les autres ; nous aimions tout le monde. Harris en
se levant marcha sur les orteils de George. Si c'était
arrivé avant le souper, George eût formulé, concernant l'avenir de Harris en ce monde et en l'autre, des
souhaits à faire frémir un homme réfléchi.

A présent, il se contenta de dire :

— Doucement, vieux : prends garde à mes oignons.

Et Harris, au lieu de nous faire observer, de son ton
le plus désagréable, qu'il était difficile de ne pas
rencontrer sous ses semelles un bout quelconque du
pied de George lorsqu'on circulait dans un rayon de
dix mètres autour de l'endroit où ce citoyen était assis,
et d'ajouter que George devrait absolument s'interdire
d'entrer dans un canot de dimensions normales avec

des pieds de cette longueur, qu'il ferait mieux de laisser pendre par-dessus bord — comme il l'eût fait avant le souper — répondit à présent :

— Oh ! je regrette beaucoup, vieux frère ; j'espère que je ne t'ai pas fait mal ?

Et George répondit : « Pas du tout », ajoutant que c'était de sa faute ; et Harris reprit que c'était au contraire de la sienne.

C'était gentil tout plein de les entendre.

On alluma les pipes et on resta à causer en contemplant la nuit sereine.

— Ah ! pourquoi, fit George, ne pouvoir vivre toujours comme à cette heure, loin du monde, de ses péchés et de ses tentations, à mener une existence frugale et paisible et à faire le bien ?

Je lui répondis que c'était précisément le genre d'existence auquel j'aspirais depuis toujours, et nous examinâmes la possibilité d'opérer notre retraite, tous les quatre, vers une île déserte et bien installée où nous vivrions dans les bois.

Harris objecta que l'inconvénient des îles désertes était leur humidité excessive ; mais George lui répondit qu'un drainage convenable y remédierait.

Nous abordâmes la question du drainage, et ce sujet fit ressouvenir George d'une très bizarre aventure arrivée jadis à son père. Son père, raconta-t-il, voyageait dans le pays de Galles avec un de ses amis, et un soir ils s'arrêtèrent dans une petite auberge où il y avait d'autres voyageurs, auxquels ils se joignirent pour passer la soirée.

Celle-ci fut très joyeuse et se prolongea jusqu'à une heure tardive. Lorsqu'ils allèrent se mettre au lit, le père de George — lequel père était alors un tout jeune homme — et son ami étaient l'un et l'autre fort gais. Ils devaient coucher dans la même chambre, mais dans des lits différents. Ils prirent leur chandelle et montèrent. Quand ils entrèrent dans la chambre, la chandelle alla donner contre le mur et s'éteignit : il leur fallut se déshabiller et chercher leurs lits à tâtons.

Mais au lieu de se mettre dans des lits différents

comme ils croyaient le faire, tous deux, sans le savoir, grimpèrent dans le même, l'un ayant la tête au chevet, et l'autre s'y glissant du côté opposé et reposant les pieds sur le traversin.

Après un moment de silence, le père de George appela :

— Joe !

— Qu'est-ce qu'il y a, Tom ? répondit, de l'autre bout du lit, la voix de Joe.

— Dis donc, il y a quelqu'un dans mon lit, reprit le père de George. Il a les pieds sur mon traversin.

— Eh bien ! c'est extraordinaire, Tom, répliqua l'autre, mais je veux être pendu s'il n'y a pas aussi quelqu'un dans mon lit.

— Qu'allons-nous faire ? demanda le père de George.

— Ma foi, je vais le flanquer dehors, répondit Joe.

— Moi aussi, fit le père de George, vaillamment.

Il y eut une brève lutte, deux corps lourds s'abattirent sur le parquet, et une voix dolente prononça :

— Hé, Tom !

— Quoi ?

— Tu as réussi ?

— Eh bien ! pour t'avouer la vérité, c'est mon homme qui m'a flanqué dehors, moi.

— Le mien aussi ! Dis donc, je n'aime pas beaucoup cette auberge. Et toi ?

— Comment s'appelait cette auberge ? demanda Harris.

— *Le Cochon et le Sifflet*, répondit George. Pourquoi ?

— Ah ! non, alors ce n'est pas la même, reprit Harris.

— Que veux-tu dire ?

— C'est très curieux, murmura Harris, mais la même aventure exactement est arrivée à mon propre père, dans une auberge de campagne. Je lui ai entendu maintes fois raconter l'histoire. Je croyais que peut-être il s'agissait de la même auberge.

Ce soir-là, nous nous couchâmes à dix heures. Me trouvant fatigué, je m'attendais à bien dormir, mais pas du tout. En règle générale, je me déshabille et pose la tête sur l'oreiller ; ensuite on frappe à ma porte et on me prévient qu'il est huit heures et demie. Mais ce soir-là, tout s'était mis contre moi : la nouveauté du couchage, la dureté du bateau, la position gênante — j'avais les pieds sous un banc et la tête sur un autre — la rumeur de l'eau clapotant autour du canot et le bruit du vent parmi les branches me dérangèrent et me tinrent éveillé.

Je réussis tout de même à dormir quelques heures, et alors une partie du bateau — qui semblait avoir poussé au cours de la nuit, car elle ne s'y trouvait certainement pas à notre départ et elle avait disparu au matin — se mit à m'entrer dans l'échine. Je continuai d'abord à dormir malgré cette torture, rêvant que j'avais avalé une pièce d'or et qu'on me perçait un trou dans le dos à l'aide d'un vilebrequin pour tâcher de la reprendre. Le procédé me parut déloyal. J'affirmai à mes bourreaux que je leur devrais la somme et qu'ils la recevraient à la fin du mois. Mais eux ne l'entendaient pas de cette oreille et me répondirent qu'ils tenaient à la ravoir tout de suite pour ne pas laisser s'accumuler par trop les intérêts. Je ne tardai pas à me fâcher tout à fait, et leur dis ce que je pensais d'eux. Alors ils imprimèrent au vilebrequin une torsion si douloureuse que je me réveillai.

Il faisait irrespirable dans le bateau, et j'avais la migraine. Aussi l'envie me prit-elle d'aller faire quelques pas dans la fraîcheur de la nuit. J'enfilai les premiers vêtements qui me tombèrent sous la main — les uns à moi, d'autres à George et à Harris — et me glissant sous la bâche je passai sur la rive.

C'était une nuit splendide. La lune avait disparu sous l'horizon et la terre paisible demeurait seule avec les étoiles. Le silence et la paix infinie donnaient l'illusion que durant le sommeil de ses enfants les astres s'entretenaient avec elle, leur sœur — causant de mystères grandioses, à voix trop graves et trop profondes pour être perceptibles aux sens rudimentaires des humains.

Elles nous inspirent une respectueuse terreur, ces lointaines étoiles, par leur lumière froide et pure. Nous sommes pareils à des enfants dont les petits pieds se sont fourvoyés dans le temple obscur de la divinité qu'on leur a appris à adorer, mais qu'ils ne connaissent pas ; comme eux, sous la pénombre démesurée du dôme sombre, nous levons les yeux, espérant et craignant à la fois d'apercevoir le spectacle interdit caché dans ses profondeurs.

Malgré cela, elle nous verse tant de consolations et de forces, cette nuit splendide ! En sa présence sublime, nos petits chagrins, pris de honte, se dissipent. Le jour a été si plein de hâte et de souci, nos cœurs si gros de pensées mauvaises et d'amertume, le monde nous a paru si dur et si injuste ! Mais la grande nuit, pareille à une mère pleine d'amour, pose sa douce main sur notre cœur enfiévré et tourne sa face vers notre visage baigné de pleurs. Elle sourit, et bien qu'elle ne parle pas, nous comprenons son langage muet : elle presse contre son sein notre joue brûlante, et c'en est fini de notre peine.

Parfois, quand notre souffrance est très profonde et très réelle, nous nous taisons devant elle, parce que le seul langage qui convienne à notre douleur serait le gémissement. La nuit a un cœur plein de pitié pour nous : incapable de soulager notre mal, elle prend nos mains dans les siennes et ce petit monde devient minuscule, de plus en plus lointain au-dessous de nous ; emportés sur les sombres ailes de la nuit, nous arrivons l'espace d'un instant devant une présence plus grandiose que la sienne, et dans la merveilleuse lumière de cette sublime présence toute la vie humaine s'étale à nos yeux comme un livre, et nous comprenons que la tristesse et la douleur ne sont autres que les anges de Dieu.

A ceux-là seuls qui ont porté la couronne de la souffrance, il est donné de contempler cette merveilleuse lumière ; mais lorsqu'ils redescendent ici-bas, il

ne leur est pas permis de la décrire, ni de révéler le
mystère qu'ils ont pénétré.

Il y avait une fois, au temps jadis, une troupe de
bons chevaliers qui traversaient à cheval un pays
lointain, et leur route s'enfonça dans une épaisse forêt
où des buissons épineux, très denses, déchiraient de
leurs rameaux aigus la chair de ceux qui s'y égaraient.
Les arbres de ce bois avaient des feuillages très épais et
très sombres, si bien que nul rayon de lumière ne
descendait parmi les branches pour en éclairer la
lugubre tristesse.

Comme ces chevaliers passaient par cette sombre
forêt, l'un d'eux, s'éloignant de ses compagnons,
s'égara et ne les retrouva plus ; et eux, fort attristés,
continuèrent sans lui leur chevauchée, le pleurant
comme mort.

Quand ils furent arrivés au beau château qui était le
but de leur voyage, ils y passèrent de longs jours à se
divertir. Un soir qu'ils étaient réunis joyeusement
dans la grande salle devant la cheminée où flambaient
des troncs d'arbres et qu'ils buvaient à la santé de
leurs maîtresses, leur compagnon, qu'ils croyaient
perdu, arriva et les salua. Ses vêtements étaient en
lambeaux comme ceux d'un mendiant, et sa chair
délicate présentait maintes affreuses blessures, mais
son visage rayonnait d'une joie indicible.

Ils l'interrogèrent sur ce qui lui était arrivé, et il leur
raconta comment, après avoir perdu son chemin dans
la sombre forêt, il avait erré bien des jours et bien des
nuits, jusqu'au moment où, déchiré et sanglant, il
s'était couché pour attendre le trépas.

Alors, comme il se sentait déjà presque mourant, ô
merveille ! du fond des farouches ténèbres il vit
s'avancer vers lui une majestueuse jeune fille qui le
prit par la main et le conduisit par des chemins
détournés, inconnus de tous les hommes, jusqu'à un
endroit où dans les ténèbres de la forêt surgit une
lumière si éclatante que la clarté du jour s'effaçait
devant elle comme un lumignon sous le soleil. Dans
cette merveilleuse lumière, notre chevalier égaré vit

apparaître comme en songe une vision, et si belle et si splendide était la vision que, sans plus songer à ses blessures saignantes, il resta perdu dans le ravissement d'une joie aussi profonde que la mer, dont nul homme ne peut sonder les abîmes.

La vision s'évanouit, et le chevalier, s'agenouillant sur le sol, remercia son bon ange qui, dans cette sinistre forêt, avait égaré ses pas pour lui faire voir la vision qui s'y trouvait cachée.

Et le nom de la sombre forêt était Douleur ; mais de la vision qu'eut le bon chevalier, il ne nous est rien permis de dire.

11

Comment George, une fois par hasard, se leva de bonne
heure. — George, Harris et Montmorency n'aiment pas
l'eau froide. — Héroïsme et décision de la part de J. —
George et sa chemise : récit moral. — Harris cuisinier. —
Aperçu historique spécialement destiné à l'usage des
écoles.

Le lendemain matin, je me réveillai à six heures et
trouvai George également éveillé. Nous nous retournâmes tous deux de l'autre côté dans l'espoir de nous
rendormir, mais ce fut en vain. S'il y avait eu quelque
raison particulière pour nous obliger à ne pas nous
rendormir, mais bien à nous lever et nous habiller au
plus vite, nous serions retombés, tout en consultant
nos montres, dans un sommeil qui se fût prolongé
jusqu'à dix heures. Mais comme il n'y avait aucune
nécessité de nous lever avant encore au moins deux
heures, et que nous lever à ce moment-là était
parfaitement absurde, nous ne pouvions manquer, par
l'esprit de contradiction inhérent aux choses en général, de nous sentir persuadés que nous ne pouvions,
sous peine de mort, rester couchés cinq minutes de
plus.

La même aventure, me dit George, lui était arrivée,
mais en plus grave, quelque dix-huit mois plus tôt,

alors qu'il logeait seul chez une certaine Mrs. Gippings. Sa montre se détraqua un beau soir et s'arrêta à huit heures un quart. Il ne s'en aperçut pas sur le moment, car, pour une raison ou pour une autre, il oublia de la remonter avant de se coucher et l'accrocha au-dessus de son oreiller sans même la regarder.

Cela se passait en hiver, à l'époque des jours les plus courts, et, de plus, durant une semaine de brouillard, de sorte que l'obscurité profonde où George se trouva, en s'éveillant le matin, ne pouvait le renseigner sur l'heure qu'il était. Il leva le bras pour prendre sa montre et la consulta. Elle marquait huit heures un quart.

— Que les anges et les saints du paradis nous protègent ! s'écria George. Et moi qui dois être dans la Cité pour neuf heures ! Pourquoi ne m'a-t-on pas réveillé ? C'est une honte !

Et, rejetant sa montre sur le lit, il se leva d'un bond, prit une douche froide, se lava et s'habilla, se rasa à l'eau froide parce qu'il n'avait pas le temps d'en faire chauffer, et tout en se dépêchant il jeta un nouveau coup d'œil sur sa montre.

La secousse qu'il lui avait imprimée en la rejetant sur le lit l'avait peut-être remise en marche, ou était-ce pour une autre cause, George l'ignorait ; mais le fait est qu'à partir de huit heures un quart elle avait recommencé à marcher, et ses aiguilles marquaient à présent neuf heures moins vingt.

George s'en saisit, et dégringola les escaliers. Dans la salle à manger, rien que ténèbres muettes : ni feu ni déjeuner. George vit là une négligence absolument honteuse de la part de Mrs. G. et résolut de lui dire ce qu'il en pensait lorsqu'il rentrerait le soir. Il bondit sur son pardessus et son chapeau, et empoignant son parapluie alla pour ouvrir la porte de la rue. Les verrous n'étaient même pas encore tirés. George traita Mrs. G. de vieille fainéante, et, trouvant bien singulier que les gens fussent incapables de se lever à une heure convenable, il ouvrit la porte et partit au galop.

Après avoir couru pendant un demi-kilomètre, il

commença de lui apparaître bizarre et singulier de voir
si peu de monde dehors et aucun magasin ouvert. Il
faisait assurément fort sombre par cette matinée de
brouillard, mais ce n'était quand même pas une raison
pour arrêter ainsi tout commerce. Il allait bien à son
travail, lui ! Pourquoi les autres gens resteraient-ils
couchés, simplement à cause du brouillard et de
l'obscurité ?

Il arriva enfin dans Holborn [66]. Pas un volet ouvert ;
pas un omnibus en circulation ! Rien d'autre en vue
que trois hommes, dont un policeman, une voiture de
maraîcher pleine de choux, et un fiacre d'aspect
lamentable. George tira sa montre et la consulta : neuf
heures moins cinq ! Il s'arrêta pour se tâter le pouls. Il
se pencha pour se tâter les jambes. Puis, sa montre à la
main, il s'approcha du policeman et lui demanda s'il
savait l'heure qu'il était.

— Quelle heure il est ? répondit l'agent, en toisant
George avec une méfiance évidente. Vous n'avez qu'à
écouter, vous l'entendez sonner.

George prêta l'oreille, et une horloge du voisinage le
renseigna aussitôt.

— Mais elle n'a sonné que trois coups ! fit George,
d'un ton scandalisé, quand elle eut fini.

— Eh ! mais, combien voudriez-vous qu'elle en
sonnât ? repartit le sergent de ville.

— Parbleu, neuf, dit George, lui présentant sa
montre.

— Savez-vous où vous habitez ? fit sévèrement le
gardien de l'ordre public.

George réfléchit et donna son adresse.

— Ah ! vraiment, c'est là, dites-vous ? reprit
l'agent. Eh bien ! vous allez suivre mon conseil et
retourner chez vous tranquillement, en emportant
votre montre. Et tâchez de ne plus me la faire.

George regagna son logis, tout pensif, et rentra dans
sa chambre.

Une fois chez lui, il résolut d'abord de se déshabiller
et de se recoucher, mais la perspective d'avoir à refaire
sa toilette et à se relaver l'y fit renoncer, et il crut

préférable de s'étendre sur le fauteuil pour dormir.

Mais il n'arriva pas à s'endormir : jamais il ne s'était senti plus éveillé. Il alluma donc la lampe, tira le jeu d'échecs et se mit à jouer une partie contre lui-même. Mais cette distraction ne réussit pas à l'amuser : c'était par trop lent. Il y renonça donc, et tenta de lire. Il lui fut également impossible de prendre aucun intérêt à la lecture. C'est pourquoi il remit son pardessus et sortit faire un tour.

Les rues étaient affreusement désertes et lugubres. Tous les policemen qu'il rencontrait le considéraient avec une méfiance non dissimulée, dirigeaient sur lui leurs lanternes, et le suivaient du regard. Ce manège finit par produire sur lui un tel effet qu'il en avait presque la sensation d'avoir réellement commis un mauvais coup, et il se glissa furtivement par les petites rues, se dissimulant dans l'ombre des portes quand il entendait s'approcher les pas cadencés d'un agent en patrouille.

Naturellement, cette conduite ne fit que rendre plus soupçonneux les représentants de la force publique, qui ne manquaient pas de venir le déloger et lui demander ce qu'il faisait là ; et lorsqu'il leur répondait : « Rien », ajoutant qu'il était simplement sorti pour faire un petit tour (il était alors quatre heures du matin), ils prenaient un air incrédule. Deux agents en bourgeois l'accompagnèrent jusque chez lui pour s'assurer qu'il habitait réellement là où il le leur avait dit. Après l'avoir regardé entrer avec sa clef, ils allèrent se poster sur le trottoir d'en face pour surveiller la maison.

Il comptait en rentrant allumer du feu et se faire à déjeuner, rien que pour passer le temps ; mais il n'arrivait pas à toucher à quoi que ce fût, depuis une pelletée de charbon jusqu'à une cuillère à thé, sans la laisser tomber ou trébucher dessus, en faisant un tel tintamarre qu'il en concevait une peur bleue de réveiller Mrs. Gippings, laquelle ne manquerait pas de croire que c'étaient des voleurs et d'ouvrir la fenêtre pour appeler la police, ce qui ferait accourir ces deux agents de la sûreté, qui lui passeraient les menottes pour l'emmener au dépôt.

Il en était arrivé alors à un degré de nervosité folle : il se voyait en cour d'assises, s'efforçant d'expliquer son cas au jury, mais personne ne le croyait, et il était condamné à vingt ans de travaux forcés, et sa vieille mère en mourait de chagrin. Il renonça donc à se faire à déjeuner, et, s'enveloppant de son pardessus, il resta sur le fauteuil en attendant que Mrs. Gippings descendît à sept heures et demie.

Il m'affirma que jamais plus il ne s'était levé trop tôt depuis l'aventure de ce matin-là : cela lui avait donné un fameux avertissement.

Nous étions restés blottis dans nos couvertures tandis que George me contait cette histoire véridique. Quand il eut terminé, je me mis en devoir de réveiller Harris à l'aide d'un aviron. Le troisième coup fut efficace ; il se retourna sur l'autre côté, en disant qu'il se levait à la minute, et qu'il mettrait ses souliers à lacets. Mais, au moyen de la gaffe, nous ne tardâmes pas à lui faire comprendre où il était, et il se dressa tout à coup, envoyant Montmorency, qui dormait du sommeil du juste, en plein sur sa poitrine, rouler à l'autre bout du canot.

Soulevant alors la toile, nous passâmes tous les quatre nos têtes par-dessus le bordage, considérant l'eau avec un frisson. Notre projet, la veille au soir, était de nous lever de bonne heure, d'envoyer promener nos châles et couvertures, et de rejeter la toile, pour sauter à l'eau, avec une acclamation de joie, et nous livrer aux délices d'une natation prolongée. Mais à présent que le matin était venu, la perspective nous tentait beaucoup moins. L'eau paraissait humide à donner le frisson et le vent était glacial.

— Allons, qui est-ce qui y va le premier ? dit enfin Harris.

La préséance ne tentait personne. George résolut la question pour son compte personnel, en rentrant dans le bateau et mettant ses chaussettes. Montmorency poussa un hurlement involontaire, comme épouvanté à la seule idée du bain ; et Harris, prétextant qu'il serait trop difficile de remonter dans le canot, se mit à la recherche de son pantalon.

Il m'était très désagréable de reculer, mais le plongeon m'inspirait peu d'enthousiasme. Il pouvait y avoir des branches submergées ou des herbes. Je m'en tins donc au compromis qui consistait à descendre jusqu'au bord et à m'asperger simplement d'eau. Je pris une serviette, passai sur la berge, et me frayai un chemin jusqu'à une branche d'arbre qui trempait dans l'eau.

Celle-ci était cruellement froide. Le vent coupait comme un couteau. Je perdis toute envie de m'asperger et décidai de regagner le canot pour m'habiller. Dans cette intention je fis volte-face, mais, à l'instant, cette stupide branche céda, je tombai sans lâcher ma serviette avec un plouf formidable, et avant d'avoir pu me reconnaître, je me trouvai au beau milieu du courant, avec deux ou trois litres d'eau de la Tamise dans l'estomac.

Quand je revins tout barbotant à la surface, j'entendis Harris qui disait à George :

— Nom d'un pétard ! ce vieux J. a sauté dedans ! Je ne croyais pas qu'il en aurait le courage. Et toi ?

— Elle est bonne ? me lança George.

— Exquise, m'ébrouai-je. Vous êtes des minables de ne pas venir. Pour rien au monde je ne voudrais avoir manqué ce plongeon. Essayez donc ! Ça ne demande qu'un peu de volonté.

Un incident assez amusant se produisit ce matin-là pendant que nous nous habillions. En regagnant le bateau j'avais très froid, et dans ma précipitation à passer ma chemise, un geste maladroit la fit tomber à l'eau. J'enrageai d'autant plus que George éclata de rire. Je ne voyais là rien de risible et je le signifiai à George, qui ne s'en égaya que de plus belle. Jamais je n'ai vu personne rire davantage. A la fin je perdis tout à fait patience et le traitai selon ses mérites de stupide imbécile et de pauvre malade ; mais il se tordait toujours. Alors, juste comme je ramenais la chemise à terre, je m'aperçus que ce n'était pas du tout la mienne, mais celle de George, que j'avais prise par erreur. Là-dessus le comique de l'aventure m'apparut enfin, et je me mis à rire, moi aussi. Plus je regardais alternativement la chemise trempée de George et George qui se tordait de rire, plus je m'amusais. A force de rire, je laissai retomber la chemise à l'eau.

— Tu... Tu ne vas donc pas... la repêcher ? fit George, entre deux éclats de rire.

Je fus incapable de lui répondre tout de suite, tant je riais, mais à la longue, entre deux spasmes, je réussis à hoqueter :

— Ce n'est pas ma chemise, c'est la tienne !

Je n'ai jamais vu un visage humain passer plus subitement du plaisant au sévère.

— Hein ! hurla-t-il en se dressant d'un bond. Espèce d'idiot ! tu ne pouvais donc pas faire attention ! Pourquoi diable ne vas-tu pas t'habiller sur la rive ? On se demande ce que tu fais dans ce canot ! Passe-moi la gaffe.

Je tentai de lui faire voir le côté plaisant de l'aventure, mais il en fut incapable. George est parfois très lent à comprendre la plaisanterie.

Pour le petit déjeuner, Harris proposa de faire des œufs brouillés. Il offrit de les cuisiner lui-même. Il excellait, ajouta-t-il, à confectionner les œufs brouillés. Il les préparait souvent aux pique-niques et quand il était en croisière sur des yachts. Il s'en était fait une vraie célébrité. Ceux qui avaient une fois goûté de ses œufs brouillés, c'était net, refusaient désormais toute autre nourriture et se laissaient mourir de faim faute de pouvoir en obtenir.

L'eau nous venait à la bouche de l'entendre. On lui fit passer le réchaud avec la poêle à frire et tous les œufs qui ne s'étaient pas écrabouillés et répandus partout dans le panier, et on le pria de commencer.

Il eut quelque difficulté à casser les œufs — ou, plus exactement, à les loger dans la poêle à frire une fois cassés, à ne pas en mettre plein son pantalon et à les empêcher de dégouliner dans sa manche. Pour finir, il en plaça une bonne demi-douzaine dans la poêle, après quoi il s'accroupit auprès du réchaud pour les battre à l'aide d'une fourchette.

Autant que nous pouvions en juger, George et moi, c'était un travail exténuant. Chaque fois qu'il s'approchait de la poêle, il se brûlait, et alors il lâchait tout et trépignait autour du réchaud, en claquant des doigts et jurant. Et, chaque fois que George et moi nous le regardions, il ne manquait pas de se livrer à ce manège. Nous crûmes d'abord que cela faisait partie intégrante de ses rites culinaires.

Ignorant ce qu'étaient des œufs brouillés, nous nous figurions qu'il devait s'agir de quelque plat peau-rouge ou polynésien, dont la cuisson correcte exigeait des danses et incantations particulières. Montmorency s'aventura une fois à y fourrer le nez, la graisse bouillante jaillit et l'échauda, et lui aussi se mit à se démener et à jurer. Ce fut, somme toute, l'une des plus curieuses et intéressantes opérations auxquelles j'aie jamais assisté. George et moi fûmes tous les deux navrés de la voir si vite terminée.

Le résultat ne correspondait pas du tout aux belles promesses de Harris. Il nous parut bien piteux pour tant de travail. Il était entré six œufs dans la poêle à frire, et tout ce qui en sortit fut une cuillerée à café d'un magma brûlé et peu appétissant à voir.

Harris en rejeta la faute sur la poêle : la réussite eût été assurée, s'il avait disposé d'une turbotière et d'un fourneau à gaz, et l'on décida de ne plus tenter ce plat avant d'avoir sous la main ces ustensiles de cuisine.

Lorsque nous eûmes fini de déjeuner, le soleil avait déjà pris de l'ardeur, le vent était tombé, et c'était la plus exquise matinée que l'on pût rêver. Presque plus rien dans le paysage ne nous rappelait le dix-neuvième siècle. En regardant le fleuve brasiller sous le soleil matinal, nous pouvions presque nous figurer que les siècles nous séparant de ce matin à jamais mémorable de juin 1215 [67] avaient été abolis, et que nous étions de jeunes soldats anglais vêtus de drap rustique, la dague à la ceinture, attendant de voir s'écrire devant nos

yeux cette prodigieuse page d'histoire dont le sens
devait être traduit au vulgaire plus de quatre cents ans
après par le nommé Oliver Cromwell[68], qui l'avait
étudiée à fond.

C'est un beau matin d'été, ensoleillé, calme et doux.
Mais dans l'air passe un émoi précurseur. Le roi Jean
a couché à Duncroft Hall, et toute la journée précédente la petite ville de Staines a retenti du cliquetis des
armes, du piétinement des grands destriers de guerre,
des commandements des chefs, des jurons affreux et
des plaisanteries grossières des archers farouches, des
piquiers, des hallebardiers et des lanciers au langage
étranger.

Il est arrivé des troupes de chevaliers et de seigneurs
aux beaux habits souillés par la poussière du voyage.
Toute la soirée, les portes des timides bourgeois ont
dû s'ouvrir en hâte pour laisser pénétrer les escouades
de soudards brutaux exigeant le vivre et le couvert, et
du meilleur, ou gare à la maison et à ses occupants !
Car le glaive est juge et partie, plaignant et exécuteur
dans ces temps orageux, et paye ce qu'il prend en
épargnant, s'il le veut bien, ceux qu'il dépouille.

Autour du brasier allumé sur la place du marché, les
troupes des barons s'assemblent, mangent et boivent
gloutonnement, braillent à tue-tête des chansons à
boire, jouent et se querellent dans le soir qui tombe et
la nuit qui s'épaissit. La lueur du feu projette des
ombres baroques sur les monceaux d'armes aux
formes inquiétantes. Les enfants de la ville s'en vont
rôder autour et les admirent, et aux abords des
tavernes mal famées, de plantureuses paysannes bati-
folent avec les troupiers joviaux si différents des
manants du village qui, à cette heure dédaignés, se
tiennent à l'écart, un sourire jaune sur leur large mine
ébaubie. Et dans les campagnes environnantes, bril-
lent au loin les lumières d'autres feux de camp, qui
révèlent ici la suite nombreuse de quelque grand
seigneur, et là les mercenaires français du traître roi
Jean, pareils à des loups embusqués en dehors de la
ville.

Et ainsi, avec une sentinelle dans chaque rue sombre et le clignotement des feux de guet sur chaque hauteur, la nuit a passé, et sur cette belle vallée de l'antique Tamise s'est levé le matin du grand jour qui va si puissamment influer sur le destin des siècles à venir.

Dès la première aube, dans celle des deux îles qui est le plus en aval, juste au-dessus de l'endroit où nous sommes, une vaste rumeur s'est élevée, avec le bruit que font de nombreux ouvriers. On dresse le grand pavillon apporté hier soir, et les charpentiers s'affairent à clouer des rangées de banquettes, tandis que les apprentis de la ville de Londres disposent les étoffes, les soieries multicolores et le drap d'or et d'argent.

Et maintenant, attention ! là-bas sur la route de Staines qui longe les sinuosités du fleuve, voici venir vers nous, riant et conversant de leurs grosses voix gutturales, une douzaine de rudes hommes d'armes — des gens des barons — qui font halte à une centaine de mètres en amont de nous, sur l'autre rive, et attendent, l'arme au pied [69].

Et ainsi, d'heure en heure, s'avancent sur la route de nouveaux détachements et des bandes nouvelles d'hommes armés, dont les casques et les cuirasses renvoient les longs rayons obliques du soleil matinal, tandis qu'à perte de vue la route grouille d'aciers étincelants et de coursiers piaffants. Des cavaliers criant des ordres galopent d'un détachement à l'autre, les petites oriflammes ondulent paresseusement à la brise tiède et, par instants, une rumeur plus intense parcourt les rangs qui s'écartent pour laisser passer quelque grand baron sur son cheval de bataille, environné de sa garde de seigneurs, et qui va prendre sa place à la tête de ses serfs et vassaux.

Sur la pente de Cooper's Hill, juste en face, sont rassemblés les rustres émerveillés et les curieux de la ville, accourus à Staines. Nul ne sait au juste à quoi rime ce remue-ménage, mais chacun débite une version différente du grand événement qui va s'accomplir : les uns disent que le plus grand bien va

sortir, pour tout le monde, de cette journée ; mais les
vieillards branlent la tête, car ils ont déjà entendu des
pronostics de ce genre.

Tout le fleuve jusqu'à Staines est parsemé de
barques, de canots, de minuscules pirogues — ces
dernières commencent à passer de mode et ne sont
employées que par les plus pauvres. Au-dessus des
rapides, là où par la suite s'édifiera la belle écluse de
Weir Bell, ces embarcations ont été amenées par
d'obstinés rameurs, qui s'approchent le plus possible
des grandes gabares pontées, prêtes à transporter le roi
Jean au lieu où la charte fatidique attend sa signature.

Il est midi, et avec tout le bon peuple nous avons
attendu patiemment des heures et des heures. Le bruit
court que le roi Jean vient d'échapper encore une fois
aux barons et s'est enfui de Duncroft Hall, escorté de
ses mercenaires, et qu'il fera bientôt autre chose que
de signer des chartes pour la liberté de son peuple.

Mais non ! Cette fois, c'est une poigne de fer qui le
tient, et il résiste et se débat en vain. Au loin sur la
route s'est élevé un petit nuage de poussière qui se
rapproche et grossit. On perçoit le bruit grandissant
de nombreux sabots de chevaux battant la terre, et
l'on voit s'avancer une brillante cavalcade de seigneurs
et de chevaliers magnifiquement vêtus. Devant elle
comme derrière et sur ses deux flancs chevauchent les
hommes des barons, et au milieu est le roi Jean.

Il s'approche des gabares qui l'attendent, et les
grands barons sortent des rangs et s'avancent à sa
rencontre. Il les accueille d'un sourire et de paroles
mielleuses, comme s'il s'agissait d'une fête en son
honneur, à laquelle il aurait été invité. Mais avant de
quitter sa monture, il jette à la dérobée un regard sur
ses mercenaires français, relégués à l'arrière-garde,
puis sur les rangs menaçants des hommes des barons
qui l'encadrent.

Est-il trop tard ? Un coup hardi abattant le cavalier
sans méfiance qui est à son côté, un appel à ses
Français, une charge désespérée, à l'improviste,
contre les lignes devant lui, et les barons rebelles

pourraient bien se repentir d'avoir un jour contrarié ses volontés ! Une main plus audacieuse eût peut-être pu faire tourner la chance, même alors. Richard [70] eût-il été là à sa place, qui sait si la coupe de la liberté ne se serait pas écartée des lèvres anglaises pour cent ans ?

Mais le roi Jean sent le courage lui manquer à la vue des visages sévères des hommes d'armes anglais ; sa main laisse retomber les rênes, il descend de cheval, et prend place sur la gabare la plus éloignée. Les barons le suivent, serrent leurs épées de leurs mains gantées de mailles, et l'ordre est donné de se mettre en route.

Lentement les lourdes gabares pavoisées s'éloignent de la rive. Lentement elles remontent le rapide courant et vont enfin accoster en grinçant contre la berge de la petite île qui portera désormais le nom d'île de la Grande Charte. Le roi Jean a débarqué ; nous attendons, dans un silence de mort. Puis une immense acclamation s'élève et nous apprend que la pierre angulaire du temple de la liberté anglaise [71] a été enfin, nous le savons aujourd'hui, posée inébranlablement.

12

Henry VIII et Anne Boleyn. — Inconvénient d'habiter sous le même toit qu'un couple d'amoureux. — Un moment pénible pour la nation anglaise. — Une nuit à la recherche du pittoresque. — Sans feu ni lieu. — Harris attend la mort. — Un ange survient. — Effet sur Harris de la joie subite. — Un léger souper. — Déjeuner. — De la moutarde payée cher. — Terrible combat. — Maidenhead. — A la voile. — Trois pêcheurs. — Nous sommes maudits.

J'étais assis sur la rive, à évoquer cette scène à part moi, lorsque George me demanda si par hasard, quand je serais tout à fait reposé, cela ne me dérangerait pas trop de l'aider à laver la vaisselle. Ainsi rappelé du glorieux passé à l'actualité prosaïque et à toutes ses misères, je rentrai dans le bateau et, à l'aide d'un bout de bois et d'une poignée d'herbes, nettoyai la poêle à frire, à laquelle je donnai le dernier coup de fion avec la chemise mouillée de George.

Nous allâmes sur l'île de la Grande Charte jeter un coup d'œil à la pierre qui se trouve dans la maison édifiée au milieu, pierre sur laquelle on raconte que la Grande Charte fut signée. Mais quant à dire si elle fut signée là, ou bien, comme le veulent certains, sur l'autre bord à Runnymede, je décline toute responsabilité. Pour ce qui est de mon opinion personnelle, toutefois, je serais tenté d'admettre la croyance populaire que ce fut sur l'île. A coup sûr, si j'avais été l'un des barons, à l'époque, j'aurais fait ressortir à mes pairs et compagnons la nécessité de garder un client aussi peu digne de confiance que le roi Jean sur l'île, où il y avait moins de chances de surprise et de trahison.

Tout près de la pointe du Pique-nique, sur les terres d'Ankerwyke House, se voient les ruines d'un vieux prieuré, aux environs duquel Henry VIII donnait, dit-on, rendez-vous à Anne Boleyn [72]. Il la retrouvait aussi fréquemment au château de Hever [73], dans le comté de Kent, et aussi quelque part du côté de Saint Albans [74]. Il devait être difficile en ce temps-là, pour le peuple d'Angleterre, de trouver un endroit où ces deux jeunes étourdis ne venaient pas roucouler.

Vous êtes-vous jamais trouvé dans une maison où il y a un couple d'amoureux ? C'est assommant. L'idée vous vient d'aller vous asseoir au salon, et vous vous y rendez. En ouvrant la porte, vous entendez un bruit pareil à l'exclamation que pousse un monsieur qui se rappelle tout à coup quelque chose, et, quand vous entrez, Emily est là-bas à la fenêtre, attentive à ce qui se passe de l'autre côté de la rue, et votre ami John-Edouard, à l'autre bout de la pièce, contemple éperdument les photographies de gens qui lui sont étrangers.

— Oh ! dites-vous, arrêté sur le seuil, je ne savais pas qu'il y eût quelqu'un.

— Ah ! vraiment ? réplique Emily glaciale, d'un ton à bien montrer qu'elle n'en croit rien.

Vous hésitez une minute avant de prononcer :

— Il fait très sombre ici. Pourquoi n'allumez-vous pas le gaz ?

— Oh ! je n'avais pas remarqué ! répond John-Edouard.

Et Emily ajoute que son père n'aime pas qu'on allume le gaz dans l'après-midi.

Vous leur contez deux ou trois nouvelles, leur exposez votre manière de voir sur la question irlandaise [75], mais ils n'ont pas l'air de s'y intéresser.

Toutes leurs répliques sur n'importe quel sujet se bornent à des « Ah... Vraiment... Tiens !... Pas possible ! » Après dix minutes de ce genre de conversation, vous battez en retraite vers la porte, et à peine l'avez-vous franchie que vous êtes surpris de l'entendre claquer derrière vous et se refermer hermétiquement, sans que vous l'ayez touchée.

Une demi-heure plus tard, l'envie vous prend d'aller fumer une pipe dans le jardin d'hiver. L'unique fauteuil qui s'y trouve est occupé par Emily ; et John-Edouard, si l'on peut s'en rapporter au langage des habits, vient évidemment de s'asseoir par terre. Ils ne vous parlent pas, mais vous lancent un regard qui en dit aussi long qu'il est possible entre gens civilisés ; et vous vous retirez aussitôt et fermez la porte derrière vous.

Après cela, vous n'osez plus fourrer le nez dans aucune pièce de la maison. Après avoir monté et descendu plusieurs fois l'escalier, vous vous réfugiez dans votre chambre à coucher. Mais l'intérêt s'en épuise vite, et vous mettez votre chapeau pour aller faire un tour dans le jardin. Vous descendez l'allée, et en passant devant le pavillon, vous y jetez un coup d'œil qui vous fait voir ces deux jeunes idiots blottis dans un coin. Ils vous aperçoivent et ne manquent pas de croire que, dans une mauvaise intention, vous les suivez partout.

— On devrait avoir une pièce spéciale pour ce genre de sport et obliger les gens à s'y tenir, grommelez-vous.

Et vous courez au vestibule prendre votre parapluie pour sortir.

Il dut se passer des choses analogues lorsque ce jeune sot de Henry VIII courtisait sa chère Anne. Les gens du comté de Buckingham devaient les rencontrer à l'improviste se faisant des mamours aux environs de Windsor et de Wraysbury, et s'écrier : « Tiens ! vous voilà ! » Et sans doute Henry répondait en rougissant : « Mais oui, je suis venu précisément faire visite à quelqu'un. » Et Anne disait sans doute : « Oh ! charmée de vous voir ! Comme c'est drôle ! Je viens justement de rencontrer Mr. Henry VIII qui se promenait dans l'allée, et il va du même côté que moi. »

Alors ces braves gens s'éloignaient en se disant :

« Ah ! non ! Mieux vaut filer d'ici tant que dureront ces roucoulades. Allons dans le pays de Kent [76]. »

Ils allaient dans le pays de Kent, et la première chose qu'ils voyaient en arrivant c'était Henry et Anne baguenaudant autour du château de Hover.

— Oh ! la barbe ! s'exclamaient-ils. Fichons le camp plus loin. Cela devient intolérable. Allons à Saint Albans. Un joli coin tranquille, Saint Albans !

Et en arrivant à Saint Albans, voilà que ces deux satanés tourtereaux étaient à s'embrasser sous les murs de l'abbaye ! Alors il ne restait plus à ces braves gens qu'à partir se faire écumeurs de mer jusqu'après la célébration du mariage.

De la pointe du Pique-nique jusqu'à l'église du Vieux Windsor, c'est un bout exquis du fleuve. Une route ombragée, que parsèment çà et là de jolies petites maisons, longe la rive jusqu'à l'auberge pittoresque (comme la plupart des auberges de la haute Tamise) des *Cloches d'Ousley* [77] — où l'on boit d'excellente bière blonde, au dire de Harris ; et en pareille matière on peut s'en rapporter à lui. Le Vieux Windsor est un endroit célèbre dans son genre. Edouard le Confesseur [78] y avait un palais, et le fameux comte Godwine [79] y fut condamné par la justice du temps pour avoir comploté la mort du frère.

Le comte Godwine rompit un morceau de pain qu'il éleva entre ses doigts, en disant :

— Si je suis coupable, je veux que cette bouchée de pain m'étouffe !

Puis, portant le pain à sa bouche, il l'avala. Le pain l'étouffa et il mourut.

Au-delà du Vieux Windsor, le fleuve manque un peu d'intérêt et ne redevient lui-même qu'aux abords de Boveney. Je halai avec George jusqu'après Home Park [80] qui s'étend sur la rive droite, du pont Albert au

pont Victoria. En passant à Datchet, George me
demanda si je me rappelais notre excursion sur la
Tamise, cette fois où, débarquant à Datchet à dix
heures du soir, nous voulions aller nous coucher.

Je lui répondis que je m'en souvenais. Il faudra du
temps pour que je l'oublie.

C'était le samedi avant le Bank Holiday[81]. Nous
étions tous trois (les mêmes que cette fois-ci) las et
affamés, et arrivés à Datchet, nous débarquâmes,
emportant le panier, les deux valises, avec les couvertures et manteaux, et tout le reste, pour nous mettre
en quête d'un gîte. Nous passâmes devant un très
gentil petit hôtel au portail orné de clématite et de
vigne vierge ; mais il n'y avait pas de chèvrefeuille, et
pour une raison ou pour une autre, il me fallait
absolument du chèvrefeuille.

Je dis :

— Oh ! n'entrons pas là ! Allons un peu plus loin,
voir s'il n'y en a pas un avec du chèvrefeuille.

Poursuivant notre chemin, nous arrivâmes à un
autre hôtel. Celui-ci était également très bien, et il y
avait du chèvrefeuille sur le mur, mais la mine d'un
individu accoté à la porte d'entrée ne revenait pas à
Harris. Celui-ci trouvait l'homme par trop laid et ses
bottines hideuses. Nous allâmes donc plus loin. Nous
marchâmes un bon bout sans plus découvrir d'hôtel,
puis nous rencontrâmes un passant que nous priâmes
de nous en indiquer un.

Il nous répondit :

— Mais vous en venez. Vous n'avez qu'à faire
demi-tour et retourner sur vos pas, vous arriverez au
Cerf.

— Oh ! nous y avons été, et il ne nous plaît pas : il
n'est pas garni de chèvrefeuille.

— Eh bien ! alors, reprit-il, reste le *Manoir*, juste
en face. Avez-vous essayé celui-là ?

Harris répliqua que nous n'y voulions pas aller : la
mine d'un individu qui s'y trouvait ne nous revenait
pas ; la teinte de ses cheveux était odieuse ainsi que ses
bottines.

— Eh bien ! ma foi, je ne sais pas ce que vous pourriez faire, dit notre quidam, car ce sont les deux seules auberges de l'endroit.

— Pas d'autres auberges ? s'écria Harris.

— Pas une.

— Qu'allons-nous devenir ? se lamenta Harris.

George prit alors la parole. Il nous dit que nous étions libres, Harris et moi, de nous faire construire un hôtel si bon nous semblait, et de nous faire faire des gens exprès pour les y loger. Quant à lui, il retournait au *Cerf*.

Les grands esprits ne réalisent jamais leur idéal en quoi que ce soit. Soupirant sur la vanité de tout désir terrestre, Harris et moi nous suivîmes George.

Nous portâmes notre attirail jusqu'au *Cerf* et le déposâmes dans le vestibule.

Le patron arriva et nous dit :

— Bonsoir, messieurs.

— Ah ! bonsoir, lança George. Nous voudrions trois lits, s'il vous plaît.

— Je regrette beaucoup, monsieur, répondit le patron, mais je crains fort que ce ne soit pas possible.

— Oh ! vous savez, nous ne sommes pas difficiles, reprit George, nous en aurons assez de deux. Deux d'entre nous peuvent bien dormir dans le même lit, continua-t-il, en s'adressant à Harris et à moi.

— Mais bien sûr, fit Harris, estimant que George et moi pourrions très bien faire lit commun.

— Je regrette beaucoup, monsieur, répéta le patron, mais nous n'avons plus dans la maison un seul lit disponible. Nous avons déjà mis deux et même trois messieurs dans un lit... Jugez !

Cette réponse nous déconcerta un peu.

Mais Harris, qui est un vieux routier, s'éleva à la hauteur de la circonstance, et avec un rire bon enfant, répliqua :

— Oh ! alors, il n'y a plus rien à dire. Tant pis ! A la guerre comme à la guerre. Vous nous arrangerez un lit de fortune dans la salle de billard.

— Je regrette beaucoup, monsieur. Il y a déjà trois

voyageurs qui dorment sur le billard et deux dans la salle de café. Je ne puis vraiment pas vous loger ce soir.

Ramassant nos effets, nous allâmes plus loin, au *Manoir*. C'était un gentil petit hôtel. Pour ma part, je le préférais à l'autre, et Harris fut de mon avis : ici, tout marcherait bien, nous en serions quittes pour ne pas regarder l'homme aux cheveux roux ; d'ailleurs, ce n'était pas sa faute, à ce pauvre type, s'il était rouquin.

Harris s'exprimait avec beaucoup de sens et de bonté.

Les gens du *Manoir* ne nous laissèrent même pas le temps d'ouvrir la bouche. La patronne nous accueillit sur le pas de la porte en nous annonçant que nous étions le quatorzième groupe qu'elle refusait depuis une heure et demie. Nos modestes propositions d'écurie, salle de billard ou cave à charbon excitèrent sa dédaigneuse hilarité : tous ces coins étaient accaparés depuis longtemps.

Ne connaîtrait-elle pas dans le village une maison où l'on consentirait à nous donner asile pour la nuit ?

— Eh bien ! si vous n'êtes pas trop difficiles... je ne recommande pas l'établissement, notez bien... mais il y a un petit estaminet à un demi-kilomètre plus loin sur la route d'Eton...

Sans en écouter davantage, nous empoignâmes panier, sacs, pardessus et paquets, et prîmes notre course. La distance nous parut plus voisine d'un kilomètre entier que d'un demi, mais enfin nous arrivâmes au bistro, et nous précipitâmes, tout essoufflés, dans la salle.

Les gens de l'estaminet furent grossiers et nous rirent carrément au nez. La maison ne contenait en tout que trois lits, et elle logeait déjà sept messieurs seuls et trois couples de gens mariés. Mais un batelier complaisant qui, par bonheur, se trouvait dans le débit, nous conseilla d'aller voir chez l'épicier, la porte à côté du *Cerf*. Nous retournâmes sur nos pas.

C'était complet, chez l'épicier. Une bonne vieille, que nous rencontrâmes dans la boutique, eut l'obligeance de nous emmener avec elle chez une dame de ses amies qui louait à l'occasion des chambres aux messieurs.

Cette bonne vieille marchait très lentement, et il nous fallut vingt minutes pour arriver chez la dame son amie. Elle charma les loisirs du trajet en nous décrivant les douleurs variées qu'elle ressentait dans le dos.

Les chambres de la dame en question étaient déjà louées. De là, nous fûmes adressés au n° 27. Le n° 27 était plein et nous envoya au n° 32. Le n° 32 aussi était complet.

Nous nous retrouvâmes donc sur la grand-route. Harris s'assit sur le panier, en déclarant qu'il n'irait pas plus loin. L'endroit lui paraissait tranquille à souhait et il consentait à y mourir. Il nous pria, George et moi, d'embrasser sa mère de sa part et de dire à tous ses amis qu'il était mort en leur pardonnant.

Sur ces entrefaites arriva, déguisé en petit garçon, un ange — et je doute qu'un ange eût pu trouver meilleur déguisement — qui portait d'une main une cruche de bière et de l'autre un objet pendu à une ficelle, qu'il déposait sur chaque pierre plate où il passait, et qu'il retirait ensuite, produisant par ce moyen un bruit particulièrement déplaisant, qui évoquait un gémissement.

Nous demandâmes à cet envoyé des cieux — comme nous le découvrîmes ensuite — s'il ne connaîtrait pas une maison isolée dont les occupants seraient peu nombreux et faibles — vieilles dames ou messieurs paralysés de préférence — et se laisseraient aisément persuader, par intimidation, de céder leur lit pour la nuit à trois gaillards résolus à tout ; ou, sinon, pouvait-il nous indiquer une porcherie inoccupée ou un four à chaux abandonné, ou n'importe quoi de ce genre. Il ne connaissait rien de tel, du moins pas tout près, mais il nous dit que si nous voulions bien venir avec lui, sa mère avait une chambre disponible où elle pourrait nous loger pour la nuit.

Nous lui sautâmes au cou, au clair de lune, en le

bénissant. Ce qui eût fait un très beau tableau, si le gamin, accablé sous le poids de notre émotion, ne s'était effondré à terre, tandis que nous nous abattions tous trois au-dessus de lui. La joie de Harris fut si forte qu'il tomba en pâmoison, et il lui fallut s'emparer de la cruche de bière du gamin et la vider à moitié avant de revenir à lui, après quoi il prit ses jambes à son cou et nous laissa, George et moi, transporter le bagage.

C'était une petite chaumière de quatre pièces où habitait le gamin. Sa mère, la bonne âme ! nous donna pour souper un jambon chaud de cinq livres, que nous mangeâmes en totalité — suivi d'une tarte aux confitures, le tout arrosé de deux pleines théières, et nous allâmes nous coucher. Il y avait dans la chambre deux lits. L'un était un lit de sangle de soixante-quinze centimètres de large, dans lequel je couchai avec George, et il fallut, pour ne pas tomber, nous attacher ensemble au moyen d'un drap. L'autre lit était celui du gamin ; Harris l'eut tout entier à lui seul, et nous l'y trouvâmes au matin, avec, dépassant à l'extrémité, soixante centimètres de jambes nues, auxquelles George et moi suspendîmes nos serviettes en prenant notre bain.

Nous ne fûmes plus si pointilleux dans le choix de notre hôtel, la prochaine fois que nous retournâmes à Datchet.

Mais revenons à notre présent voyage : il n'arriva rien d'intéressant, et nous continuâmes de nous haler tranquillement jusqu'un peu au-dessus de l'île des Singes[82], où nous accostâmes pour déjeuner. En attaquant le bœuf froid, nous découvrîmes que nous avions oublié d'apporter de la moutarde. Je ne crois pas avoir, de mon existence, éprouvé aussi cruellement que ce jour-là le besoin de moutarde. En général, je n'y tiens guère, et il est rare que j'en prenne, mais alors j'aurais donné tout l'or du monde pour en avoir.

J'ignore quelle quantité d'or il peut exister dans l'univers, mais quiconque m'eût apporté à cet instant précis une cuillerée de moutarde, l'aurait obtenue de moi. Telle est ma prodigalité lorsque je désire une chose que je n'ai pas.

Harris aussi déclara qu'il aurait donné tout l'or du monde pour se procurer de la moutarde. Ç'aurait été une bonne affaire pour un marchand de moutarde qui serait survenu là avec son seau ; il aurait été fourni d'or pour le restant de ses jours.

Mais voilà ! Je crains fort que Harris et moi nous eussions été tentés tous les deux de renier le marché, une fois en possession de la moutarde. On fait de ces offres extravagantes en des minutes d'emballement, mais lorsqu'on vient à y réfléchir, on s'aperçoit, comme de juste, qu'elles sont absurdement disproportionnées à la valeur de l'article désiré. J'ai une fois entendu un ami, qui faisait l'ascension d'une montagne en Suisse, dire qu'il donnerait tout l'or du monde en échange d'un verre de bière, et une fois arrivé à un petit débit qui en tenait, il protesta comme un beau diable parce qu'on lui comptait cinq francs une bouteille de Bass [83]. Il déclara que c'était un abus scandaleux et il écrivit au *Times* [84].

Cette absence de moutarde jeta un froid sur le bateau. Nous mangeâmes notre bœuf sans mot dire. L'existence nous paraissait vide et terne. Nous songions en soupirant aux jours heureux de notre enfance. La tarte aux pommes, toutefois, nous dérida un peu, et quand George eut tiré du fond de la bourriche une conserve d'ananas, qu'il fit rouler au milieu du bateau, la vie nous parut, tout compte fait, digne d'être vécue.

Nous aimons beaucoup l'ananas, tous les trois. Nous regardâmes l'image de l'étiquette ; nous pensions au jus. Nous échangeâmes un sourire, et Harris prépara sa cuillère.

On se mit en quête de l'ouvre-boîtes. On retourna tout le panier. On mit sens dessus dessous les valises. On souleva les planches au fond du canot. On déposa tous les objets sur la rive, un à un, et on les secoua. L'ouvre-boîtes demeurait introuvable.

Harris tenta d'ouvrir la conserve à l'aide de son couteau de poche, mais la lame se cassa et il se coupa profondément. George essaya d'une paire de ciseaux, mais les ciseaux lui échappèrent et faillirent l'éborgner. Tandis qu'ils pansaient tous deux leurs blessures, je m'efforçai de faire un trou dans la boîte avec le bout pointu de la gaffe, mais la gaffe en glissant me projeta entre le bateau et la rive dans soixante centimètres d'eau vaseuse, et la boîte alla rouler, intacte, sur une tasse à thé, qu'elle brisa.

Alors nous perdîmes tous la tête. On porta cette satanée boîte sur la berge. Harris alla chercher dans un champ une grosse pierre, et je retournai dans le bateau prendre le mât, puis George tint la boîte, Harris appuya sur le couvercle le bout pointu de sa pierre, et, levant le mât en l'air, je rassemblai toutes mes forces et l'abattis.

Ce fut le chapeau de paille de George qui lui sauva la vie ce jour-là. Il l'a conservé — ce qu'il en reste — et les soirs d'hiver, quand les pipes sont allumées et que les copains débitent des galéjades sur les dangers qu'ils ont courus, George le décroche du mur pour l'exhiber à la ronde, et conte à nouveau l'effroyable histoire, avec des exagérations inédites chaque fois.

Harris s'en tira avec une simple égratignure.

Après cela, je pris la boîte à moi seul et la martelai à coups de mât jusqu'à n'en pouvoir plus, puis Harris s'en empara.

Nous la battîmes à plat ; nous la rebattîmes en cube ; nous lui infligeâmes toutes les figures connues de la géométrie — mais sans parvenir à y faire un trou. George alors s'y attaqua vigoureusement et lui donna une forme si étrange, si baroque, si repoussante dans sa monstrueuse hideur, que d'épouvante il rejeta son mât. Puis nous nous assîmes tous trois autour de la boîte, à la considérer.

Un grand renfoncement dans le dessus offrait l'aspect d'un rictus railleur, ce qui nous mit dans une rage telle que Harris sauta sur l'objet, le brandit et l'envoya voler au milieu du courant, où ils s'enfonça sous une bordée de malédictions. Puis, remontés dans le bateau, nous fîmes force de rames pour nous éloigner de ce lieu maudit, et ne nous arrêtâmes plus avant d'être à Maidenhead.

Cette ville est trop mondaine pour nous plaire. C'est le rendez-vous des poseurs de la Tamise et de leurs compagnes trop bien toilettées. C'est la ville des hostelleries fastueuses, fréquentées surtout par des gommeux et des danseuses. C'est le chaudron de sorcière d'où s'échappent ces démons du fleuve, les bateaux à vapeur. Le duc cité par le *London Journal* [85] a toujours son petit pied-à-terre à Maidenhead ; et c'est infailliblement là que déjeune l'héroïne du roman à la mode lors de ses escapades avec le mari de sa meilleure amie.

Nous traversâmes vivement Maidenhead, puis, ralentissant, fîmes à loisir le trajet grandiose qui s'étend au-delà des écluses Boulter et Cookham [86]. Les bois de Cliveden [87] portaient encore leur délicate parure de printemps et s'élevaient à partir du bord de l'eau en une harmonie prolongée où se fondaient les tons d'un vert féerique. Ce coin est peut-être, dans son intacte beauté, le plus délicieux trajet du fleuve, et nous nous y attardâmes longuement avant de soustraire notre petit bateau à sa profonde paix.

Nous entrâmes dans le canal de dérivation, juste avant Cookham [88], pour prendre le thé ; et quand nous eûmes passé l'écluse, il faisait nuit. Une jolie brise s'était levée, nous favorisant, par miracle, car, immanquablement, sur la Tamise, vous avez toujours le vent debout, dans quelque direction que vous alliez. Il est contre vous le matin, quand vous partez pour une excursion de la journée, et vous faites une bonne distance avec l'agréable perspective de revenir commodément à la voile. Mais, après le thé, le vent vire cap pour cap et il vous faut souquer dur contre lui tout le chemin du retour.

Si vous oubliez d'emporter la voile, le vent ne cesse de vous favoriser dans les deux sens. Hélas ! Cette vie n'est qu'une longue épreuve, et l'homme est né pour la souffrance, comme l'étincelle pour jaillir et disparaître [89].

Ce soir-là, néanmoins, le destin avait à coup sûr fait erreur, en nous mettant le vent arrière au lieu de nous l'installer dans le nez. Nous nous gardâmes bien d'en rien dire, et nous empressâmes de hisser la voile avant qu'il se fût aperçu de la méprise. Nous nous installâmes dans le bateau en des poses méditatives ; la voile se gonfla, tira, grinça contre le mât, et le canot vola sur les ondes.

Je barrais.

Je ne connais pas de sensation plus passionnante que d'aller à la voile. On n'en peut éprouver, sauf en rêve, qui se rapproche davantage du vol. Le vent de la course vous emporte indiciblement sur ses ailes. Vous n'êtes plus désormais cet être lourd, pétri d'argile, qui se traîne péniblement sur le sol. Vous faites partie de la nature ! Votre cœur bat contre le sien. Ses bras merveilleux vous soulèvent et vous attirent sur son sein. Votre âme communie avec la sienne ; vos membres s'allègent ! Les voix de l'air chantent autour de vous. La terre vous paraît lointaine et minuscule ; et les nuages, qui touchent presque votre front, sont des frères auxquels vous tendez les bras.

Nous avions tout le fleuve à nous, si ce n'est que dans le lointain nous apercevions, à l'ancre au milieu du courant, un bachot de pêche dans lequel étaient assis trois pêcheurs. Notre canot volait sur l'eau, les rives boisées défilaient, nous nous taisions.

Je barrais.

En approchant de ces trois hommes qui pêchaient, nous découvrîmes que c'étaient des vieux messieurs à l'air grave et solennel. Assis dans le bachot sur trois chaises, ils surveillaient attentivement leurs lignes. Le rouge couchant répandait sur les eaux une clarté mystique et faisait un nimbe d'or aux nuages amoncelés. C'était une heure d'extase enchantée, d'espoirs et d'aspirations sans limites. Notre petite voile se détachait sur le ciel de pourpre, la brume nous entourait, estompant de ses ombres le paysage, et derrière nous montait la nuit.

Pareils aux chevaliers de quelque vieille légende,

nous voguions sur un lac de mystère, vers le royaume inconnu du crépuscule, le grandiose pays du couchant.

Nous n'arrivâmes pas au royaume du crépuscule ; nous allâmes donner en plein dans le bateau où ces trois vieux messieurs étaient à pêcher. Nous ne comprîmes pas tout de suite ce qui était arrivé, car la voile nous bouchait la vue, mais d'après la nature du langage qui s'élevait dans l'air du soir, nous comprîmes que nous étions arrivés à proximité d'êtres humains, lesquels n'étaient pas du tout contents.

Harris amena la voile, et nous vîmes alors ce qui s'était passé. Nous avions, par la secousse, jeté à bas de leurs chaises ces trois vieux messieurs, qui formaient au fond du bachot un amas confus. Lentement et péniblement, ils s'efforçaient de se dégager du tas et de se débarrasser du poisson qui les couvrait ; et tout en opérant, ils invectivaient contre nous, en usant non pas de banales injures courantes, mais de longues malédictions réfléchies et compliquées, longuement méditées et fort significatives, qui embrassaient toute la durée de notre existence, s'étendaient à l'avenir le plus éloigné et comprenaient tous nos parents, amis et connaissances ; de fortes et substantifiques malédictions.

Harris leur fit observer qu'ils auraient dû plutôt nous remercier de leur avoir procuré un petit intermède au cours de leur longue journée de pêche, et il ajouta qu'il était surpris et peiné d'entendre des hommes de leur âge se laisser aller ainsi à la colère.

Mais cette exhortation n'arrangea pas les choses.

Après cet incident, George tint à prendre la barre. Un esprit comme le mien, dit-il, ne pouvait s'abaisser à gouverner des canots : mieux valait qu'un humain plus vulgaire veillât à la direction de notre esquif, pour nous empêcher de nous noyer. Il prit donc les tireveilles et nous conduisit jusqu'à Marlow. A Marlow, nous laissâmes le canot près du pont pour aller passer la nuit à la *Couronne*.

13

Marlow. — L'abbaye de Bisham. — Les moines de
Medmenham. — Montmorency pense à trucider un vieux
matou. — Mais, tout compte fait, il décide de le laisser
vivre. — Scandaleuse conduite d'un fox-terrier dans un
grand magasin. — Notre départ de Marlow. — Un
cortège imposant. — Le bateau à vapeur : recette pratique pour lui causer du désagrément. — Nous refusons de
boire la Tamise. — Un chien pacifique. — Etrange
disparition de Harris et d'un pâté.

Marlow est l'une des bourgades les plus agréables
que je connaisse sur la Tamise. C'est une petite ville
vivante et animée ; pas très pittoresque dans l'ensemble, il est vrai, mais on y trouve cependant quelques
coins étranges : arches qui survivent du viaduc brisé
du Temps, grâce auquel notre imagination remonte
jusqu'aux âges où le manoir de Marlow avait pour
seigneur le Saxon Algar[90], avant que Guillaume le
Conquérant[91] s'en fût emparé pour le donner à la
reine Mathilde[92], avant qu'il passât aux comtes de
Warwick[93] ou au savant et sage lord Paget[94], le
conseiller de quatre souverains successifs.

Il y a également de jolis environs, si vous aimez vous
promener après le canotage. Le fleuve, d'ailleurs, est
ici dans toute sa beauté. En aval, le trajet est charmant
jusqu'à Cookham, le long des prairies et des bois de la

Carrière. Chers vieux bois de la Carrière ! Avec vos sentiers grimpants, vos allées sinueuses, quels souvenirs parfumés vous m'apportez, à cette heure encore, des jours ensoleillés d'été ! Les fantômes de visages rieurs hantent pour moi vos ombreuses perspectives, et de vos ramures chuchotantes descendent doucement les voix de jadis !

Le trajet de Marlow à Sonning est plus beau encore. L'antique abbaye de Bisham [95], dont les murs de pierre ont retenti sous les voix des Templiers, et qui fut un temps la demeure d'Anne de Clèves, puis de la reine Elisabeth, se voit sur la rive droite, juste un kilomètre en amont du pont de Marlow. L'abbaye de Bisham abonde en souvenirs mélodramatiques. Elle renferme une chambre à coucher tendue de tapisserie, et un cabinet secret se cache dans l'épaisseur de ses murs. Le fantôme de la Dame Sainte [96], qui tua son petit garçon à force de coups, y rôde encore la nuit et s'efforce de laver ses mains spectrales dans un bassin spectral.

Warwick, le faiseur de rois, y repose, insoucieux désormais de ces vanités vulgaires que sont les rois et les royaumes de la terre ; Salisbury [97] également, qui fit de bonne besogne à Poitiers [98]. Juste avant d'arriver à l'abbaye et tout au bord du fleuve, se trouve l'église de Bisham [99], et s'il est des tombeaux dignes d'être visités, ce sont bien les monuments funéraires de cette église. C'est en se laissant bercer dans son canot sous les hêtres de Bisham que Shelley, qui habitait alors à Marlow — où l'on voit encore sa maison dans West Street — composa sa *Révolte de l'Islam* [100].

Près de l'écluse Hurley, un peu en amont, j'ai souvent imaginé que je pourrais passer un mois dans ce paysage sans en épuiser toutes les beautés. Le village de Hurley, à cinq minutes de marche de l'écluse, est un des plus anciens coins de la Tamise, car il remonte, pour employer la bizarre phraséologie de ces temps reculés, « aux jours du roi Sebert et du roi Offa [101] ». Juste après l'écluse, en remontant, est le Champ des Danois, où campèrent un jour les envahis-

seurs danois durant leur marche sur le comté de
Gloucester [102], et un peu au-delà encore, niché dans un
délicieux recoin du fleuve, ce qui reste de l'abbaye de
Medmenham.

Les célèbres moines de Medmenham [103], ou le
« Club du Feu de l'Enfer », comme on les appelait
d'ordinaire, et dont faisait partie l'illustre Wilkes [104],
était une confrérie ayant pour devise : « Fais ce que
veux », et cette exhortation se lit encore sur le porche
branlant de l'abbaye. Bien avant la fondation de cette
fausse abbaye et de sa congrégation d'irrévérencieux
farceurs, il y avait au même endroit un monastère d'un
genre plus sérieux, dont les moines différaient beaucoup des libertins destinés à leur succéder cinq cents
ans plus tard.

Les religieux cisterciens, dont l'abbaye se dressait là
au XIIe siècle, avaient pour seul vêtement un froc de
bure grossière et ne mangeaient ni chair, ni poisson, ni
œufs. Ils couchaient sur la paille et se relevaient à
minuit pour l'office. Ils passaient leur journée dans le
travail manuel, la lecture, la prière, et toute leur vie
s'écoulait dans un silence de mort, car nul n'avait le
droit de parler.

Quelle funèbre communauté, quelle existence aus-
tère, en cet aimable asile que Dieu créa si riant ! Il est
étrange que les voix de la nature qui les entourait — le
doux murmure du fleuve, le bruissement des roseaux,
l'harmonie du vent dans les ramures — n'aient pu leur
enseigner une conception meilleure de la vie ! Ils
restaient là à l'écouter tout au long du jour, attendant
une voix du ciel ; et tout au long des jours et des nuits
solennelles, cette voix leur parlait de mille et mille
façons, et ils ne l'entendaient pas.

De Medmenham à la jolie écluse de Hambledon, le
fleuve abonde en paisibles beautés, mais après avoir
dépassé Greenlands, la modeste propriété de mon
éditeur [105] — vieux monsieur tranquille et sans prétention, que l'on peut voir souvent par là en été, maniant
l'aviron à lui seul avec une souple vigueur ou
bavardant jovialement au passage avec un vieil éclusier

— jusque bien au-delà de Henley, le paysage est plutôt vide et monotone.

Le lundi matin, à Marlow, nous nous levâmes d'assez bonne heure et allâmes prendre un bain avant le petit déjeuner. Au retour, Montmorency se conduisit en parfait imbécile. L'unique divergence d'opinion qu'il y ait entre Montmorency et moi concerne les chats. J'aime les chats, Montmorency les déteste.

Lorsque je rencontre un chat, je lui dis : « Joli minet ! » en me baissant pour lui gratter le crâne ; et le chat dresse sa queue en crosse épiscopale, fait le gros dos et frotte son nez contre mon pantalon : tout se passe gentiment et paisiblement. Quand Montmorency rencontre un chat, la rue entière en est informée ; il se gaspille en dix secondes plus de gros mots que n'en dépense durant toute sa vie un homme qui se respecte, s'il les emploie à bon escient.

Je ne blâme pas le chien — et je me contente à l'ordinaire de lui administrer une taloche ou de lui jeter des pierres — parce qu'il se conduit, je l'admets, selon sa nature. Les fox-terriers sont nés avec une dose de péché originel au moins quatre fois plus grande que celle des autres chiens, et il faut des années et des années de patients efforts de notre part, à nous chrétiens, pour corriger de façon appréciable l'humeur batailleuse des fox-terriers.

J'étais un jour, je me rappelle, dans la salle de la consigne des grands magasins Haymarket [106] et tout autour de moi se trouvaient des chiens attendant le retour de leurs maîtres partis faire des achats à l'intérieur. Il y avait là un dogue, un ou deux colleys écossais, un saint-bernard, plusieurs épagneuls et terre-neuves, un chien pour chasser le sanglier, un caniche français au poil abondant sur la tête mais au derrière pelé, un bouledogue, quelques-unes de ces bestioles que l'on vend au passage Lowther [107], pas plus grosses que des rats, et un couple de chiens du Yorkshire.

Ils restaient là patiemment, bien sages et méditatifs. Une paix solennelle régnait dans cette salle d'attente.

Une atmosphère de calme et de résignation, de douce mélancolie, emplissait la pièce.

Entra alors une gentille petite madame, conduisant un mignon fox-terrier à l'air soumis, qu'elle laissa là, attaché entre le bouledogue et le caniche. Il resta une minute à regarder où il se trouvait. Puis il leva les yeux au plafond, l'air de songer à sa mère. Puis il bâilla. Puis il passa en revue les autres chiens, tous silencieux, graves et dignes.

Il considéra le bouledogue, qui dormait à sa droite d'un sommeil sans rêves. Il examina le caniche, hautainement dressé à sa gauche. Puis, sans crier gare et sans la moindre provocation, il mordit la patte de devant la plus proche du caniche, et un hurlement de douleur retentit dans l'ombre paisible de la salle d'attente.

Le résultat de sa première expérience lui parut des plus satisfaisants, et il se mit en devoir de continuer à répandre un peu d'animation autour de lui. Bondissant par-dessus le caniche, il s'attaqua vigoureusement à un colley, qui se réveilla et entama aussitôt une bataille en règle avec le caniche. Notre petit fox revint alors à sa place, attrapa le bouledogue par l'oreille et entreprit de le jeter au loin. Le bouledogue, bête curieusement impartiale, s'en prit à tout ce qui se trouvait à sa portée, y inclus le gardien de la salle de consigne, ce qui procura au cher petit terrier l'occasion de se livrer à une lutte soutenue avec un chien du Yorkshire lui aussi tout plein de bonne volonté.

A tous ceux qui connaissent la nature canine, il est inutile de dire qu'à cette heure tous les autres chiens présents dans la pièce s'étaient mis à lutter comme si l'existence de leurs foyers eût dépendu de l'issue de la mêlée. Les gros chiens se combattaient les uns les autres indistinctement. Les petits chiens aussi se battaient entre eux, et profitaient de leurs instants de loisir pour mordre les pattes des gros.

La salle d'attente fut bientôt un absolu pandémonium et le tapage était horrifique. Un rassemblement se forma au-dehors dans Haymarket : on se demandait s'il y avait une réunion du conseil municipal ou, sinon, qui on assassinait et pourquoi. Des hommes entrèrent, munis de bâtons et de cordes, s'efforçant de séparer les chiens, et on envoya chercher la police.

Au plus fort de la bagarre la gentille petite madame revint. Elle saisit son joli chéri mignon (il avait mis sur le flanc pour un mois le yorkshire et revêtait à présent l'expression d'un agneau nouveau-né), le serra dans ses bras, le couvrit de baisers, lui demandant s'il n'était pas mort et si ces grandes vilaines bêtes lui avaient fait du mal, et il se nicha contre elle, la contemplant, avec l'air de dire : « Ah ! chère petite maîtresse, quel bonheur que tu sois venue m'arracher à cette scène odieuse ! »

Elle déclara que la direction des magasins n'avait pas le droit de laisser mettre de grosses bêtes féroces comme ces autres chiens avec les chiens des gens comme il faut, et qu'elle avait bonne envie de lui intenter un procès.

Telle est la nature des fox-terriers ; c'est pourquoi je n'en veux pas à Montmorency de sa tendance à se battre avec les chats : mais il n'eut pas à se féliciter de s'y être livré ce matin-là.

Nous revenions, comme je l'ai dit, de la baignade, et nous étions dans la grand-rue, quand un chat jaillit d'une maison en avant de nous et se mit, en trottinant, à traverser la chaussée. Montmorency poussa un cri de joie — le cri du vaillant guerrier qui voit son ennemi se livrer entre ses mains — le cri même que dut pousser Cromwell quand les Ecossais descendirent de la colline [108] — et s'élança sur sa proie.

Sa victime était un gros matou noir. Je n'ai jamais vu de chat plus gros, ni d'apparence moins recommandable. Il avait perdu la moitié de sa queue, une oreille et une partie fort appréciable de son nez. C'était un animal solide et râblé.

Il avait un air calme et satisfait.

Montmorency se précipita sur ce pauvre chat à l'allure de trente kilomètres à l'heure, mais le chat s'abstint de presser le pas : il ne semblait pas du tout avoir compris que sa vie était en danger. Il continua de trottiner paisiblement jusqu'à ce que son assassin présomptif ne fût plus qu'à un mètre de lui. Il fit alors volte-face, s'assit au beau milieu de la chaussée et regarda Montmorency d'un air aimablement interrogateur qui voulait dire : « Tiens, tiens ! C'est à moi que vous en avez ? »

Montmorency ne manque pas d'audace ; mais il y avait dans la mine de ce chat de quoi glacer le cœur du chien le plus brave. Il s'arrêta court et considéra Minet.

Ni l'un ni l'autre ne parlèrent, mais la conversation que l'on peut imaginer entre eux fut évidemment celle-ci :

LE CHAT

Puis-je quelque chose pour vous ?

MONTMORENCY

Non... Merci, non.

LE CHAT

Vous savez, il ne faut pas vous gêner si vraiment vous désirez quelque chose.

MONTMORENCY, reculant un peu.

Oh ! non, pas du tout... Je vous assure... Ne vous inquiétez pas, je... je crois que j'ai fait erreur. Je pensais vous reconnaître. Pardon de vous avoir dérangé.

LE CHAT

Il n'y a pas de quoi... C'est avec le plus grand plaisir. Vrai, vous ne désirez rien de moi ?

MONTMORENCY, reculant toujours.

Absolument rien, merci... pas du tout... Vous êtes
trop aimable. Au revoir, portez-vous bien.

LE CHAT

Merci. Vous aussi.

Le chat se leva et repartit, trottinant. Montmorency, rentrant ce qu'il appelle sa queue dans l'espace
ménagé à cet effet, s'en revint vers nous et se plaça
modestement à l'arrière-garde.

Depuis lors, il suffit de prononcer le mot :
« Chat ! » pour voir Montmorency frémir et vous
adresser un regard piteux, l'air de dire : « Je vous en
prie ! »

Après le petit déjeuner, nous fîmes notre marché,
ravitaillant le bateau pour trois jours. George affirma
que nous devions prendre des légumes et qu'il était
malsain de n'en pas manger.

— C'est facile à cuire, ajouta-t-il, et je m'en charge.

Nous prîmes donc dix livres de pommes de terre,
un boisseau de petits pois et quelques choux. Nous
nous procurâmes à l'hôtel un pâté de viande, deux
tartes aux groseilles et un gigot de mouton ; plus des
fruits frais, des gâteaux, du pain et du beurre, du
jambon, du lard et des œufs, et d'autres victuailles qui
nous firent courir toute la ville.

Notre départ de Marlow, digne et impressionnant
quoique dépourvu d'ostentation, fut, à mon sens, un
de nos plus grands triomphes. Nous avions exigé dans
toutes les boutiques que l'on nous fît la livraison sur-
le-champ. Ces fallacieuses réponses : « Oui, monsieur, je vais vous envoyer ça tout de suite ; le garçon
sera là avant vous, monsieur », qui vous obligent à
faire le pied de grue sur l'embarcadère et à retourner
deux ou trois fois chez les marchands pour les activer,
nous n'en voulions pas. Nous attendîmes que le panier
fût chargé, pour nous faire accompagner par le
garçon.

Nous allâmes dans bon nombre de boutiques, adoptant ce principe dans chacune ; si bien que, pour finir, nous avions comme escorte la plus belle collection de garçons de courses que l'on pût désirer. Notre descente finale au milieu de la grand-rue jusqu'au fleuve dut être le plus imposant spectacle que Marlow eût vu depuis longtemps.

L'ordre du cortège était le suivant :

Montmorency, portant un bâton.

Deux roquets de mine peu recommandable, amis de Montmorency.

George portant les pardessus et couvertures, et fumant sa bouffarde.

Harris, s'efforçant de marcher avec désinvolture tout en portant d'une main une valise débordante et de l'autre une bouteille de citronnade.

Garçon légumier et garçon boulanger, avec corbeilles.

Garçon d'hôtel, chargé d'un panier.

Garçon pâtissier, avec panier.

Garçon épicier, avec panier.

Un chien à longs poils.

Garçon fromager, avec corbeille.

Un figurant, chargé d'un petit sac.

Ami intime du figurant, les mains dans les poches, fumant une pipe en terre.

Garçon fruitier, avec corbeille.

Moi, portant trois chapeaux et une paire de bottines, et m'efforçant de prendre un air détaché.

Six petits gamins et quatre chiens de rues.

Quand nous arrivâmes à l'embarcadère, le batelier nous demanda :

— Dites-moi, monsieur, est-ce pour le bateau à vapeur ou la péniche de plaisance ?

Il eut l'air étonné d'apprendre que nous venions chercher un canot à deux paires de rames.

Nous fûmes très persécutés par les bateaux à vapeur, ce matin-là. C'était précisément la semaine d'avant les régates, et ces embarcations circulaient en grand nombre, les unes isolément, les autres remorquant des péniches de plaisance. Je déteste les bateaux à vapeur, comme tout canotier, je suppose. Je ne peux pas en voir un sans éprouver l'envie de l'entraîner insidieusement vers un coin isolé du fleuve, et, dans le silence et le mystère, de l'y étrangler.

Il y a dans le bateau à vapeur une présomptueuse outrecuidance qui a le don de réveiller tous les mauvais instincts de ma nature, et je regrette le bon vieux temps où l'on pouvait aller dire leur fait aux gens avec une hache d'armes, un arc et des flèches. L'expression de physionomie du citoyen qui, les mains dans ses poches, se tient à l'arrière en fumant un cigare, suffirait à elle seule pour justifier une rupture diplomatique ; le coup de sifflet impérieux qui vous enjoint de vous écarter de sa route assurerait, j'en suis sûr, un verdict d'homicide par légitime défense devant n'importe quel jury de canotiers.

Il leur fallait vraiment siffler pour que nous nous écartions de leur route. Sans vouloir me vanter, je peux dire que notre petit canot, durant cette semaine-là, procura aux bateaux à vapeur plus de tintouin, de retard et de désagrément que toutes les autres embarcations de la Tamise réunies.

— Un bateau à vapeur qui arrive ! criait l'un de nous, en découvrant au loin l'ennemi.

A la minute, toutes nos dispositions étaient prises pour le recevoir. Je m'emparais des tire-veilles, Harris et George s'asseyaient à côté de moi, nous tournions tous trois le dos au bateau à vapeur, et le canot s'en allait tranquillement à la dérive au milieu du courant.

Survenait le bateau en sifflant, et nous dérivions toujours. A cent mètres de nous, il se mettait à siffler comme un petit fou et ses gens venaient se pencher au bordage pour nous héler à tue-tête. Mais nous n'entendions rien ! Harris nous racontait une anecdote au sujet de sa mère, et George et moi n'aurions voulu pour rien au monde en perdre une syllabe.

Le bateau poussait alors un sifflement suprême, à

s'en crever la chaudière, puis il faisait machine en
arrière, lâchait sa vapeur, et dans une embardée il
s'échouait. Tout le monde à bord se précipitait à
l'avant pour nous héler ; sur la rive les gens s'arrêtaient et joignaient leurs cris aux leurs, et tous les
autres canots qui passaient stoppaient et faisaient
chorus, tant et si bien que la Tamise entière, sur des
kilomètres d'étendue, en amont et en aval, se trouvait
dans un état de révolution inouï. Alors Harris s'inter-
rompait à l'endroit le plus palpitant de son récit et,
levant les yeux avec une douce surprise, disait à
George :

— Mais sapristi, George, dirait-on pas que voilà un
bateau à vapeur ?

Et George de répondre :

— Au fait, oui, il me semblait bien que j'entendais
quelque chose !

Sur quoi nous étions pris d'une agitation vertigi-
neuse, et dans notre affolement nous ne savions plus
comment garer le canot. Les gens du bateau, en foule,
nous lançaient des instructions :

— Ramez de droite... vous, espèce d'imbécile !
Déramez de gauche. Non, pas vous ! l'autre... et
laissez les tire-veilles tranquilles. Oui ! tous les deux
ensemble, allez-y. Mais non ! pas par là ! Oh ! tas de...

Puis ils mettaient à l'eau une barque pour venir à
notre secours ; et après un quart d'heure d'efforts, ils
finissaient par nous tirer de leur chemin, de façon à
pouvoir continuer. Nous leur présentions tous nos
remerciements et leur demandions de nous donner la
remorque, mais ils refusaient toujours.

Un autre bon moyen que nous découvrîmes d'irriter
le bateau à vapeur du genre aristocratique consistait à
faire mine de prendre ses passagers pour une joyeuse
troupe en goguette et à leur demander s'ils étaient la
bande de Messieurs Cubbit ou les Francs-Tem-
pliers [109] de Bermondsey [110], et s'ils pouvaient nous
prêter une casserole.

Les vieilles dames peu familiarisées avec la Tamise
sont toujours excessivement troublées par les bateaux

à vapeur. Je me rappelle être allé une fois de Staines à Windsor — ces parages de la rivière sont particulièrement fréquentés par ces monstres mécaniques — avec une société comprenant trois dames de cette espèce. Ce fut très divertissant. Du plus loin qu'elles voyaient apparaître un bateau à vapeur, elles voulaient à toute force débarquer pour s'asseoir sur l'herbe jusqu'après son passage. Elles regrettaient beaucoup, disaient-elles, mais dans leur famille on n'était pas téméraire.

A l'écluse de Hambledon, nous trouvant à court d'eau, nous prîmes la bonbonne et allâmes jusqu'à la maison de l'éclusier pour lui en demander. Notre porte-parole fut George. Avec un sourire persuasif, il prononça :

— S'il vous plaît, auriez-vous un peu d'eau à nous donner ?

— Certainement, répliqua le bonhomme : prenez tout ce qu'il vous faut et laissez le reste.

— Merci bien, murmura George en regardant autour de lui, mais où... où la mettez-vous ?

— Elle est toujours à la même place, mon garçon, lui répondit-on avec flegme. Juste derrière vous.

— Je ne la vois pas, fit George en se retournant.

— Eh bien, vrai ! et vos yeux, où sont-ils ? riposta l'éclusier, en forçant George à faire demi-tour et lui désignant tout le fleuve de long en large. Il y en a assez pour la voir, n'est-ce pas ?

— Oh ! s'écria George, comprenant enfin. Mais nous ne pouvons tout de même pas boire la Tamise !

— Non, mais vous pouvez en boire un peu, répliqua le bonhomme. Voilà quinze ans que je ne bois que ça.

George lui assura que sa mine après un tel régime ne semblait pas une réclame suffisante pour la marque d'eau, et qu'il préférait la tirer d'une pompe.

Nous en obtînmes à une maisonnette située un peu plus loin. Je suppose que c'était simplement de l'eau du fleuve, mais nous ne le savions pas, et tout alla bien. Ce que l'œil n'a pas vu, l'estomac n'en est point révolté.

Une autre fois, nous goûtâmes à l'eau de la Tamise, mais cela ne nous réussit guère. Nous descendions le courant, et nous étions engagés dans un bras de dérivation près de Windsor pour prendre le thé. Notre bonbonne était vide et nous avions le choix entre nous passer de thé et puiser de l'eau à la rivière. Harris était d'avis de s'y risquer. Il affirma qu'on n'avait rien à craindre en faisant bouillir l'eau, les divers microbes nuisibles qu'elle contenait étant tués par l'ébullition. Nous remplîmes donc notre bouilloire d'eau de la Tamise, que l'on fit bouillir, et l'on prit grand soin de la porter à complète ébullition.

Nous avions fait le thé et venions de nous installer commodément pour le boire, quand George, sur le point de porter la tasse à ses lèvres, s'arrêta et s'écria :

— Qu'est-ce que c'est que ça ?

— Quoi donc ? demandâmes-nous, Harris et moi.

— Mais ça ! reprit George, les yeux tournés vers l'ouest.

Nous suivîmes son regard et aperçûmes, descendant vers nous sur les ondes paresseuses, un chien. C'était un des chiens les plus tranquilles et les plus pacifiques que j'eusse jamais vus. Je n'ai jamais rencontré un chien qui eût l'air plus satisfait, plus libre de soucis. Il flottait rêveusement sur le dos, les quatre pattes en l'air, toutes droites. C'était ce qu'on peut appeler un chien dodu, au thorax bien développé. Il s'en venait, calme, digne et serein, et arrivé à hauteur de notre esquif il s'arrêta parmi les roseaux, où il s'installa douillettement pour la nuit.

George déclara qu'il ne voulait plus de thé et vida sa tasse dans l'eau. Harris non plus n'avait pas soif et suivit son exemple. J'avais bu la moitié de la mienne, mais j'eusse préféré n'y avoir pas touché.

Je demandai à George si, à son avis, j'allais attraper la typhoïde.

— Oh ! non, répondit-il ; je crois que tu as bien des chances d'y échapper. En tout cas, tu sauras dans une quinzaine de jours si tu l'as ou non.

Nous remontâmes le bras de dérivation jusqu'à

Wargrave. C'est un raccourci qui part de la rive droite, environ un kilomètre en amont de l'écluse Marsh, et qui mérite qu'on le prenne, car, outre qu'il fait gagner près d'un kilomètre, c'est un joli petit bout de rivière ombragé.

Naturellement, l'entrée en est obstruée de pilotis et de chaînes et de pancartes menaçant de toutes sortes de tortures, d'emprisonnement et de mort quiconque oserait plonger un aviron dans ses eaux (je m'étonne que certains de ces propriétaires riverains ne revendiquent pas l'air de la rivière, infligeant quarante shillings d'amende à qui le respire); mais les poteaux et les chaînes s'évitent facilement, avec un peu d'adresse, et quant aux écriteaux, on peut, si l'on dispose de cinq minutes et s'il n'y a personne aux environs, en arracher un ou deux et les jeter à l'eau.

A mi-longueur du bras de dérivation, nous débarquâmes pour déjeuner; et ce fut au cours de ce repas que George et moi ressentîmes une surprise fort pénible.

Harris aussi éprouva un saisissement, mais je doute que le sien ait été de loin aussi fâcheux que le nôtre.

Voici comment l'aventure advint. Nous étions assis dans une prairie, à dix mètres du bord de l'eau, et nous venions de nous installer commodément pour nous sustenter. Harris tenait entre ses genoux le pâté de bœuf et il le découpait, tandis que George et moi nous apprêtions à lui tendre nos assiettes.

— Avez-vous une cuillère ? dit Harris. J'ai besoin d'une cuillère pour servir le jus.

Le panier était juste derrière nous, et George et moi nous nous retournâmes tous les deux pour y en puiser une. Nous ne mîmes pas cinq secondes à la trouver. Quand nous reprîmes notre position primitive, Harris et le pâté avaient disparu !

Nous étions dans une vaste prairie où la vue s'étendait sans obstacle. Pas un arbre ni une haie à des centaines de mètres. Notre ami ne pouvait pas être tombé à l'eau, car nous étions entre le fleuve et lui, et il aurait été obligé pour cela de nous escalader.

George et moi contemplâmes les alentours. Puis nous nous considérâmes l'un l'autre.

— A-t-il été emporté au ciel ? demandai-je.

— On n'aurait tout de même pas pris le pâté avec, répondit George.

L'objection était de poids, et nous renonçâmes à l'hypothèse céleste.

— La véritable explication, à mon avis, reprit George, redescendant aux possibilités pratiques et quotidiennes, c'est qu'il y a eu un tremblement de terre.

Et il ajouta, d'un ton de mélancolie :

— C'est bien regrettable qu'il ait été en train de découper ce pâté.

Avec un soupir nous reportâmes de nouveau les yeux vers l'endroit où Harris et le pâté avaient été pour la dernière fois visibles sur terre. Soudain notre sang se figea dans nos veines et nos cheveux se hérissèrent sur nos crânes, en apercevant la tête de Harris — et rien que sa tête — se dressant parmi l'herbe haute, la figure très rouge et revêtant un air de grande indignation.

George fut le premier à se ressaisir.

— Parle ! s'écria-t-il. Dis-nous si tu es mort ou vivant, et où est le reste de ta personne.

— Ah ! ne fais pas l'idiot, répondit la tête de Harris. Je suis persuadé que vous l'avez fait exprès.

— Que nous avons fait exprès quoi ? m'exclamai-je ainsi que George.

— Mais, de me faire asseoir ici... Une fichue sale blague ! Allons, attrapez le pâté !

Des profondeurs de la terre, me sembla-t-il, surgit le pâté, fort mal en point. A sa suite, se hissa péniblement Harris, la mine défaite, terreux et mouillé.

Il s'était assis, sans le savoir, tout au bord d'un petit fossé que dissimulait l'herbe haute et, en se penchant un peu en arrière, il s'y était englouti, raide comme balle, avec le pâté.

Il nous dit n'avoir jamais éprouvé pire surprise

qu'au moment où il se sentit partir, sans pouvoir deviner en rien ce qui lui arrivait. Il crut d'abord que c'était la fin du monde.

Harris reste aujourd'hui encore persuadé que George et moi nous avions prémédité le coup. C'est ainsi que l'injuste soupçon poursuit jusqu'au plus innocent ; et, comme dit le poète [111], « Qui pourrait échapper à la calomnie ? »

Qui, en effet !

14

Wargrave. — Figures de cire. — Sonning. — Notre ragoût.
— Montmorency fait de l'ironie. — Combat entre Montmorency et la bouilloire. — George étudie le banjo. — On
le décourage. — Difficultés que rencontre le musicien
amateur. — En apprenant à jouer de la cornemuse. —
Tristesse de Harris après le souper. — Je vais faire un
tour avec George. — Nous rentrons affamés et trempés.
— Harris a un air bizarre. — Harris et les cygnes, histoire
extraordinaire. — Harris passe une mauvaise nuit.

Après le déjeuner survint une brise qui nous
emporta doucement et nous fit remonter jusqu'au-delà
de Wargrave et de Shiplake. Recuit et patiné sous le
soleil somnolent de l'après-midi d'été, Wargrave,
niché dans une courbe de la Tamise, vous apparaît
comme un tableau ancien qui demeure longtemps sur
la rétine de la mémoire.

Le *Saint-Georges et le Dragon* de Wargrave s'enor-
gueillit de posséder une enseigne peinte d'un côté par
Leslie, de l'Académie royale, et de l'autre par Hodgson, de la même maison. Leslie a figuré le combat ;
Hodgson a imaginé la scène « Après le Combat » :
saint Georges, son travail accompli, buvant sa pinte de
bière [112].

Day, l'auteur de *Sandford et Merton* [113], vécut et —

ce qui fait plus d'honneur encore à la localité — se tua à Wargrave. Dans l'église se voit le monument de Mrs. Sarah Hill, qui légua une livre sterling annuelle, à répartir le jour de Pâques entre deux garçons et deux filles « qui n'ont jamais désobéi à leurs parents et qu'on n'a jamais surpris à jurer ni à dire des mensonges, à voler ou à casser des carreaux ». Pensez donc, tout cela pour cinq shillings par an ! Ce n'est vraiment pas payé.

Le bruit court dans cette ville qu'un jour, il y a bien des années, un garçon se rencontra qui n'avait, en effet, jamais commis ces crimes — ou du moins, et c'était tout ce qui était exigé et tout ce qu'on pouvait attendre, n'avait jamais été surpris à les commettre — et qui mérita ainsi la couronne [114] de gloire. Il fut exposé durant trois semaines à l'hôtel de ville, sous globe.

Ce qu'il advint de l'argent par la suite, nul ne le sait. On dit qu'il est distribué chaque année au plus proche musée de figures de cire.

Shiplake est un joli village, mais sa situation sur la hauteur empêche qu'on le voie de la Tamise. Tennyson [115] s'est marié dans l'église de Shiplake.

Le fleuve, d'ici à Sonning, renferme de nombreuses îles dans ses méandres et coule placide et solitaire. Presque personne, sauf au crépuscule deux ou trois couples de rustiques amoureux, ne se promène sur ses rives. Le populo et les milords sont restés à Henley, et on est encore loin des rues sales et sinistres de Reading. C'est un lieu bien fait pour rêver aux jours passés, aux formes et aux visages disparus, à tout ce qui aurait pu être et n'a, hélas ! jamais été.

Nous débarquâmes à Sonning pour aller faire un tour dans le village. C'est le plus féerique petit coin perdu de la Tamise. Il ressemble plus à un village de théâtre qu'à un vrai, construit de brique et de mortier. Chaque maison est blottie dans un foisonnement de roses, et à cette époque, au début de juin, elles s'épanouissaient dans tout leur éclat. Si vous vous arrêtez à Sonning, descendez au *Taureau*, derrière l'église. C'est la classique vieille auberge de village, avec devant un jardin verdoyant, où, sur les bancs, à l'ombre des arbres, les vieux se réunissent le soir pour boire leur bière et causer de politique locale ; l'auberge aux amusantes chambres à plafond bas, aux fenêtres à petits carreaux, aux escaliers de guingois et aux corridors compliqués.

Nous flânâmes pendant une heure dans le pittoresque Sonning, puis, comme il était trop tard pour aller plus loin que Reading, nous décidâmes de retourner à l'une des îles de Shiplake et d'y passer la nuit. Il était encore de bonne heure quand nous fûmes installés, et George déclara que c'était l'occasion ou jamais, puisque nous avions le temps, de nous offrir un bon repas dans toutes les règles. Il ajouta qu'il voulait nous montrer ce qu'on pouvait obtenir sur la Tamise en fait de dîner, et nous proposa de nous confectionner un ragoût irlandais, ou *Irish stew,* avec quelques pommes de terre, des restes de bœuf froid et tous nos rogatons comestibles.

L'idée nous parut séduisante. George ramassa du bois et fit du feu, tandis que je m'occupais avec Harris de peler les pommes de terre. Je n'aurais jamais pensé que c'était une telle besogne que de peler des pommes de terre. Un vrai travail d'Hercule. Nous commençâmes gaiement, je dirais presque d'une manière folâtre, mais la première pomme de terre n'était pas achevée que notre insouciance avait disparu. Plus nous pelions, plus il semblait rester de peau. Une fois enlevée toute la pelure, et les « yeux » extirpés, il restait si peu de chose de la pomme de terre que cela ne valait plus la peine d'en parler. George vint y jeter un coup d'œil : elle était grosse comme une pistache. Il prononça :

— Non, ça ne peut pas marcher. Vous les massacrez. Il faut les racler.

Nous les raclâmes donc, et c'était un travail plus ardu encore que de les peler. Elles ont des formes tellement extravagantes, les pommes de terre, toutes en bosses, en verrues et en creux. Nous travaillâmes

avec activité pendant vingt-cinq minutes pour faire
quatre pommes de terre. Puis nous nous mîmes en
grève. Nous déclarâmes qu'il nous faudrait le reste de
la soirée pour racler les épluchures sur nos personnes.

George déclara qu'il était ridicule de n'introduire
que quatre pommes de terre dans un *Irish stew*, aussi
en lavâmes-nous une demi-douzaine de plus, que nous
jetâmes dans la marmite sans les éplucher. On y fourra
également un chou et un demi-boisseau de petits pois.
Après avoir brassé le tout, George déclara qu'il restait
encore beaucoup de place. On explora donc les deux
paniers, d'où l'on tira divers reliefs comestibles qui
furent adjoints au ragoût. On retrouva un demi-pâté
de porc et un morceau de lard bouilli qui entrèrent
dans la marmite. Puis George découvrit une demi-
boîte de saumon en conserve, et il la vida également
dans le ragoût.

L'avantage de l'*Irish stew*, c'est qu'il vous débarrasse d'un tas de choses. Je dénichai deux œufs qui
s'étaient cassés, et on les ajouta. Ils épaissiraient la
sauce, nous dit George.

J'ai oublié les autres ingrédients, mais je sais que
rien ne fut perdu, et je me souviens que vers la fin,
Montmorency, qui avait suivi notre manège avec le
plus vif intérêt, s'éloigna d'un air grave et pensif et
réapparut quelques minutes plus tard, portant dans sa
gueule un rat d'eau crevé, qu'il souhaitait évidemment
nous offrir comme sa contribution personnelle au
repas. Etait-ce dans une intention ironique ou par
désir de bien faire ? Je l'ignore.

On discuta pour savoir s'il fallait ou non ajouter le
rat. Harris dit qu'à son avis cela ferait très bien,
mélangé au reste, et que le moindre petit morceau
pouvait servir ; mais George invoqua les précédents.
Jamais, d'après lui, on n'avait entendu parler d'incor-
porer des rats d'eau à un *Irish stew*, et il trouvait plus
sûr de ne pas faire d'expériences.

Harris lui répliqua :

— Si tu n'essayes jamais rien de nouveau, comment
peux-tu savoir si c'est bon ou non ? Ce sont les gens

comme toi qui retardent le progrès. Pense à celui qui a goûté le premier de la saucisse de Francfort !

Cet *Irish stew* fut un grand succès. Je ne crois pas avoir jamais fait un meilleur repas. Il y avait là un arôme singulièrement frais et stimulant. Le palais se fatigue vite des provisions de route habituelles : ce plat, au moins, offrait une saveur nouvelle, une saveur ne ressemblant à rien de connu.

Et, de plus, il était nourrissant. Comme dit George, il ne renfermait que du solide. Les pois et les pommes de terre auraient pu à la rigueur être un rien plus tendres, mais nous avions tous de bonnes dents, et cela n'importait guère. Quant à la sauce, c'était un vrai poème ; un peu trop forte, peut-être, pour un estomac délicat, mais très nutritive.

Nous finîmes par du thé et de la tarte aux cerises. Pendant le thé, Montmorency fit la lutte avec la bouilloire et eut lamentablement le dessous.

Depuis le début du voyage il avait manifesté la plus vive curiosité à l'égard de la bouilloire. Il restait à la contempler tandis qu'elle bouillait, d'un air intrigué, et s'efforçait de temps à autre de l'exciter par ses grognements. Lorsqu'elle commençait à crachoter et à lancer de la vapeur, il y voyait un défi et aurait voulu se mesurer avec elle. Mais, à cet instant précis, quelqu'un intervenait toujours et lui ravissait sa proie sans lui laisser le temps de s'attaquer à elle.

Cette fois, il résolut de nous devancer. Au premier bruit que fit la bouilloire, il se leva en grognant et s'avança vers elle dans une attitude menaçante. Ce n'était qu'une petite bouilloire de rien du tout, mais elle était pleine d'ardeur et elle se rebiffa et se mit à cracher sur lui.

— Ah ! tu en veux, gronda Montmorency en montrant les dents. Je vais t'apprendre à narguer un chien de bonne famille, misérable long-nez, dégoûtant propre à rien ! Allons-y !

Et il s'élança sur cette pauvre petite bouilloire, qu'il saisit par le bec.

Alors, dans la paix du soir, s'éleva un hurlement

affeux, et Montmorency, quittant le bateau, fit autour de l'île une promenade de digestion à l'allure de soixante kilomètres à l'heure, s'arrêtant à tout moment pour enfouir son nez dans une flaque de boue fraîche.

A partir de ce jour, Montmorency regarda la bouilloire avec un mélange de respectueuse terreur, de méfiance et de haine. Du plus loin qu'il l'apercevait, il grondait et battait en retraite vivement, la queue entre les pattes, et dès qu'on mettait son ennemie sur le réchaud, il sortait promptement du bateau et allait s'asseoir sur la rive jusqu'à ce qu'on en eût fini avec le thé.

Après son souper, George tira son banjo et voulut en jouer, mais Harris s'y opposa. Il avait la migraine, dit-il, et ne se sentait pas de force à supporter ça. George estimait que la musique lui ferait sans doute du bien : la musique, prétendait-il, apaisait souvent les nerfs et dissipait la migraine. Il pinça deux ou trois accords, rien que pour donner à Harris un petit avant-goût de la chose.

Harris jura qu'il préférait sa migraine.

Au jour présent, George n'a toujours pas appris à jouer du banjo. On l'a trop découragé de toutes parts. Pendant nos vacances sur la Tamise, il tenta bien, deux ou trois soirs, de s'exercer un peu, mais il n'obtint aucun succès. Harris usait d'un langage bien fait pour démoraliser le plus brave ; et par ailleurs Montmorency s'asseyait et hurlait sans discontinuer.

— Qu'est-ce qui lui prend, de hurler comme ça quand je joue ? s'écriait George indigné, tout en s'apprêtant à lui lancer un soulier.

— Et toi, qu'est-ce qui te prend de jouer comme ça quand il hurle ? répliquait Harris, en s'emparant du soulier. Fiche-lui la paix. Il ne peut pas s'empêcher de hurler. Il a l'oreille musicale et c'est ta façon de jouer qui le fait hurler.

George finit par remettre l'étude du banjo à son retour chez lui. Mais même alors il n'en eut guère l'occasion. Mrs. Poppets ne manquait pas de monter aussitôt et de lui dire qu'elle regrettait beaucoup : pour sa part elle aimait fort l'entendre jouer, mais la dame d'au-dessus était dans une position intéressante, et le médecin craignait que la musique ne fût nuisible à l'enfant.

Puis George tenta de sortir avec son banjo, tard dans la nuit, et de s'exercer sur la place. Mais les voisins se plaignirent à la police qui établit une surveillance et un beau soir il fut pincé. Son flagrant délit était indéniable et il fut contraint de se tenir tranquille pendant six mois.

Cette aventure le découragea. Les six mois écoulés, il fit bien encore une ou deux molles tentatives pour se remettre à l'œuvre, mais il avait toujours à combattre la même froideur, la même désapprobation universelle. Au bout de quelque temps, il désespéra pour de bon, fit passer une annonce offrant l'instrument à grosse perte — son propriétaire n'en ayant plus l'usage — et remplaça la musique par l'étude des tours de carte.

Ce doit être bien décourageant d'apprendre à jouer d'un instrument de musique. On croirait volontiers que la société se doit à elle-même de faire tout le possible pour aider un homme à acquérir l'art de jouer d'un instrument de musique. Mais pas du tout.

J'ai connu un garçon qui s'exerçait à jouer de la cornemuse. On n'imagine pas toute l'opposition qu'il eut à combattre. Même chez les membres de sa famille, il ne recevait pas ce qui peut s'appeler un encouragement actif. Son père fut dès le début entièrement opposé à son entreprise, dont il parlait sans aucune aménité.

Mon ami se levait le matin de bonne heure pour étudier, mais il lui fallut bientôt changer de système à cause de sa sœur. Elle était très pieuse et jugeait fort blâmable de le voir commencer sa journée de cette façon.

Il préféra donc veiller tard, attendant pour jouer que sa famille fût couchée. Mais cette méthode ne lui réussit pas mieux, car elle valut à la maison une fâcheuse réputation. Des passants attardés s'arrêtèrent au-dehors pour écouter, et le lendemain répandirent par toute la ville le bruit qu'un affreux assassinat avait été commis la nuit précédente chez Mr. Jefferson. Ils racontaient avoir ouï les cris perçants de la victime, les blasphèmes et les malédictions du féroce meurtrier, auxquels avaient succédé les vaines supplications et les suprêmes hoquets de l'agonisant.

On lui permit donc de s'exercer le jour dans l'arrière-cuisine, toutes portes closes. Mais en dépit de ces précautions, les plus beaux passages s'entendaient généralement du salon et sa mère en était émue jusqu'aux larmes. Elle disait que cela lui rappelait son pauvre père (il avait été avalé par un requin, l'infortuné, en se baignant sur la côte de la Nouvelle-Guinée — mais où était le rapport, elle ne pouvait l'expliquer).

Alors on fit édifier pour lui un petit pavillon au bout du jardin, à quatre cents mètres de la maison, et on l'y envoyait avec son instrument lorsqu'il désirait s'en servir. Mais parfois il venait à la maison un visiteur qui n'était pas au courant et qu'on oubliait de prévenir. En allant faire un tour dans le jardin, il arrivait tout à coup dans le champ acoustique de cette cornemuse sans y être préparé ni savoir ce que c'était. Si la personne avait une âme forte, elle tombait seulement en convulsions quant aux gens d'intellect moyen, il fallait en général les enfermer.

Il faut bien l'avouer, il y a un caractère lugubre dans les premiers efforts d'un amateur de cornemuse. Je l'ai moi-même ressenti en écoutant mon jeune ami. La cornemuse est un de ces instruments éprouvants pour celui qui en joue. Il faut, avant de commencer, prendre assez de souffle pour tout le couplet. C'est ce que je compris en observant Jefferson.

Il débutait superbement, sur une note franche, belliqueuse, tout à fait prenante. Mais à mesure qu'il avançait, il allait de plus en plus piano, et la dernière strophe expirait en général au beau milieu dans un crachotement et un chuintement.

Il faut être en bonne santé pour jouer de la cornemuse.

Le jeune Jefferson n'apprit à jouer qu'un seul air sur son instrument : mais je n'ai jamais entendu personne se plaindre de l'insuffisance de son répertoire, absolument personne. Cet air était, à ce qu'il disait : « Voilà les Campbell qui arrivent, hourra ! hourra [116] ! » Mais son père soutenait toujours que c'était « Les campanules d'Ecosse ». Personne n'avait l'air de savoir au juste ce qu'était ce morceau, mais tous s'accordaient à reconnaître qu'il avait bien l'allure écossaise.

Harris fut de mauvaise humeur après le souper — je suppose que l'*Irish stew* l'avait dérangé : il n'a pas l'habitude des nourritures succulentes. Aussi George et moi le laissâmes-nous à bord, pour aller flâner un peu dans Henley. Il nous dit qu'il comptait fumer une pipe en prenant un verre de whisky et mettre tout en place pour la nuit. A notre retour nous n'aurions qu'à le héler et il viendrait de l'île nous chercher en bateau.

— Ne t'endors pas, mon vieux, lui dîmes-nous en partant.

— Pas de danger, avec ce ragoût, grommela-t-il, tout en ramant pour regagner l'île.

Henley faisait ses préparatifs en vue des régates [117] et était plein d'animation. Nous rencontrâmes par la ville bon nombre de connaissances et le temps passa vite en leur agréable société. Il était près de onze heures quand nous nous remîmes en route pour refaire les six kilomètres qui nous séparaient de notre chez nous, comme nous appelions alors notre petit bateau.

C'était une nuit déplaisante, il faisait frisquet et il tombait une pluie fine. Tout en avançant dans la campagne noire et muette et nous demandant si nous étions sur le bon chemin, nous pensions à l'abri du canot, à la bonne lumière filtrant par les joints de la bâche tutélaire, à Harris et à Montmorency, au whisky, et nous souhaitions être arrivés.

Nous nous imaginions être à bord, fatigués et en

appétit ; devant nous, le fleuve obscur et les ramures vagues, et au-dessous d'elles, tel un gros ver luisant, notre cher vieux canot, bien tiède, intime et familier. Nous nous voyions en train de souper, piquant dans la viande froide et nous passant des quignons de pain ; nous croyions entendre l'harmonieux cliquetis de nos couteaux, les voix rieuses emplissant l'étroit espace et débordant par l'ouverture jusque dans la nuit. Nous pressâmes le pas pour faire de cette vision une réalité.

Nous rejoignîmes enfin le chemin de halage, ce qui nous fit plaisir, car jusque-là nous ne savions pas trop si nous nous dirigions vers le fleuve ou à l'opposé, et quand on est fatigué et qu'on désire se coucher, pareille incertitude vous tourmente. Nous dépassâmes Shiplake comme minuit moins le quart sonnait à l'église, et George me dit pensivement :

— Dis donc, tu te rappelles laquelle des îles c'était ?

— Non, répondis-je, devenu soudain pensif moi aussi. Combien y en a-t-il ?

— Rien que quatre, repartit George. Tout ira bien, s'il est éveillé.

— Et sinon ? demandai-je.

Mais nous écartâmes cette supposition.

Arrivés à hauteur de la première île, nous hélâmes, mais sans recevoir de réponse. Nous passâmes à la seconde, et le résultat fut pareil.

— Ah ! maintenant je me rappelle, dit George. C'était la troisième.

Nous courûmes pleins d'espoir à la troisième et lançâmes un appel.

Pas de réponse.

La situation devenait grave. Il était minuit passé. Les hôtels de Shiplake et de Henley devaient être combles, et nous ne pouvions pas aller réveiller au milieu de la nuit les habitants des villas pour savoir s'ils louaient des chambres. George proposa de retourner à Henley et d'attaquer un agent de police pour obtenir un logement au poste. Mais nous nous posâmes la question : « Et s'il nous rend simplement nos coups et refuse de nous mettre sous clef ? »

Nous ne pouvions passer toute la nuit à nous battre avec des sergents de ville. De plus, il n'aurait pas fallu aller trop loin et attraper six mois de prison.

En désespoir de cause, nous fîmes une dernière tentative sur ce qui semblait dans l'obscurité être la quatrième île, mais sans plus de succès. La pluie s'était mise à tomber dru et semblait devoir durer. Nous étions trempés jusqu'aux os, glacés et malheureux. Nous commencions à nous demander si les îles étaient seulement quatre, et s'il n'y en avait pas davantage, voire si nous étions près des îles ou à un kilomètre plus loin, ou à un endroit tout différent de la Tamise, car on ne pouvait rien reconnaître dans l'obscurité. Nous comprenions les souffrances du Petit Poucet égaré dans la forêt.

Nous venions précisément d'abandonner tout espoir... oui, je sais que c'est toujours à ce moment-là que les choses arrivent dans les romans et les contes ; mais je n'y peux rien. J'ai résolu, en commençant à écrire ce livre, d'être absolument véridique en tout, et je le serai, dussé-je pour cela user d'expressions rebattues.

Nous venions précisément d'abandonner tout espoir, et donc je ne puis le dire autrement. Juste alors, donc, j'aperçus tout à coup, un peu en aval, parmi les arbres de l'autre rive, une étrange lueur clignotante. Une seconde, je crus à des revenants, tant cette lueur était vague et mystérieuse. Mais presque tout de suite je compris dans un éclair que c'était notre canot, et je lançai un tel cri que la nuit elle-même parut en tressaillir dans son lit.

Nous restâmes en suspens une minute ; et alors — oh ! divine musique des ténèbres ! — l'aboiement de Montmorency nous répondit. Nous poussâmes de nouveaux appels, capables de réveiller les Sept Dormeurs [118] (je n'ai jamais pu comprendre pourquoi il fallait faire plus de bruit pour réveiller sept dormeurs que pour un seul), et après un intervalle de temps qui nous parut durer une heure, mais qui ne dut pas, en réalité, dépasser cinq minutes, nous vîmes le bateau éclairé s'approcher lentement dans l'obscurité, et entendîmes la voix endormie de Harris nous demander où nous étions.

Il y avait quelque chose de singulier dans le ton de Harris. C'était plus que de la simple fatigue ordinaire. Il poussa le canot contre un point de la berge où il nous était absolument impossible d'accéder. Il nous fallut une dépense énorme de cris et de beuglements pour le réveiller et lui faire reprendre conscience, mais nous y réussîmes enfin et passâmes à bord sans accident.

Une fois dans le canot, nous vîmes que Harris avait l'air triste. Il donnait l'impression d'un homme qui vient d'avoir des ennuis. On lui demanda s'il ne lui était rien arrivé, et il prononça :

— Les cygnes !

Nous nous étions, paraît-il, amarrés tout contre un nid de cygnes, et peu après notre départ, à George et à moi, la femelle était revenue et avait protesté vigoureusement. Harris l'avait chassée, et elle était partie chercher monsieur son époux. C'est un véritable combat que Harris nous dit avoir eu à soutenir contre ces deux oiseaux ; mais le courage et l'adresse l'emportèrent à la fin et il les mit en déroute.

Au bout d'une demi-heure, ils s'en revinrent avec dix-huit autres cygnes. La bataille fut épique, à en croire le récit de Harris. Les cygnes avaient tenté de l'arracher du canot ainsi que Montmorency, et de les noyer tous les deux. Après s'être défendu comme un héros pendant quatre heures, il les avait tués tous et ils s'étaient traînés au loin pour mourir.

— Combien as-tu dit qu'ils étaient, ces cygnes ? demanda George.

— Trente-deux, répondit Harris, dormant à moitié.

— Tu viens de dire dix-huit, reprit George.

— Non, ce n'est pas vrai, grogna Harris. J'ai dit douze. Tu te figures que je ne sais pas compter ?

Nous ne sûmes jamais le fin mot, concernant ces cygnes. Questionné le matin à leur sujet, Harris répondit : « Quels cygnes ? » avec l'air de croire que George et moi nous avions rêvé.

Ah ! quel délice de se retrouver en sécurité dans le canot, après nos épreuves et nos craintes ! Nous mangeâmes avec appétit, George et moi, et nous aurions aimé prendre un grog ensuite, mais quand nous cherchâmes le whisky, il nous fut impossible de le découvrir. Nous interrogeâmes Harris pour savoir ce qu'il en avait fait, mais il paraissait ne plus connaître la signification du mot whisky ni comprendre de quoi nous parlions. Montmorency avait l'air de savoir quelque chose, mais il ne dit rien.

Je dormis bien, cette nuit-là, et j'aurais dormi encore mieux, n'eût été Harris. J'ai un vague souvenir d'avoir été réveillé au moins une douzaine de fois au cours de la nuit par Harris qui explorait le canot avec une lanterne en cherchant ses vêtements. Je crois bien qu'il passa toute la nuit à se tourmenter à leur sujet.

Par deux fois il nous fit lever, George et moi, pour voir si nous n'étions pas couchés sur son pantalon. La seconde fois, George se mit en fureur.

— Que diantre as-tu besoin de ton pantalon au milieu de la nuit ? demanda-t-il avec indignation. Tu ne peux donc pas te coucher et dormir ?

Quand je me réveillai la fois suivante, il se désolait de ne pas trouver ses chaussettes ; et, dernier souvenir confus, je me rappelle avoir été roulé sur le flanc et avoir entendu Harris se demander d'une voix pâteuse où pouvait bien être passé son parapluie.

15

Travaux domestiques. — Amour du travail. — Le vieux
routier de la Tamise, ce qu'il fait et ce qu'il raconte avoir
fait. — Scepticisme de la nouvelle génération. — Premiers souvenirs de canotage. — Le radeau. — Brillants
exploits de George. — Le vieux batelier, sa méthode. —
Si calme, si serein. — Le débutant. — Un fâcheux
accident. — Plaisirs de l'amitié. — A la voile, ma
première aventure. — Pourquoi nous ne nous sommes pas
noyés : une explication possible.

On se leva tard le lendemain matin, et, à la demande
expresse de Harris, le déjeuner fut simple et « sans
extras ». Puis on nettoya, on mit tout en ordre (ce
travail continuel commençait à me faire voir clair dans
une question que je m'étais souvent posée, à savoir : à
quoi peut bien passer son temps une femme n'ayant
sur les bras que l'ouvrage d'une seule maison ?), et
vers dix heures nous nous mîmes en route avec la
résolution de faire un bon bout de trajet.

Nous convînmes de ramer, ce matin-là, pour nous
changer du halage. Harris était d'avis que la meilleure
combinaison serait de nous mettre aux avirons tandis
que lui-même barrerait, mais je ne l'entendis pas de
cette oreille-là. Je déclarai qu'à mon avis Harris eût
montré plus de bon sens s'il avait offert de travailler
avec George, pour me laisser un peu de repos. Il me

semblait avoir fait plus que ma juste part de la
besogne, et je commençais à la trouver mauvaise.

J'ai toujours l'impression que je fais plus de travail
que je ne devrais. Non pas que je rechigne au travail,
notez-le bien; j'aime le travail, il m'enchante. Je
resterais des heures à le contempler. J'adore l'avoir
auprès de moi. L'idée d'en être séparé me fend le
cœur.

On ne saurait me donner trop de travail; accumuler
le travail est devenu chez moi presque une passion;
mon bureau en est rempli, à tel point qu'il n'y a plus
de place pour en mettre davantage. Il me faudra
bientôt faire bâtir une annexe.

Et je prends soin de mon travail, aussi. Vrai, une
partie de celui que j'ai à présent chez moi est en ma
possession depuis des années, et il n'y a pas dessus la
moindre trace de doigts. Je suis très fier de mon
travail. Je le descends de temps à autre pour l'épousse-
ter. Personne ne tient son travail en meilleur état de
conservation que moi.

Mais tout en aspirant au labeur, je tiens encore à
être juste. Je n'en demande pas plus que ma part
légitime.

Malheureusement je le reçois sans l'avoir demandé
— du moins c'est l'impression que j'ai — et cela
m'ennuie.

George affirme qu'à son avis je n'ai pas à m'inquiéter à ce sujet. D'après lui, c'est mon tempérament
scrupuleux à l'excès qui seul me fait craindre d'en
avoir plus que mon dû et en réalité je n'en ai pas même
la moitié de ce qu'il faudrait. Mais je crois qu'il ne dit
cela que pour me consoler.

En canot, je l'ai toujours remarqué, chaque membre
de l'équipage professe l'idée fixe qu'il est seul à tout
faire. D'après Harris, il n'y avait que lui qui eût
travaillé, et George et moi avions tous deux abusé de
lui. George, d'autre part, trouvait ridicule d'admettre
que Harris eût rien fait de plus que manger et dormir,
et il était persuadé, dur comme fer, que c'était lui,
George, qui avait exécuté toute la besogne utile.

Il n'avait, à l'entendre, jamais excursionné avec deux pires fainéants que Harris et moi.

Cette affirmation excita l'ironie de Harris.

— Crois-tu, ce vieux George qui parle de travail ! ricana-t-il. Mais au bout d'une demi-heure il en mourrait ! As-tu jamais vu George travailler ? ajouta-t-il, en s'adressant à moi.

Je convins que cela ne m'était jamais arrivé — très certainement pas depuis le début de cette balade-ci.

— Ma foi ! Je ne vois pas comment, toi, tu pourrais en savoir quelque chose, d'une façon ou de l'autre, répliqua George à Harris, car du diantre si tu n'as pas dormi la moitié du temps ! As-tu jamais vu Harris complètement réveillé, en dehors des repas ? demanda George, s'adressant à moi.

La vérité me força de le confirmer. Harris ne s'était guère rendu utile dans le bateau depuis le début.

— Bah ! malgré tout, j'en ai quand même fait plus que ce vieux J., reprit Harris.

— C'est vrai. Tu aurais eu de la peine à en faire moins, ajouta George.

— J. me fait tout l'effet de croire qu'il est le passager, continua Harris.

C'était là leur reconnaissance envers moi pour leur avoir fait faire, à eux et à leur maudit canot, tout le trajet en montée depuis Kingston, pour avoir tout dirigé et préparé pour eux, avoir pris soin d'eux, et m'être échiné comme un esclave. Ainsi va la vie.

Pour résoudre la présente difficulté, il fut convenu que Harris et George rameraient jusque passé Reading et qu'à partir de là je halerais le bateau.

Ramer un lourd esquif contre un fort courant a désormais peu d'attraits pour moi. Il fut un temps, jadis, où je ne cessais de réclamer à grands cris le travail pénible ; à présent, je me dis que c'est le tour des jeunes.

Je constate que, pour la plupart, les vieux canotiers de la Tamise prennent semblablement leur retraite chaque fois qu'il est question de souquer dur. On reconnaît toujours le vieil habitué de la Tamise à la façon dont il s'étend sur les coussins au fond du bateau et encourage les rameurs en leur racontant des anecdotes sur les hauts faits qu'il a accomplis la saison précédente.

— Vous appelez ce que vous faites un travail pénible, dit-il avec mépris aux deux novices tout suants qui viennent de trimer sans arrêt à remonter le courant depuis une heure et demie. Eh bien ! Jim Biffles, Jack et moi, la saison dernière, nous avons remonté à l'aviron de Marlow à Goring en un après-midi, sans nous arrêter une seule fois. Tu te rappelles, Jack ?

Jack, qui s'est fait à l'avant un lit de toutes les couvertures et de tous les manteaux qu'il a pu récolter, et qui n'a cessé d'y dormir depuis deux heures, s'éveille à moitié à cet appel et se remémore toute l'histoire. Il se souvient, en outre, qu'ils avaient eu tout le temps contre eux un fort courant, ainsi qu'une forte brise.

— Cela faisait bien cinquante-cinq kilomètres, n'est-ce pas ? ajoute le premier interlocuteur, entre deux béates bouffées de sa pipe et en attirant à lui un nouveau coussin pour le glisser sous sa tête.

— Non, voyons, n'exagère pas, Tom, reprend Jack d'un ton de reproche. Cinquante-quatre kilomètres au maximum.

Jack et Tom, épuisés par cet effort de conversation, retombent dans leur assoupissement. Et les deux naïfs jeunes gens qui souquent, s'estiment trop heureux de pouvoir ramer dans un canot où se trouvent deux avirons aussi merveilleux que Jack et Tom, et s'échinent avec plus d'ardeur que jamais.

Quand j'étais jeune, j'écoutais attentivement ces contes débités par mes aînés, je les acceptais, je les avalais et les digérais jusqu'au dernier mot, après quoi j'en redemandais. Mais la nouvelle génération ne semble guère posséder la foi ingénue de l'ancien temps. La saison dernière, nous — c'est-à-dire George, Harris et moi — prîmes un jour à notre bord, sur la haute Tamise, un « bleu » et tout le long du chemin nous le bourrâmes des histoires habituelles concernant les exploits merveilleux que nous avions accomplis.

Nous lui servîmes toute la série classique — ces vénérables craques qui ont été rabâchées depuis tant d'années à tous les canotiers de la Tamise, et nous y ajoutâmes sept histoires de notre cru, entièrement originales, dont une vraiment très réussie, fondée jusqu'à un certain point sur un épisode presque vrai qui était effectivement arrivé jadis, avec quelques variantes, à l'un de nos amis — une histoire qu'un enfant même aurait pu gober sans trop de peine.

Et voilà que le jeune homme se moqua d'elles toutes, et nous pria de lui répéter le tout immédiate- ment, pariant dix contre un que nous en serions incapables.

Nous en vînmes ce matin-là à parler de nos aventures de canotage et à recenser les histoires de nos premières tentatives dans l'art de l'aviron. Mon tout premier souvenir de canotage nous revoit à cinq, nous cotisant de trois pence chacun pour emmener sur le lac de Regent's Park [119] un radeau de construction baro- que, et nous séchant conséquemment chez le gardien du parc.

Après quoi, ayant pris goût à naviguer, je m'exerçai à faire du radeau dans les briqueteries inondées de la banlieue — exercice offrant un intérêt plus palpitant que l'on ne serait tenté de le croire, surtout lorsque vous êtes au milieu de l'étang et que le propriétaire des matériaux dont est construit le radeau apparaît tout à coup sur la rive, un gros bâton à la main.

A la vue de ce personnage, votre première impres- sion est que, pour une raison ou pour une autre, vous n'êtes pas à la hauteur d'un entretien avec lui, et que si vous le pouvez sans paraître grossier, vous préféreriez éviter sa rencontre. Votre intention est donc de vous transporter sur la rive de l'étang opposée à la sienne et de retourner chez vous sans bruit et au plus vite, en faisant semblant de ne pas le voir. Lui, au contraire, est désireux de vous serrer la main et de causer avec vous.

Il apparaît qu'il connaît votre père et que vous êtes de ses relations intimes, mais cela ne vous attire pas vers lui. Il dit qu'il va vous apprendre à lui voler ses planches pour en faire un radeau. Mais comme vous savez déjà très bien vous y prendre, l'offre, toute bienveillante qu'elle est sans aucun doute, vous paraît superflue, et vous vous refusez à le déranger aucunement en acceptant.

Son désir de vous rejoindre, cependant, est insensible à votre froideur, et la façon énergique dont il arpente la rive de l'étang, de façon à se trouver là pour vous accueillir au débarqué, est vraiment des plus flatteuses.

S'il est un peu empâté et court d'haleine, vous pouvez facilement esquiver ses avances ; mais s'il est jeune et bon coureur, une rencontre est inévitable. L'entrevue est néanmoins des plus brèves, car il est seul à soutenir la conversation, vos remarques se bornent à quelques exclamations monosyllabiques, et, dès que vous pouvez vous esquiver, vous n'y manquez pas.

Je consacrai environ trois mois à faire du radeau, puis ayant acquis toutes les facilités nécessaires dans cette branche de l'art, je résolus de me mettre au vrai canotage et m'affiliai à l'un des clubs nautiques de la Lea [120].

Naviguer en canot sur cette rivière, en particulier le samedi après-midi, vous rend vite très agile à manœuvrer un esquif et fort expert à éviter de vous faire couler par les maladroits ou aborder par les péniches. Cette navigation vous offre d'ailleurs maintes occasions d'acquérir la plus prompte et la plus gracieuse méthode de vous aplatir dans le fond du canot pour éviter d'être projeté à l'eau par les cordelles de halage qui passent.

Mais cela ne vous donne pas le style. Ce fut seulement sur la Tamise que je l'acquis. Le style de mon coup d'aviron est maintenant des plus admirés. On le dit fort pittoresque.

George attendit l'âge de seize ans pour aller sur

l'eau. Alors, lui et huit autres jeunes messieurs à peu près du même âge ils descendirent en corps à Kew [121], un samedi, dans l'intention d'y louer un canot et d'aller à la rame jusqu'à Richmond [122] et retour. L'un d'eux, jeune homme à la tignasse ébouriffée du nom de Joskins, qui avait une fois ou deux pris une barque sur la Serpentine [123], leur affirma que c'était rudement amusant de canoter.

Lorsqu'ils arrivèrent à l'embarcadère, la marée descendait rapidement et une forte brise soufflait par le travers du fleuve. Mais ils ne s'embarrassèrent pas pour si peu et se mirent en devoir de choisir leur bateau.

Il y avait, tiré à terre, un canoë de course à huit avirons ; c'est celui-là qui les séduisit. Ils demandèrent à l'avoir. Le loueur de bateaux était absent et son employé était seul chargé du service. Ce garçon tenta de refroidir leur ardeur pour le canoë et leur montra deux ou trois canots d'aspect très confortable, à l'usage des familles, mais ils n'en voulurent pas : c'était le canoë qu'il leur fallait.

Le garçon le mit donc à l'eau, et, retirant leurs vestes, ils s'apprêtèrent à prendre leurs places. Comme George était, dès ce temps-là, le poids lourd de toute société où il se trouvait, l'employé lui conseilla de se mettre numéro quatre. George, plein de bonne volonté, s'empressa d'aller au siège d'avant et de s'y asseoir le dos à l'arrière. On finit par le placer comme il fallait et ses compagnons embarquèrent.

Un garçon particulièrement nerveux fut désigné comme barreur, et Joskins lui exposa les principes de la gouverne. Joskins lui-même se mit chef de nage. Il affirma aux autres que c'était tout simple : ils n'avaient qu'à faire comme lui.

— Vous y êtes ? leur demanda l'employé de l'embarcadère.

— Nous y sommes, répondirent les canotiers.

Et, prenant une gaffe, il les poussa au large.

Ce qui s'ensuivit, George est incapable de l'exposer en détail. Il garde un souvenir confus d'avoir reçu dans le creux du dos un coup violent de la poignée de l'aviron numéro cinq, en même temps que son siège à coulisse se dérobait sous lui comme par enchantement et le déposait assis sur les planches. Il remarqua également, comme un fait curieux, que le numéro deux s'était au même instant étalé sur le dos dans le fond du bateau, les jambes en l'air, pris sans doute d'une attaque.

Ils passèrent sous le pont de Kew, leur canoë en travers, à l'allure de quinze kilomètres à l'heure. Joskins était seul à ramer. Se rétablissant sur son siège, George s'efforça de l'aider, mais à peine eut-il plongé dans l'eau son aviron, que celui-ci, à son extrême surprise, disparut instantanément sous le bateau et faillit l'entraîner avec lui.

Et le barreur, rejetant par-dessus bord les deux tire-veilles du gouvernail, éclata en sanglots.

Comment ils firent pour revenir, George ne l'a jamais su, mais l'opération leur prit quarante minutes. Une foule dense rassemblée sur le pont de Kew suivait les manœuvres avec le plus vif intérêt, et chacun leur criait des conseils différents. Par trois fois ils furent emportés sous le pont. Chaque fois que le barreur, en levant les yeux, voyait le pont au-dessus de lui, il redoublait de larmes.

George avoua qu'il ne pensait guère, cet après-midi-là, qu'il aimerait jamais faire du canotage.

Harris est plus habitué à ramer en mer, et dit qu'il préfère ça, comme exercice, à la navigation en rivière. Moi pas. Je me rappelle avoir pris un petit canot à Eastbourne [124], l'été dernier ; j'avais déjà fait pas mal de canotage en mer quelques années auparavant, et je croyais devoir m'en tirer bien, mais je m'aperçus que j'avais totalement oublié cet art. Tandis qu'un aviron était profondément engagé sous l'eau, l'autre s'agitait désespérément dans l'air. Pour prendre appui sur l'eau des deux à la fois, je fus obligé de me tenir debout. La promenade était bondée de gens chics, et je dus passer devant eux en ramant de cette façon grotesque. J'atterris au beau milieu de la plage et demandai l'aide d'un vieux batelier pour me ramener au port.

J'aime à voir ramer un vieux batelier, surtout quand il est loué à l'heure. Il y a dans sa méthode quelque chose de superbement calme et digne. Il est tout à fait dépourvu de cette hâte frénétique, de cet acharnement qui devient un peu plus chaque jour le fléau de la vie du dix-neuvième siècle. Il ne met aucun point d'honneur à dépasser les autres bateaux. Si un canot le rattrape et le dépasse, il ne s'en inquiète pas ; et de fait, tous le rattrapent et le dépassent — tous ceux qui vont dans la même direction que lui. Il y a des gens que cela dérangerait et irriterait ; la sublime magnanimité du batelier de louage, soumis à cette épreuve, nous offre une belle leçon qui nous prémunit contre l'ambition et la vanité.

Le vulgaire coup d'aviron, suffisant à faire avancer le canot à la va-comme-je-te-pousse, n'est pas un art d'acquisition difficile, mais il faut avoir beaucoup de pratique pour se sentir à l'aise en ramant devant des jeunes filles.

Le chiendent, au début, c'est la « cadence ».

« C'est bizarre, s'étonne le novice, alors que, pour la vingtième fois en cinq minutes il dépêtre ses avirons des vôtres — je m'en tire si bien quand je suis seul ! »

Deux débutants qui s'exercent à ramer avec ensemble font un spectacle très amusant. « Avant » déclare impossible d'aller en mesure avec son collègue d'arrière, parce que celui-ci rame d'une façon par trop excentrique. « Arrière » s'insurge bien haut contre cette imputation et déclare que depuis cinq minutes il s'efforce d'adapter son coup d'aviron aux médiocres capacités d' « Avant ». « Avant » à son tour prend la mouche et prie « Arrière » de ne plus tant s'inquiéter de lui (Avant), mais de consacrer son attention à ramer intelligemment.

— Ou bien veux-tu que je prenne ta place ? ajoute-t-il, évidemment persuadé qu'il remettra aussitôt les choses en ordre.

Ils pataugent encore cent mètres, avec aussi peu de

succès ; puis, tout le secret de leurs déboires se révèle
dans un éclair d'inspiration d' « Arrière », qui s'ex-
clame :

— Sais-tu ce qu'il y a ? Tu as pris mes avirons ;
passe-les-moi et reprends les tiens.

— Au fait, je me disais bien que je ne savais pas me
servir de ceux-ci, répond « Avant », qui se rassérène
et opère aussitôt l'échange. Maintenant, ça va
marcher.

Mais ils ont beau faire, ça ne marche pas davantage.
« Arrière » est obligé à présent de se démancher les
bras pour manier ses avirons ; et ceux d' « Avant », à
chaque retour, lui flanquent un grand coup dans la
poitrine. Ils changent de nouveau, et finissent par
conclure que le loueur leur a donné un jeu d'avirons
complètement inutilisables, et sur cette affirmation
calomnieuse, ils se réconcilient.

George nous raconta qu'il avait essayé de faire du
punt [125] pour changer. Manœuvrer un *punt* à la perche
n'est pas aussi facile qu'on le croit. Comme avec
l'aviron sur un canot, vous apprenez vite à faire
avancer l'esquif, mais il faut du temps pour s'en tirer
avec honneur et ne pas s'envoyer de l'eau plein les
manches.

Il arriva un bien triste accident à un jeune homme
de mes amis, la première fois qu'il manœuvra la
perche sur un *punt*. Ses rapides progrès lui avaient
inspiré une confiance excessive dans son adresse, et il
manœuvrait avec une grâce désinvolte qui faisait
plaisir à voir. Il remontait jusqu'à l'avant de son *punt*,
piquait sa perche dans le fond, et puis revenait jusqu'à
l'autre bout, tout comme un vieux marin.

Et ç'aurait continué d'être superbe, s'il n'avait, par
malheur, tout en regardant autour de lui pour jouir du
paysage, fait un pas de plus qu'il ne fallait et mis le
pied complètement en dehors du *punt*. La perche était
solidement fixée dans la vase, et il y resta accroché,
tandis que le *punt* s'en allait au fil de l'eau. Sa position
était fort peu décorative. Un petit garnement sur la
berge se mit aussitôt à héler un copain, lui criant de

venir bien vite « voir un vrai singe sur son bâton ».

Il me fut impossible d'aller à son secours, car notre mauvais sort voulait que nous n'eussions pas pris la précaution d'emporter une perche de rechange. J'en étais réduit à le contempler sans rien faire. Je n'oublierai jamais son air tandis que la perche s'enfonçait peu à peu : il paraissait infiniment pensif.

Je le vis glisser tout doucement dans l'eau, puis s'en dépêtrer et gagner le bord, piteux et ruisselant. Je ne pus m'empêcher de rire. Je ne cessai de m'amuser tout seul que lorsque j'eus compris le peu de raison qu'il y avait de rire, en y réfléchissant. J'étais là, tout seul dans un *punt* sans perche, à la dérive, au milieu du courant, qui m'entraînait peut-être vers un déversoir d'écluse.

Je fus pris d'une grande indignation contre mon ami qui s'était avisé de passer par-dessus bord et de me lâcher de la sorte. Il aurait pu au moins me laisser la perche.

Après avoir dérivé un bon kilomètre, j'aperçus devant moi, amarré au milieu du fleuve, un bachot où se trouvaient deux vieux pêcheurs. Ils me virent arriver sur eux et me crièrent de m'écarter de leur chemin.

— Je ne peux pas, répondis-je.

— Mais vous n'essayez pas, répliquèrent-ils.

Quand je fus près d'eux, je leur expliquai ma situation et, m'arrêtant au passage, ils me prêtèrent une perche. Le déversoir se trouvait à cinquante mètres plus bas. J'avais eu de la chance de les rencontrer là.

La première fois que j'allai en *punt*, ce fut en compagnie de trois camarades ; ils voulaient me montrer la manière de s'en servir. Une circonstance quelconque nous empêchant de partir tous ensemble, j'offris d'y aller le premier et de sortir le *punt,* pour m'exercer un peu jusqu'à leur arrivée.

Je ne pus trouver de *punt* cet après-midi-là, car tous étaient pris. Il ne me resta donc qu'à m'asseoir sur la berge et à regarder le fleuve en attendant mes amis.

J'étais là depuis peu de temps lorsque mon attention fut attirée par l'occupant d'un *punt* qui, je le remarquai avec surprise, portait un veston et une casquette exactement pareils aux miens. C'était à coup sûr un novice du *punt*, et sa façon de manœuvrer était des plus curieuses. Impossible de deviner ce qui allait se passer quand il plongeait sa perche dans l'eau ; lui-même l'ignorait certainement. Tantôt il s'élançait vers l'amont, tantôt vers l'aval, ou bien il se bornait à pirouetter sur place et à faire le tour de sa perche. Chaque fois le résultat paraissait lui causer autant de surprise que de déplaisir.

Les gens de la rive ne tardèrent pas à s'absorber dans sa contemplation et engagèrent des paris sur le résultat du prochain coup de perche.

Entre-temps mes amis apparurent sur l'autre rive et s'arrêtèrent comme tout le monde pour le regarder. Il leur tournait le dos, et eux ne voyaient que son veston et sa casquette. Leur conclusion immédiate fut que c'était moi qui me donnais ainsi en spectacle, et leur joie ne connut plus de bornes. Ils se mirent à le moquer impitoyablement.

Je ne compris pas tout de suite leur méprise, et je me dis : « Qu'ils sont grossiers de se conduire ainsi avec un étranger ! » Mais je n'avais pas encore eu le temps de leur crier des reproches, lorsque l'explication jaillit en moi, et je me dissimulai derrière un arbre.

Quel plaisir ils avaient à tourner en ridicule ce garçon ! Pendant cinq bonnes minutes, ils restèrent là, à lui lancer des grossièretés, des quolibets et des injures. Ils le criblaient de plaisanteries éculées, ils en créèrent même de nouvelles pour les lui décocher. Ils dardaient sur lui toutes les blagues familières à notre bande, et qui devaient lui être entièrement inintelligibles. Et alors, incapable de soutenir plus longtemps leurs féroces moqueries, il se retourna vers eux, et ils aperçurent son visage.

J'eus le plaisir de constater qu'il leur restait suffisamment de pudeur pour avoir l'air très sots. Ils s'excusèrent, lui disant qu'ils avaient cru reconnaître en lui une personne de leur connaissance. Ils espéraient bien, ajoutèrent-ils, qu'il ne les croyait pas capables d'insulter de la sorte quelqu'un d'autre qu'un de leurs amis personnels.

Evidemment, le fait qu'ils l'avaient pris pour un ami excusait tout. Cela me rappelle l'aventure que Harris me raconta un jour lui être arrivée à Boulogne. Il nageait près de la plage, lorsqu'il se sentit brusquement saisi au cou par-derrière et plongé de force sous l'eau. Il se défendit vigoureusement, mais celui qui l'avait empoigné devait être un véritable hercule, et toutes ses tentatives pour lui échapper furent vaines. Harris avait cessé de se débattre et tournait déjà son esprit vers des pensées graves, quand son bourreau le lâcha.

Il reprit pied, cherchant des yeux celui qui avait failli être son meurtrier. L'assassin était à côté de lui, riant de tout cœur, mais à l'instant même où il vit émerger de l'eau le visage de Harris, il fit un bond en arrière et eut l'air absolument navré.

— Oh ! je vous demande bien pardon, balbutia-t-il tout confus, mais je vous prenais pour un de mes amis.

Harris s'estima fort heureux que le farceur ne l'eût pas pris pour un parent, car dans ce cas il l'aurait carrément noyé.

Aller à la voile est une chose qui exige de la science, et aussi de la pratique ; mais, lorsque j'étais gamin, je refusais de le croire. Je me figurais que cela vous venait tout naturellement, comme jouer à chat. Je connaissais un autre garçon qui était du même avis, d'où il résulta qu'un jour de vent, l'idée nous vint d'essayer ce sport. Nous étions en vacances à Yarmouth, et nous décidâmes d'aller faire une balade sur l'estuaire de la Yare. Nous louâmes un canot à voile près du pont, et en route !

— Le temps n'est pas fameux, nous dit le patron lorsque nous partîmes, vous ferez bien de prendre un ris et de lofer court en doublant la pointe.

Nous lui répondîmes que nous n'y manquerions

pas, et lui lançâmes un joyeux « au revoir » — tout en nous demandant ce que c'était que « lofer », et où nous pourrions bien prendre un « ris » et ce qu'il nous faudrait en faire.

Nous ramâmes jusque hors de vue de la ville, puis, découvrant devant nous cette vaste étendue d'eau sur laquelle le vent soufflait en véritable tempête, nous jugeâmes que l'heure était venue d'entamer les opérations.

Hector — c'était, je crois, son nom — continua de ramer tandis que je déroulais la voile. Bien que la tâche me parût compliquée, j'en vins à bout, mais alors se posa la question : cette voile, dans quel sens fallait-il la placer ?

Par une sorte d'instinct naturel, nous décrétâmes, bien entendu, que le bas était le haut, et nous mîmes en devoir d'établir la toile sens dessus dessous. Mais il nous fallut beaucoup de temps pour arriver à l'installer, dans un sens ou dans l'autre. La voile semblait intimement persuadée que nous jouions à l'enterrement, et que j'étais le cadavre et elle le linceul.

Quand elle eut compris qu'il s'agissait d'autre chose, elle m'envoya un bon coup de vergue sur le crâne et ne voulut plus rien savoir.

— Mouille-la, me dit Hector, trempe-la dans l'eau pour la mouiller.

Il m'affirma que sur les navires on mouillait toujours les voiles avant de les hisser. Je la mouillai donc, mais cela ne servit qu'à empirer les choses. Une voile sèche qui vous claque dans les jambes et s'entortille autour de votre tête n'a rien de récréatif, mais quand la toile est ruisselante d'eau, cela devient tout à fait désagréable.

Pour finir, en nous y mettant à deux, nous parvînmes à hisser la voile. Nous l'installâmes, pas précisément sens dessus dessous, mais plutôt en travers, et nous l'attachâmes au mât avec l'amarre du canot que nous coupâmes à cet effet.

Que le canot ne chavira pas, je me borne à constater la chose. Pourquoi il s'en abstint, je suis incapable d'en fournir une raison. J'ai souvent réfléchi, depuis, à ce phénomène, mais sans en découvrir une explication satisfaisante.

Peut-être ce résultat fut-il dû à l'esprit de contradiction inhérent à toutes choses en ce monde. Qui sait si le canot ne s'était pas persuadé, à en juger par notre conduite en général, que nous voulions courir au suicide, et s'il n'avait pas, en conséquence, résolu de nous en empêcher ? Telle est l'unique supposition que je peux raisonnablement former.

En nous cramponnant désespérément au bordage, nous réussissions tout juste à nous maintenir dans le canot, mais c'était là un travail épuisant. Hector me rappela que les pirates et autres gens de mer, au cours des grosses tempêtes, avaient l'habitude d'attacher le gouvernail et d'amener la grand-vergue, et il estimait que nous devions tenter quelque chose de ce genre, mais j'étais partisan de laisser le bateau faire tête au vent.

Comme mon idée était de loin la plus facile à mettre en pratique, elle fut adoptée, et nous cramponnant de plus belle au bordage, nous lâchâmes la bride au canot.

Celui-ci remonta le fleuve pendant un bon kilomètre, à une allure où je n'ai jamais plus vogué depuis et que je ne souhaite pas réitérer. Puis dans un virage, il se pencha si fort que la moitié de la voile était sous l'eau. Puis il se redressa par miracle et courut vers un long banc de vase molle.

Cet obstacle nous sauva. Après l'avoir labouré jusqu'au milieu, le canot s'immobilisa. Voyant qu'il nous était de nouveau possible de nous mouvoir comme nous l'entendions au lieu d'être ballottés et lancés de côté et d'autre comme des pois secs dans une vessie, nous allâmes jusqu'à l'avant, pour amener la voile d'un coup de couteau.

Nous en avions assez de naviguer à la voile, et ne voulions pas exagérer ni en prendre une indigestion. Nous avions fait notre promenade à la voile, une promenade passionnante et pleine d'intérêt, mais l'heure était venue de ramer un peu pour changer.

Nous prîmes les avirons, nous efforçant de dégager le canot de la vase, et dans cette opération une des rames cassa. Nous procédâmes ensuite avec beaucoup de prudence, mais ces instruments étaient de la pacotille et la seconde se rompit presque aussi facilement que la première. Nous restâmes désemparés.

La vase s'étendait devant nous sur une centaine de mètres ; derrière nous, il y avait l'eau. La seule chose à faire était de nous asseoir et d'attendre la venue de quelqu'un.

Le temps n'était guère fait pour attirer les gens sur la rivière et nous passâmes trois heures sans voir une âme. A la fin arriva un vieux pêcheur qui, avec des difficultés inouïes, parvint à nous dégager et nous fûmes remorqués ignominieusement jusqu'au hangar à canots.

Tant pour récompenser l'homme qui nous avait ramenés à bon port, que pour payer les avirons cassés et pour avoir gardé le canot quatre heures et demie, cette sortie à la voile nous coûta un nombre considérable de semaines d'argent de poche. Mais nous avions acquis de l'expérience, et on dit qu'elle ne se paye jamais trop cher.

16

Reading. — Nous sommes remorqués par un bateau à
vapeur. — Conduite exaspérante des petits canots. —
Comment ils obstruent le passage des bateaux à vapeur.
— George et Harris renâclent de nouveau à la besogne. —
Une assez banale histoire. — Streatley et Goring.

Il était onze heures quand nous arrivâmes en vue de
Reading. La Tamise est ici triste et laide. On ne
s'attarde guère dans le voisinage de Reading. La ville
elle-même est une vieille cité célèbre, datant des jours
lointains du roi Ethelred, alors que les Danois mouil-
laient leurs vaisseaux de guerre dans le Kennet [126] et
partaient de Reading pour aller ravager le pays de
Wessex. Ce fut ici qu'Ethelred et son frère Alfred [127]
les combattirent et les mirent en déroute.

Par la suite, Reading semble avoir été considéré
comme un endroit commode pour se réfugier, quand
les affaires allaient mal dans Londres. Lorsque la
peste éclatait à Westminster, le Parlement s'enfuyait
toujours à Reading [128] ; en 1625 la Justice suivit son
exemple, et tous les tribunaux siégèrent à Reading. En
vérité, cela valait la peine d'avoir de temps à autre une
bonne petite peste dans Londres, puisqu'elle vous
débarrassait des gens de loi et du Parlement.

Durant la Guerre Parlementaire, Reading fut

assiégé par le comte d'Essex [129], et, un quart de siècle
plus tard, le prince d'Orange y défit les troupes du roi
Jacques [130].

Henry Ier est enterré à Reading, dans l'abbaye [131] de
bénédictins qu'il y a fondée et dont on voit encore les
ruines. Ce fut dans la même abbaye que le fameux
Jean de Gand épousa la Dame Blanche [132].

A l'écluse de Reading nous rencontrâmes un bateau
à vapeur qui appartenait à un de mes amis, et il nous
remorqua jusqu'à moins d'un kilomètre de Streatley.
C'est charmant d'être remorqué par un bateau à
vapeur. J'aime mieux cela que de ramer moi-même.
Le trajet eût été plus agréable encore sans un tas de
sales petits canots qui se mettaient sans cesse en
travers de notre bateau et qui nous obligeaient à
ralentir et à stopper pour éviter de les couler. Cette
manie qu'ont les canots à rames d'encombrer le
passage des bateaux à vapeur sur la Tamise est en
vérité fort désagréable ; on devrait prendre des
mesures pour y mettre un terme.

Et par-dessus le marché, ils sont d'une imperti-
nence sans égale. Vous pouvez siffler à faire éclater la
chaudière sans qu'ils se mettent en peine d'aller plus
vite. Si on me laissait faire, j'en coulerais de temps en
temps un ou deux, ça leur apprendrait.

Un peu au-dessus de Reading, la Tamise devient
charmante. Le chemin de fer l'abîme bien un peu près
de Tilehurst, mais de Mapledurham [133] jusqu'à Streatley le paysage est splendide. Un peu après l'écluse de
Mapledurham, on passe devant le château de Hardwick [134], où Charles Ier jouait aux boules. Le voisinage de Pangbourne, où je vous recommande la drôle
de petite auberge du *Cygne*, doit être aussi familier aux
habitués des expositions de peinture qu'aux habitants
eux-mêmes [135].

Le bateau de mes amis nous lâcha juste devant la
grotte et Harris crut devoir me faire remarquer
c'était à mon tour de ramer. Cette prétention me parut
entièrement abusive. Il avait été convenu le matin que
j'amènerais le canot jusqu'à cinq kilomètres au-delà de

Reading. Or, nous en étions à seize kilomètres, de Reading !

A coup sûr, c'était à présent leur tour à eux, de nouveau.

Mais il me fut impossible de faire partager ce point de vue, pas plus à George qu'à Harris. Aussi, pour éviter une dispute, je pris les avirons. Je ramais depuis dix minutes à peine quand George remarqua quelque chose de noir qui flottait sur l'eau. Nous nous dirigeâmes dessus. George se pencha et alla pour saisir l'objet. Mais il recula, tout pâle, en poussant un cri.

C'était le cadavre d'une femme [136]. Elle flottait légèrement à la surface et son visage était calme et serein. Le visage n'était pas beau. Il était trop prématurément vieilli, trop émacié et ravagé, pour mériter ce qualificatif, mais il était néanmoins aimable, en dépit des stigmates du chagrin et de la misère, et il offrait cet air de calme et de repos que revêtent parfois les traits des malades lorsqu'ils ont enfin cessé de souffrir.

Heureusement pour nous — car nous ne tenions nullement à perdre notre temps chez le juge d'instruction — les gens du rivage avaient vu aussi le cadavre, et ils s'en chargèrent à notre place.

Nous apprîmes par la suite l'histoire de cette femme. C'était naturellement la tragédie habituelle. Elle avait aimé et on l'avait trompée, ou bien c'était elle qui avait trompé. En tout cas elle avait péché — cela peut arriver à tout le monde — et ses parents et amis, scandalisés et indignés comme il sied, lui avaient fermé leur porte.

Restée seule à lutter contre le monde, portant au cou, telle une meule de moulin [137], sa honte, elle était tombée toujours plus bas. Quelque temps elle avait vécu avec son enfant sur les douze shillings par semaine que lui valait un esclavage quotidien de douze heures, en payant là-dessus six shillings pour l'enfant et parvenant à subsister avec le reste.

On ne va pas loin avec six shillings par semaine. La vie ne demande qu'à s'échapper dans de pareilles conditions. Un jour, je suppose, la misère et la sinistre monotonie de cette existence apparurent plus clairement à la pauvre mère, et le spectre grimaçant de la Camarde vint la hanter. Elle adressa un dernier appel à ses amis, mais la voix de la malheureuse vint buter contre le mur glacial de leur honorabilité. Alors, elle alla voir son enfant, le prit dans ses bras, et après un dernier baiser triste et morne, sans laisser voir son trouble, elle le quitta, en lui donnant un chocolat de deux sous qu'elle avait acheté, puis elle employa ses derniers shillings à prendre un billet pour Goring.

Les plus amers souvenirs de son existence s'associaient sans doute aux pentes boisées et aux vertes prairies de ces environs, mais les femmes ont une affection étrange pour le poignard qui les frappe, et qui sait si à sa détresse ne se mêlait pas la vision ensoleillée d'heures très douces passées sur ces flots qu'ombragent les grands arbres des deux rives ?

Elle erra tout le jour dans les bois voisins du fleuve, et puis, lorsque le soir tomba et que le crépuscule répandit son voile gris sur les eaux, elle tendit les mains vers la rivière muette, témoin de ses tristesses et de ses joies. Et la vieille Tamise la reçut dans ses bras accueillants et garda sur son sein la pauvre tête dont elle avait apaisé la douleur.

Ainsi pécha-t-elle en toutes choses, dans la vie et dans la mort. Que Dieu lui soit en aide ! ainsi qu'à tous les autres pécheurs, s'il y en a.

Goring sur la rive gauche et Streatley sur la droite sont deux localités charmantes et bien faites pour vous inspirer le désir d'y résider quelques jours. Nous avions l'intention de pousser ce jour-là jusqu'à Wallingford, mais l'aspect aimable que présente ici la rivière nous engagea à nous y attarder un peu. Laissant donc notre canot près du pont, nous allâmes déjeuner dans Streatley à l'auberge du *Taureau*, à la grande satisfaction de Montmorency.

Il paraît qu'autrefois les hauteurs situées de chaque côté du fleuve se rejoignaient en cet endroit, barrant la vallée où coule aujourd'hui la Tamise, et que celle-ci finissait alors au-dessus de Goring, en un vaste lac. Je ne suis pas à même de contredire ou de soutenir cette affirmation. Je me borne à la rapporter.

Streatley est une bourgade fort ancienne qui remonte, comme la plupart des villes et villages riverains, aux temps des anciens Bretons et des Saxons. A choisir entre les deux, Goring n'est pas à beaucoup près d'un séjour aussi agréable que Streatley, mais ça ne manque pas non plus de charme et c'est plus près du chemin de fer — cela pour le cas où vous voudriez filer sans payer votre note à l'hôtel.

17

Jour de lessive. — Poissons et pêcheurs. — L'art de pêcher à
la ligne. — Un consciencieux pêcheur à la mouche. —
Une histoire de pêche.

Nous passâmes deux jours à Streatley, où nous
fîmes laver notre linge. Nous avions essayé de le
lessiver nous-mêmes dans le fleuve sous la direction
de George, mais sans y réussir. C'était même pis que
ça, car nous étions encore moins présentables après
avoir lavé nos complets de flanelle qu'avant. Avant, ils
étaient très, très sales, c'est vrai, mais ils étaient
encore possibles à la rigueur. Après... eh bien, la
Tamise entre Reading et Henley était beaucoup plus
propre, une fois que nous y eûmes fait notre lessive,
qu'elle ne l'était auparavant. Toute la saleté contenue
dans le fleuve entre Reading et Henley, nous la
recueillîmes, durant ce blanchissage, pour l'incorpo-
rer à nos vêtements.

La blanchisseuse de Streatley nous dit qu'elle se
voyait obligée de nous faire payer le triple du tarif
ordinaire, car il s'agissait beaucoup moins de lessive
que d'un vrai désincrustage.

Nous payâmes la note sans protester.

Les environs de Streatley et de Goring sont un
grand centre de pêche. On y trouve d'excellent
poisson. Le fleuve abonde en brochets, gardons,

dards, goujons et anguilles, et vous pouvez rester à en
pêcher toute la journée.

C'est ce que font certaines gens. Ils ne prennent
jamais rien. Je n'ai jamais vu personne prendre
quelque chose sur la haute Tamise, excepté du fretin
et des chats crevés, ce qui n'a rien à voir, bien
entendu, avec la pêche. Le guide du pêcheur pour
cette région ne dit pas du tout que l'on y prend
quelque chose. Il se contente d'affirmer que l'endroit
est bon pour la pêche et, d'après ce que j'ai vu, je suis
tout disposé à le croire.

Il n'est pas de lieu au monde où se trouvent plus de
pêcheurs, ni où l'on puisse pêcher plus longtemps.
Certains viennent y pêcher pour un jour, d'autres y
restent à pêcher tout un mois. Vous pouvez continuer
à pêcher pendant un an : ce sera pareil.

Le *Guide du pêcheur à la ligne sur la Tamise* dit
qu' « on peut pêcher aussi du brochet et de la
perche », mais là le *Guide du pêcheur* se trompe.
Perches et brochets s'y trouvent en effet. Je puis
affirmer qu'il en existe. On les voit par bancs,
lorsqu'on se promène sur les berges ; ils viennent vous
regarder et sortent à moitié de l'eau, la gueule ouverte,
attendant qu'on leur jette du biscuit. Et si vous prenez
un bain, ils grouillent autour de vous d'une façon
agaçante. Mais quant à les pêcher en leur présentant
un morceau de ver au bout de l'hameçon, ou quoi que
ce soit de ce genre, rien à faire.

Je ne suis pas moi-même un bon pêcheur. Il fut un
temps où je consacrais beaucoup d'attention à cet
exercice, et j'y faisais, à ce que je croyais, de réels
progrès, mais les anciens dans la partie jugèrent que je
n'arriverais jamais à grand-chose de bon et me conseil-
lèrent d'abandonner. D'après eux, je jetais fort bien
ma ligne et paraissais avoir des dispositions, avec
suffisamment de paresse innée. Mais ils affirmaient
que je ne serais jamais un bon pêcheur. Je manquais
de l'imagination nécessaire.

En tant que poète, ou auteur de romans-feuilletons,
ou reporter, ou n'importe quoi de ce genre, j'en avais

peut-être assez, mais pour acquérir un certain rang comme pêcheur à la ligne sur la Tamise, il fallait plus de fantaisie, plus de puissance d'invention que je n'en possédais.

Il y a des gens persuadés qu'il suffit, pour être bon pêcheur, de savoir débiter des mensonges facilement et sans rougir ; mais c'est là une erreur. La fiction pure et simple ne sert à rien ; le premier conscrit venu en est capable. C'est au détail circonstancié, à la note pittoresque de vraisemblance, à l'air général de scrupuleuse et quasi pédantesque véracité, que l'on reconnaît le pêcheur à la ligne expérimenté.

N'importe qui peut vous dire : « Oui, j'ai pris quinze douzaines de perches hier après-midi » ; ou : « Lundi dernier, j'ai ramené un goujon qui pesait dix-huit livres et mesurait quatre-vingt-dix centimètres de la tête à la queue. »

Ce genre de propos n'exige ni art ni talent ; il dénote de l'aplomb, mais c'est tout.

Non : le pêcheur à la ligne accompli aurait honte de raconter un mensonge de cette façon-là. Sa méthode vaut d'être exposée.

Il entre tranquillement, le chapeau sur la tête, s'empare du siège le plus confortable, allume sa pipe et commence à la téter sans mot dire. Il laisse un moment les jeunes fanfaronner, puis, au cours d'une accalmie passagère, il ôte sa pipe de sa bouche, et tout en secouant les cendres contre la grille, lance incidemment :

— Eh bien ! moi, j'ai fait mardi soir une prise qui ne vaut pas beaucoup la peine d'en parler à personne.

— Tiens ! Pourquoi ça ? lui demanda-t-on.

— Parce que personne ne me croirait, si je la racontais, répond calmement notre homme.

Et, sans la moindre trace d'amertume dans la voix, il rebourre sa pipe et demande au patron de lui apporter un grand whisky sec.

Un silence succède à cette affirmation, car nul ne se sent assez sûr de soi pour contredire le vieux pêcheur. Celui-ci reprend donc sans y être invité :

— Non, je ne le croirais pas moi-même si on me le
racontait, et pourtant le fait est là. J'étais resté à la
même place tout l'après-midi sans rien prendre, à part
quelques douzaines de dards et de petits brochets, et
j'étais sur le point d'y renoncer, lorsque tout à coup je
sens que ça mord ferme. Je crus qu'il s'agissait encore
d'un petit, et d'une secousse je m'apprêtais à le
remonter, mais du diable si je parvins à remuer ma
canne ! Il me fallut une demi-heure — oui, monsieur,
une demi-heure — pour ramener ce poisson, et à
chaque instant je craignais de voir ma ligne se rompre.
Je finis par l'atteindre, et que croyez-vous que c'était ?
Un esturgeon, un esturgeon de quarante livres ! —
pris à la ligne, monsieur ! Oui, il y a de quoi être
estomaqué... Vous me donnerez encore un grand
whisky, patron, s'il vous plaît.

Et il continue en rapportant la stupéfaction de tous
ceux qui ont vu la bête, et ce que sa femme en a dit
lorsqu'il est rentré à la maison, et ce que Joe Buggles
en a pensé.

Je demandai un jour au patron d'une auberge de la
Tamise s'il ne lui était pas trop pénible, quelquefois,
d'écouter les histoires que les pêcheurs, ses clients, lui
racontaient. Il me répondit :

— Oh ! non, plus maintenant, monsieur. Au
début, cela me dérangeait un peu, mais que voulez-
vous ! à force d'en entendre toute la journée, moi et la
bourgeoise, on finit par s'y habituer, voyez-vous. Une
simple question d'habitude.

J'ai connu un jeune homme qui était fort consciencieux ; quand il se mit à pêcher à la ligne, il prit la
résolution de ne jamais exagérer de plus de vingt-cinq
pour cent l'importance de ses prises.

— Si je prends quarante poissons, disait-il, je
raconterai que j'en ai pris cinquante, et ainsi de suite,
mais je ne mentirai pas davantage, car mentir est un
péché.

Mais le système du vingt-cinq pour cent ne lui
réussit pas du tout. Il n'eut jamais l'occasion de
l'utiliser. Le plus grand nombre de poissons qu'il prit

en un jour fut trois, et on ne peut pas ajouter vingt-cinq pour cent à trois, du moins pas quand il s'agit de poissons.

Il éleva donc son taux à trente-trois pour cent, mais cela ne marchait pas non plus quand il n'en avait pris qu'un ou deux ; aussi, pour simplifier les choses, il se décida à doubler les quantités.

Il s'en tint à ce procédé pendant quelques mois, puis il en fut mécontent. Personne ne le croyait quand il avouait qu'il se contentait de doubler, et lui, de son côté, ne gagnait rien à cet aveu, car sa modération le désavantageait vis-à-vis des autres pêcheurs. Quand il avait pris en réalité trois petits poissons, et qu'il disait en avoir pris six, il subissait la mortification d'entendre un individu qu'il savait n'en avoir pris qu'un, aller raconter aux gens qu'il en avait attrapé deux douzaines.

Il finit donc par convenir en son for intérieur (et il s'est toujours tenu à cet engagement) de compter pour dix chaque poisson qu'il prenait et de poser dix pour commencer. Exemple : s'il ne prenait rien du tout, il disait avoir pris dix poissons — avec son système on n'en pouvait jamais prendre moins de dix, ce nombre était fondamental. Puis, si par hasard il prenait réellement un poisson, il le comptait vingt ; au-delà, deux poissons valaient trente ; trois, quarante, et ainsi de suite.

Le moyen est simple et d'usage commode, et le bruit a couru dernièrement qu'il avait été adopté par toute la confrérie des pêcheurs à la ligne. En effet, il y a deux ans, le comité de l'*Association des pêcheurs à la ligne de la Tamise* a prôné son adoption, mais quelques-uns de ses plus vieux membres s'y opposèrent. Le procédé, disent-ils, n'aurait d'intérêt que si les nombres étaient doublés et chaque poisson compté pour vingt.

Si jamais vous avez une soirée à perdre, sur la Tamise, je vous conseille d'entrer dans une petite auberge de village et de vous asseoir dans le bar. Vous êtes presque sûr d'y rencontrer un ou deux vieux adeptes de la gaule en train de siroter leur grog, et qui vous raconteront en une heure et demie assez d'histoires de pêche pour vous en donner une indigestion d'un mois.

Le deuxième jour, George et moi (je ne sais ce qu'était devenu Harris; il était allé se faire raser au début de l'après-midi, puis il était revenu et avait passé quarante minutes à blanchir [138] ses souliers à l'argile, et nous ne l'avions plus revu depuis), George et moi, dis-je, plus le chien, laissés à nous-mêmes, partîmes faire un tour à Wallingford, et avisant au retour une petite auberge au bord de l'eau, nous y entrâmes sous prétexte de nous reposer.

Nous allâmes nous asseoir dans le salon. Il y avait là, fumant une longue pipe en terre, un vieux bonhomme, avec lequel nous liâmes bientôt conversation.

Il nous déclara que la journée avait été belle et nous lui répondîmes qu'il avait fait beau hier; puis nous nous annonçâmes réciproquement qu'il ferait sans doute beau demain; et George ajouta que la moisson promettait d'être bonne.

Après quoi, il nous arriva de dire incidemment que nous étions étrangers au pays et que nous partirions le lendemain matin.

La conversation subit alors un temps d'arrêt, dont nous profitâmes pour jeter un coup d'œil autour de nous. Nos yeux se fixèrent sur une vieille cage de verre poussiéreuse accrochée très haut au-dessus de la cheminée et renfermant une truite. Je restai en extase devant cette truite, tant elle était gigantesque. Même, au premier abord, je l'avais prise pour une morue.

— Hein! fit le vieux bonhomme en suivant la direction de mon regard, c'est une belle bête, n'est-ce pas?

— Tout à fait hors ligne, murmurai-je.

George demanda au vieillard combien elle pouvait peser.

— Dix-huit livres et demie, répondit notre nouvel ami, en se levant pour ôter sa redingote. Oui, poursuivit-il, il y aura seize ans le trois du mois prochain que je l'ai pêchée. Je l'ai prise juste sous le pont en pêchant au vif. On m'avait parlé d'elle, je m'étais promis de l'avoir, et je l'ai eue. On n'en voit plus beaucoup de cette taille par ici, à présent. Bonne nuit, messieurs, bonne nuit.

Et il sortit, nous laissant seuls.

Nous ne pouvions plus détacher nos yeux de ce poisson. C'était vraiment une bête magnifique. Nous étions encore à le regarder, lorsque le voiturier de l'endroit, qui venait de s'arrêter à l'auberge, apparut sur le seuil de la pièce, sa pinte de bière au poing, et se mit lui aussi à considérer l'animal.

— Elle est d'une bonne taille, cette truite, prononça George en se retournant vers lui.

— Oh ! vous pouvez bien le dire, monsieur, répliqua l'homme.

Et, après avoir bu un coup, il reprit :

— Vous n'étiez sans doute pas ici, messieurs, quand ce poisson a été pris ?

Nous lui répondîmes que non, et nous ajoutâmes que nous n'étions pas du pays.

— Ah ! fit le voiturier, dans ce cas-là évidemment, vous ne pouviez pas être là. Voilà près de cinq ans que j'ai pris cette truite.

— Tiens ! c'est donc vous qui l'avez prise ? demandai-je.

— Oui, monsieur, repartit l'affable voiturier. Je l'ai attrapée juste au-dessus de l'écluse, un vendredi après-midi ; et le plus curieux, c'est que je l'ai prise à la mouche. J'étais parti à la pêche au brochet, vous pensez, je ne m'attendais pas du tout à une truite, et quand j'ai vu ce monstre au bout de ma ligne, j'ai failli en tomber à la renverse. Songez donc : une truite de vingt-six livres ! Bonne nuit, messieurs, bonne nuit.

Cinq minutes plus tard, un troisième individu entra et nous raconta comment il l'avait prise, un matin de bonne heure. Lorsqu'il fut parti, un grave personnage d'une cinquantaine d'années entra et alla s'asseoir près de la fenêtre.

Personne ne dit mot tout d'abord ; mais à la fin George se tourna vers le nouveau venu et lui dit :

— Je vous demande pardon, j'espère que vous excuserez la liberté que nous — des étrangers au pays — allons prendre, mais nous vous serions très obligés, mon ami ici présent et moi, de nous raconter comment vous avez pris cette truite.

— Tiens ! qui donc vous a dit que je l'avais prise ? s'écria-t-il, étonné.

Nous lui répondîmes que personne ne nous l'avait dit, mais que nous pressentions pour ainsi dire d'instinct qu'il devait l'avoir prise.

— Ma foi ! c'est très curieux... très curieux, répliqua-t-il en riant, parce qu'effectivement, vous avez raison, c'est bien moi qui l'ai prise. Je ne vois pas comment vous l'avez deviné. Ma parole, c'est réellement très curieux.

Et il nous raconta comment il lui avait fallu une demi-heure pour la tirer à terre, et qu'elle avait cassé sa canne à pêche. Il ajouta qu'en rentrant chez lui il l'avait pesée avec soin et que la balance avait accusé trente-quatre livres.

Il sortit à son tour et, après son départ, le patron survint. Nous lui contâmes les diverses histoires que nous avions entendues au sujet de sa truite. Il s'en amusa fort, et nous rîmes avec lui de bon cœur.

— Ils sont impayables, ce Jim Pates et ce Joe Muggles, et Mr. Jones, et ce vieux Billy Maunders, d'aller vous raconter qu'ils l'ont prise ! Ah ! ah ! ah ! elle est bien bonne ! s'écria l'honnête vieillard en se tenant les côtes. Comme s'ils étaient gens à m'en faire cadeau pour l'exposer dans mon salon, à supposer qu'ils l'aient prise ! Ah ! ah ! ah !

Et il nous raconta la véritable histoire du poisson. C'était lui-même qui l'avait pris quand il était encore tout jeune, des années auparavant, et pas du tout par habileté, mais par cette chance inexplicable dont paraît toujours bénéficier un gamin qui fait l'école buissonnière et s'en va pêcher par un bel après-midi avec un bout de ficelle noué à une branche d'arbre.

Il nous dit qu'il s'était épargné une raclée en rapportant chez lui cette truite, et que son maître d'école lui-même avait proclamé qu'elle valait la récitation de la règle de trois et la dictée réunies.

Le patron fut alors appelé hors du bar, et George et moi reportâmes de nouveau nos regards sur le poisson.

C'était réellement une truite fort extraordinaire. Plus nous la regardions, plus elle nous émerveillait.

Elle passionnait tellement George qu'il grimpa sur le dossier d'un fauteuil pour la voir de plus près.

Mais le fauteuil bascula ; George, pour se retenir, s'accrocha éperdument à la vitrine et dégringola avec fracas, le fauteuil par-dessus lui.

— Tu n'as pas abîmé le poisson, hein ? m'écriai-je en me précipitant.

— J'espère que non, répondit George, se relevant avec précaution et regardant sous lui.

Hélas ! la truite gisait en mille pièces — je dis mille, mais il n'y en avait peut-être que neuf cents, je ne les ai pas comptées.

Nous trouvâmes singulier et inexplicable qu'une truite empaillée eût pu se fracasser en tant de petits morceaux.

Et, en effet, c'eût été singulier et inexplicable, s'il se fût agi d'une truite empaillée, mais ce n'était pas le cas.

Cette truite était en plâtre.

18

Ecluses. — Nous sommes pris en photographie, George et
    moi. — Wallingford. — Dorchester. — Abingdon. — Un
    vrai procréateur. — Un bon endroit pour se noyer. — Un
    trajet difficile. — Effet démoralisant de l'air fluvial.

Nous quittâmes Streatley le matin de bonne heure,
et remontâmes à l'aviron jusqu'à Culham, où nous
couchâmes sous la toile, dans le bras de dérivation.

Entre Streatley et Wallingford, la Tamise n'a rien
de très intéressant. Au-delà de Cleeve, on rencontre
un bief de quatorze kilomètres sans une écluse. C'est
là le plus long trajet ininterrompu qu'il y ait en amont
de Teddington, et le club d'Oxford [139] l'utilise pour
s'entraîner avant les régates.

Mais, si agréable que cette absence d'écluse soit aux
canotiers, le simple amateur de sensations est en droit
de la regretter.

Pour ma part, j'aime beaucoup les écluses. Elles
rompent favorablement la monotonie du souquage. Je
me plais, assis dans le canot, à m'élever lentement des
humides profondeurs du sas vers un nouveau bief et
un nouveau paysage, ou à m'enfoncer pour ainsi dire
hors du monde, puis à y attendre que les sombres
portes grincent et que, dans leur entrebâillement le
mince liséré de jour s'élargisse peu à peu jusqu'à vous

découvrir enfin tout le beau fleuve riant ; et vous poussez votre petit bateau délivré, hors de sa brève prison, une fois de plus sur les eaux familières.

Ce sont des endroits pittoresques, ces écluses. Le bon vieil éclusier et son avenante épouse, ou sa fille au minois éveillé, sont d'agréables interlocuteurs pour faire un bout de causette *. On rencontre là d'autres canots, et on échange les nouvelles de la rivière. Sans ses écluses fleuries, la Tamise ne serait pas le pays de rêve qu'elle est.

A propos d'écluses, je me rappelle un accident qui faillit nous arriver, à George et à moi, un matin de juillet, à Hampton Court.

Il faisait une journée splendide, l'écluse était comble, et, comme il est d'usage, un photographe avisé prenait une vue de tous les canots groupés sur les eaux montantes.

Je ne m'étais pas rendu compte tout de suite de ce qui se passait, et je fus donc très étonné de voir George lisser bien vite son pantalon, faire bouffer ses cheveux et camper crânement sa casquette en arrière, puis, prenant un air d'affabilité et de mélancolie, s'asseoir dans une pose gracieuse et s'efforcer de dissimuler ses pieds.

Ma première idée fut qu'il venait tout à coup d'apercevoir une demoiselle de ses connaissances, et je la cherchai dans la foule pour voir qui c'était. Tous les gens qui se trouvaient dans la chambre d'écluse semblaient avoir été subitement pétrifiés. Ils se tenaient assis ou debout dans les poses les plus bizarrement forcées que j'aie jamais vues sur un éventail japonais. Toutes les jeunes filles souriaient. Oh ! qu'elles avaient l'air gentilles ! Et tous les garçons fronçaient les sourcils et paraissaient sévères et nobles.

---

* Ou plutôt étaient. La Commission fluviale semble récemment être devenue une société pour l'emploi des idiots. Beaucoup de nouveaux éclusiers, particulièrement dans les parties les plus fréquentées de la Tamise, sont des vieillards nerveux, irascibles et tout à fait inaptes à leur emploi.

Mais enfin je compris tout en un éclair et je me demandai si je serais prêt à temps. Notre canot se trouvait tout au premier plan, et ce ne serait pas bien, pensais-je, de gâcher le cliché de l'opérateur.

Je fis donc vivement volte-face et pris position à l'avant, appuyé sur la gaffe en une gracieuse attitude, évocatrice de force et de souplesse. J'arrangeai mes cheveux pour les faire bouffer sur le front et répandis sur mes traits un air — qui me sied, dit-on — d'affabilité langoureuse, rehaussée d'un grain de cynisme.

On ne bougeait plus, dans l'attente du moment psychologique, lorsque j'entendis quelqu'un lancer derrière moi :

— Hé ! attention à ton nez !

Je ne pouvais pas me retourner pour voir de quoi il s'agissait et qui devait faire attention à son nez. Je jetai un coup d'œil oblique sur celui de George. Il était normal — ou du moins ce qui péchait en lui n'était pas susceptible de rectification. Je louchai vers le mien, qui me parut en aussi bon état que possible.

— Fais attention à ton nez, espèce de cornichon ! reprit la même voix, plus fort.

Et une autre s'écria :

— Dégagez donc votre nez, saperlotte, vous là-bas, les deux avec le chien !

Ni George ni moi n'osâmes nous retourner. Le photographe avait la main sur l'obturateur et le cliché allait être pris d'un instant à l'autre. Qu'est-ce qui se passait avec nos nez ? Pourquoi fallait-il les dégager ?

Mais alors l'écluse tout entière se mit à pousser des cris, et une voix de stentor nous hurla dans le dos :

— Faites attention à votre canot, messieurs, vous deux avec la casquette rouge et la casquette noire. C'est sous forme de deux cadavres que vous serez pris en photo si vous ne vous dépêchez pas.

Nous regardâmes alors le nez de notre canot, et vîmes qu'il s'était engagé sous un étrésillon de l'écluse, tandis que l'eau arrivant dans le sas montait tout autour et le faisait pencher. Un instant de plus et nous chavirions. Prompts comme la pensée, nous attrapâmes chacun un aviron, et une vigoureuse poussée contre la porte de l'écluse délivra le canot et nous envoya rouler les quatre fers en l'air.

Nous ne fîmes pas trop bonne figure sur ce groupe, George et moi. Naturellement, comme il fallait s'y attendre, notre chance voulut que l'opérateur déclenchât sa fichue mécanique à l'instant précis où nous étions tous les deux étendus sur le dos avec l'air égaré du monsieur qui s'écrie : « Où suis-je ? Qu'est-ce qui se passe ? », tandis que nos quatre pieds s'agitaient désespérément dans l'air.

Nos pieds étaient manifestement le clou de cette photographie. A peine si l'on y voyait autre chose. Ils occupaient tout le premier plan. Derrière eux on entrevoyait des bribes des autres canots et des fragments de paysage ; mais tout ce qu'il y avait d'autre dans le sas paraissait d'une insignifiance si dérisoire comparativement à nos pieds que tous les autres figurants du groupe rougirent d'eux-mêmes et refusèrent de souscrire pour l'achat du portrait.

Le propriétaire d'un bateau à vapeur, qui en avait retenu six épreuves, annula sa commande à la vue du négatif. Il les prendrait volontiers, déclara-t-il, si quelqu'un pouvait lui faire voir son embarcation, mais personne n'en fut capable. Elle était quelque part derrière le pied droit de George.

Quant à nous, le photographe prétendait nous faire prendre une douzaine d'exemplaires chacun, vu que nous formions à nous seuls les neuf dixièmes du groupe. Mais nous refusâmes, disant que cela ne nous dérangeait pas d'être photographiés en pied, mais que nous préférions être pris la tête en haut.

Wallingford, à dix kilomètres de Streatley, est une ville très ancienne et a joué un rôle fort actif dans la genèse de l'histoire de l'Angleterre. C'était une agglomération de grossières huttes de torchis, à l'époque des anciens Bretons qui y campaient, chassés ensuite par les légions romaines qui remplacèrent les murs d'argile par de puissantes fortifications[140] dont les siècles n'ont pas encore réussi à balayer la trace, car les maçons de l'Antiquité savaient bâtir solidement.

Mais le temps, qui a respecté les murs romains, réduisit vite les Romains en poussière, et sur ce terrain, dans la suite des siècles, combattirent les farouches Saxons et les Danois géants, jusqu'à l'arrivée des Normands.

Ce fut une ville murée et fortifiée jusqu'à l'époque de la Guerre Parlementaire [141], où Fairfax [142] lui fit subir un long siège. Elle tomba finalement et ses murailles furent rasées.

De Wallingford à Dorchester, les abords du fleuve deviennent plus accidentés, plus variés et plus pittoresques. Dorchester se trouve à un kilomètre du fleuve. On peut y accéder en remontant la Tamise, si on a un petit canot ; mais il est préférable de quitter la rivière à l'écluse de Day et d'aller à pied à travers champs. Dorchester est une vieille localité d'une paix exquise, engourdie dans une tranquillité muette et somnolente.

Dorchester, comme Wallingford, fut une cité au temps des anciens Bretons ; elle s'appelait Caer Doren, « la cité sur l'eau ». En des âges plus récents, les Romains [143] y établirent un vaste camp, dont l'enceinte fortifiée subsiste aujourd'hui sous la forme de longs tertres bas. A l'époque des Saxons, elle fut la capitale du Wessex [144]. Aujourd'hui, elle reste à l'écart de l'agitation du monde et songe mélancoliquement au passé.

Aux abords de Clifton Hampden, charmant petit village désuet, paisible, égayé de fleurs, le coup d'œil sur la Tamise est superbe. Si vous passez la nuit à terre à Clifton, vous ne pouvez mieux faire que de descendre à la *Meule d'Orge*. C'est, à mon avis, de toutes les auberges de la haute Tamise sans exception, la plus curieuse et la plus ancienne. Elle se trouve à droite du pont, tout à fait en dehors du village. Son toit de chaume et ses fenêtres à petits carreaux lui donnent un air très livre d'images, et son intérieur est encore plus du temps jadis.

Elle n'est pas du tout faite pour loger une héroïne de roman moderne. Celle-ci est toujours « divinement élancée » et toujours elle « se redresse de toute sa taille ». A la *Meule d'Orge*, chaque fois qu'elle ferait ce geste, elle se cognerait la tête au plafond.

La maison ne conviendrait guère non plus aux ivrognes. Trop de surprises vous attendent au long des couloirs, en fait de marches à monter ou à descendre ; et arriver à leur chambre ou y trouver leur lit serait pour eux des opérations d'une impossibilité radicale.

Le lendemain, nous nous levâmes de bonne heure, car nous voulions être à Oxford pour l'après-midi. C'est étonnant ce qu'on peut se lever tôt quand on campe à l'air libre. Roulé dans une couverture et étendu sur les planches d'un canot avec une valise pour oreiller, on songe beaucoup moins à rester couché « encore cinq petites minutes » que lorsqu'on dort dans un lit de plume. Dès huit heures et demie, nous avions fini de déjeuner et nous nous engagions dans l'écluse de Clifton.

De Clifton à Culham, les rives du fleuve sont plates, monotones et sans intérêt, mais dès que l'on a franchi l'écluse de Culham, la plus glaciale et la plus profonde de la Tamise, le paysage s'améliore.

A Abingdon, le fleuve longe les rues. Abingdon est une classique petite ville de province, tranquille, éminemment respectable, propre et désespérément morne. Elle se fait gloire de son antiquité, mais il semble douteux qu'on puisse sur ce point la comparer à Wallingford et à Dorchester. Il y avait ici autrefois une célèbre abbaye [145] et, dans ce qui reste de ses murs consacrés, on fabrique aujourd'hui de la bière.

Dans l'église Saint-Nicolas à Abingdon, il y a un monument à la mémoire de John Blackwall et de sa femme Jane, qui, après avoir mené une vie conjugale heureuse, moururent le même jour, le 21 août 1625 ; et dans l'église Sainte-Hélène une plaque indique que W. Lee, mort en 1637, « avait pendant sa vie engendré une descendance de cent quatre-vingt-dix-sept personnes ». Mr. W. Lee — cinq fois maire d'Abingdon — fut sans aucun doute un bienfaiteur de sa génération, mais j'espère qu'ils ne sont pas nombreux du même genre dans ce dix-neuvième siècle surpeuplé.

D'Abingdon à Nuneham Courtenay, le trajet est charmant. Le parc de Nuneham mérite d'être vu. Sa visite a lieu le mardi et le jeudi. Le château renferme une superbe collection de tableaux et de curiosités, et le parc est très beau.

Le trou d'eau près du déversoir de Sandford, juste après l'écluse, est un très bon endroit pour se noyer. Il y a là un remous d'une force terrible et une fois que vous êtes pris dedans vous êtes sûr de votre affaire. Un obélisque marque l'endroit où deux hommes se sont déjà noyés en se baignant là ; et le piédestal de l'obélisque sert habituellement de tremplin aux jeunes gens qui veulent plonger pour savoir si l'endroit est réellement aussi dangereux qu'on le dit.

L'écluse et le moulin d'Iffley, deux kilomètres avant d'arriver à Oxford, sont un sujet de tableau favori des amoureux de la rivière qui manient le pinceau. Mais après les tableaux la réalité est assez décevante. J'ai remarqué qu'il est peu de choses qui soient aussi belles que leur représentation picturale.

Nous passâmes l'écluse d'Iffley vers midi et demi, et ensuite, après avoir mis le canot en ordre et fait nos préparatifs de débarquement, nous entreprîmes nos derniers quinze cents mètres.

Le trajet d'Iffley à Oxford est le parcours le plus difficile que je connaisse sur la Tamise [146]. Il faudrait être né sur cette étendue d'eau pour s'y reconnaître. J'y ai navigué bon nombre de fois, mais je ne sais toujours pas comment m'y prendre. L'homme qui serait capable de ramer en gardant la ligne droite d'Oxford à Iffley devrait avoir le droit de vivre confortablement sous un toit avec sa femme, sa belle-mère, sa sœur aînée et le vieux domestique qui était déjà dans la famille quand son maître était tout jeune enfant.

Tout d'abord le courant vous pousse en plein sur la

rive droite, ensuite sur la gauche, puis il vous renvoie au milieu, vous fait faire trois tours en vous ramenant vers l'amont, et finit toujours par tenter de vous broyer contre un ponton de l'Université [147].

En conséquence de quoi, naturellement, sur cet espace de quinze cents mètres, nous faillîmes entrer en collision avec une quantité d'autres canots, et eux avec nous, et il s'ensuivit pas mal de gros mots.

Je ne sais pas comment cela se fait, mais tout le monde est toujours extraordinairement irritable sur la Tamise. La plus petite anicroche, dont vous ne vous apercevriez pas sur la terre ferme, vous rend fou de rage lorsqu'elle se produit sur l'eau. Quand George ou Harris commettent une bêtise à terre, je souris avec indulgence ; sur le fleuve, à la moindre maladresse, je les accable d'injures. Quand un autre bateau se met dans mon chemin, je suis tenté de prendre un aviron pour tuer tous ses occupants.

Les gens du caractère le plus bénin quand ils sont à terre, deviennent, en canot, féroces et sanguinaires. Il m'est arrivé un jour de naviguer avec une jeune demoiselle. Elle était du naturel le plus doux et le plus aimable qu'on puisse imaginer, mais sur la rivière, c'était vraiment effrayant de l'entendre.

— Oh ! que le diable l'emporte, celui-là ! s'exclamait-elle, quand un infortuné rameur se mettait dans son chemin. Il ne peut donc pas regarder où il va !

Ou bien :

— Ah ! la barbe avec ce sale machin, disait-elle, révoltée, quand la voile ne se laissait pas hisser correctement.

Et elle l'empoignait et la secouait avec une réelle brutalité.

Pourtant, comme je l'ai dit, elle était, à terre, charmante et douce.

L'air fluvial a sur le caractère un effet démoralisant, et c'est là, je pense, ce qui fait que les bateliers eux-mêmes sont parfois si grossiers entre eux et se servent d'un langage qu'ils regrettent sans nul doute dans leurs moments plus calmes.

19

Oxford. — L'idée que Montmorency se fait du ciel. — Le canot de location, ses beautés et ses avantages. — La *Gloire de la Tamise*. — Le temps change. — Le fleuve sous divers aspects. — Une soirée peu folâtre. — Aspirations vers l'impossible. — Echange de gais propos. — George joue du banjo. — Une mélodie funèbre. — Deuxième journée de pluie. — La fuite. — Un petit souper et un toast.

Nous passâmes à Oxford deux jours très agréables. Il y a beaucoup de chiens dans la ville d'Oxford. Montmorency se battit onze fois le premier jour et quatorze le second. Il se croyait évidemment arrivé au ciel.

Chez les gens trop faibles de constitution et d'un naturel trop paresseux pour aimer le labeur d'une remontée du fleuve, c'est une coutume répandue de louer un canot à Oxford et de descendre à l'aviron. Mais pour les courageux, le voyage vers l'amont est certainement préférable. Cela ne vaut rien de suivre toujours le courant. On éprouve plus de satisfaction à cambrer la poitrine pour lutter contre lui et à réussir à avancer malgré lui, tel est, du moins, mon avis, lorsque Harris et George rament et que je gouverne.

A ceux qui seraient tentés de choisir Oxford comme

point de départ, je dirai : prenez votre canot à vous
— sauf, bien entendu, si vous pouvez prendre celui
d'autrui sans risquer d'être découverts. Les canots
qu'on trouve à louer sur la Tamise au-delà de Marlow
sont, en règle générale, excellents. Ils sont suffisamment étanches, et aussi longtemps qu'on les manie
avec précaution, il est rare de les voir s'ouvrir en deux
et couler. On trouve dans ces canots de quoi s'asseoir
et tout le nécessaire — ou presque — pour vous
permettre de les mener à la rame et de les gouverner.

Mais ils ne sont pas décoratifs. Le bateau loué en
amont de Marlow n'est pas de ceux qui vous permettent de briller ou de poser pour la galerie. Ce canot-là
met vite un frein aux velléités de ce genre que peuvent
manifester ses occupants. C'est là son principal, pour
ne pas dire son unique mérite.

Le canotier qui monte un bateau loué dans ce coin-
là est modeste et discret. Il se tient de préférence sous
les arbres du côté de l'ombre et accomplit la plus
grande partie de son trajet le matin de bonne heure, ou
tard dans la soirée, lorsqu'il n'y a pas trop de monde
sur l'eau pour le regarder.

Quand l'occupant du canot de location aperçoit une
de ses connaissances, il gagne aussitôt la rive et va se
cacher derrière un arbre.

Un été, avec des copains, nous louâmes un canot en
amont du fleuve pour une excursion de quelques
jours. Aucun de nous n'avait encore vu ce genre de
canot-là, et nous ignorions ce qu'il pouvait être quand
nous fîmes sa connaissance.

Nous avions écrit pour retenir un canot à deux
paires de rames. Quand nous arrivâmes chez le loueur
de bateaux avec nos valises et que nous eûmes dit nos
noms, le patron répliqua :

— Ah ! oui, c'est vous qui avez commandé un canot
à deux paires de rames. Parfait ! Jim, sors donc la
Gloire de la Tamise.

Le garçon s'éloigna et reparut cinq minutes plus
tard, luttant avec un assemblage de bois antédiluvien,
qu'on eût cru déterré depuis peu et manipulé sans

soin, ce qui l'avait endommagé plus que de raison.

Ma première idée, à l'aspect de l'objet, fut qu'il s'agissait de quelque débris romain — débris de quoi, je l'ignorais ; d'un sarcophage, peut-être.

La région de la haute Tamise abonde en débris romains, et ma supposition me paraissait des plus vraisemblables, mais le jeune savant de notre bande, vague géologue, rejeta dédaigneusement mon hypothèse du débris romain et déclara qu'il était évident à la plus pauvre intelligence (catégorie dans laquelle il semblait regretter de ne pouvoir en conscience me ranger) que la chose trouvée par le garçon était un fossile de baleine ; et il nous démontra, preuves à l'appui, que cet animal avait dû appartenir à la période préglaciaire.

Pour trancher la question, nous recourûmes au garçon. Nous le priâmes de parler sans crainte et de nous dire la vérité vraie. Etait-ce un fossile de baleine antédiluvienne ou était-ce un sarcophage romain ?

Le garçon répondit que c'était la *Gloire de la Tamise.*

Au premier abord, nous trouvâmes la repartie fort spirituelle, et quelqu'un lui donna deux pence pour sa promptitude d'esprit. Mais comme il n'en démordait pas, la plaisanterie nous parut avoir trop duré. On se fâcha.

— Allons, allons, mon ami, dit sévèrement notre capitaine, en voilà assez de ces balivernes ! Rapportez à votre mère son baquet à lessive et amenez-nous le canot.

Survint alors le constructeur de bateaux en personne, qui nous affirma, sur sa parole de praticien, que l'objet était réellement un canot, voire le canot à deux paires de rames choisi pour nous porter dans notre descente de la rivière.

Nous récriminâmes beaucoup. Nous trouvions qu'il aurait pu, tout au moins, le faire badigeonner à la chaux ou au goudron, y faire au moins quelque chose pour le distinguer de l'épave d'un naufrage. Mais il se refusait à lui trouver aucun défaut.

Il parut même offensé de nos remarques. Il affirmait nous avoir choisi le meilleur canot de sa réserve, et il estimait que nous aurions pu lui en être reconnaissants.

Il ajouta que la *Gloire de la Tamise,* telle qu'elle était là, servait depuis quarante ans, à sa connaissance ; personne encore ne s'en était jamais plaint, et il ne voyait pas pourquoi nous serions les premiers à le faire.

Nous cessâmes de discuter.

Après avoir consolidé le soi-disant canot avec des bouts de ficelle, et collé un peu de papier de tenture sur les endroits les plus avariés, chacun recommanda son âme à Dieu et tous s'embarquèrent.

On nous compta trente-cinq shillings pour la location de ce débris pendant six jours, alors qu'on aurait pu acheter l'objet pour quatre shillings et demi, tous frais payés, à n'importe quelle vente de bois d'épaves sur la côte.

Le temps changea le troisième jour — oh ! je parle maintenant de notre présent voyage — et ce fut sous une pluie battante que nous quittâmes Oxford pour regagner nos pénates.

La Tamise... quand le soleil étincelle sur ses vaguelettes dansantes, faisant jouer des reflets d'or sur les troncs gris-vert des hêtres, transperçant de ses rayons les bois frais et sombres, projetant des diamants sur la roue des moulins, irisant les eaux écumeuses des écluses, lançant des baisers aux lis, argentant murs et ponts moussus, égayant le moindre hameau, rendant tout sentier et toute prairie aimables, s'accrochant aux buissons, souriant dans chaque crique, éclatant sur les lointaines voiles blanches, imprégnant l'air de splendeur... la Tamise, dis-je, est un fleuve de rêve.

Mais la Tamise... triste et glacée, quand les gouttes de la pluie incessante tombent sur ses eaux grises et mornes comme les larmes d'une femme qui pleure tout bas dans les ténèbres, quand les bois, muets et assombris, drapés de brume vaporeuse, sont sur ses bords comme des fantômes muets aux yeux chargés de reproches, tels ceux des mauvaises actions ou des amis délaissés... la Tamise n'est plus qu'une eau hantée de revenants au pays des vains regrets.

La lumière du soleil est la vie même de la nature. Quand le soleil s'est retiré d'elle, notre mère la terre nous regarde avec des yeux tellement tristes et sans âme que sa présence alors nous navre : on dirait qu'elle ne nous connaît plus et qu'elle a cessé de nous aimer. On dirait une veuve qui a perdu son mari bien-aimé et que ses enfants prennent par la main et regardent dans les yeux sans qu'elle puisse même leur sourire.

Toute cette journée-là, nous tirâmes l'aviron sous la pluie, et ce fut un travail bien mélancolique. Au début, nous faisions comme si cela nous amusait. C'était un changement, disions-nous, et nous aimions voir la rivière sous ses différents aspects.

On ne pouvait pas s'attendre à avoir toujours du soleil, disions-nous. La nature, disions-nous, n'est-elle pas belle, même en pleurs ?

Et de fait, durant les quelques premières heures, Harris et moi nous fûmes pleins d'entrain, et nous chantâmes une romance célébrant la vie du bohémien, cette existence délicieuse, livrée à la tempête et au soleil et à tous les vents — et affirmant qu'il aime la pluie, la bonne pluie, et qu'il se moque de ceux qui ne l'aiment pas.

George prit la chose plus froidement et se borna à ouvrir son parapluie.

Nous dressâmes la bâche avant le déjeuner et la gardâmes tout l'après-midi, ne laissant à l'avant qu'un tout petit espace pour permettre à l'un de nous de pagayer et d'ouvrir l'œil. Nous fîmes quinze kilomètres de cette façon, et nous arrêtâmes pour la nuit un peu après l'écluse de Day.

Je ne saurais dire sincèrement que notre soirée fut joyeuse. La pluie se déversait avec une tranquille obstination. Tout ce qu'il y avait dans le canot était humide et visqueux. Le souper fut pitoyable. Le pâté de veau froid, quand on n'a pas faim, tend à vous rester dans le gosier. Je regrettai l'absence de friture et de côtelettes. Harris nous entretint de soles sauce blanche, et passa le reste de son veau à Montmorency, qui refusa, et, apparemment froissé par cette offre, alla s'asseoir tout seul à l'autre bout du bateau.

George nous pria de parler d'autre chose, au moins jusqu'à ce qu'il eût terminé son bœuf bouilli froid et sans moutarde.

Après souper, nous fîmes un écarté à un penny la partie. Nous y jouâmes pendant deux heures, au bout desquelles George avait gagné quatre pence (George est toujours heureux aux cartes) et Harris et moi avions perdu deux pence chacun.

Nous crûmes bon, après cela, de renoncer au jeu, car, comme le dit Harris, quand il est poussé trop loin il engendre une émotion malsaine. George nous offrit la revanche, mais nous refusâmes, Harris et moi, de lutter davantage contre le destin.

Ensuite on fit du grog, et on s'assit en rond à causer. George nous raconta l'histoire d'un homme qu'il avait connu, lequel, en remontant la Tamise, deux ans plus tôt, avait dormi dans un canot humide, par une nuit exactement pareille à celle-ci. Il en était résulté une pleurésie, dont il mourut au bout de dix jours en dépit de tous les soins. C'était, nous dit George, un homme tout jeune et qui, détail navrant, était fiancé. Il nous dit que c'était une des choses les plus tristes qu'il ait jamais entendu raconter.

Harris se rappela aussitôt un de ses amis, qui s'était engagé comme volontaire et avait couché sous la tente par une nuit de pluie, au camp d'Aldershot [148], une nuit toute pareille, ajouta Harris ; le matin il s'était réveillé infirme pour la vie. Harris promit de nous faire faire sa connaissance à notre retour en ville : cela nous fendrait le cœur.

Il s'ensuivit tout naturellement une charmante conversation sur la sciatique, les fièvres, grippes, pneumonies et bronchites. Harris dit que ce serait bien malencontreux si l'un de nous venait à tomber gravement malade cette nuit, vu que nous serions très loin de tout médecin.

Ces propos firent naître en nous le désir de voir suivre quelque chose d'un peu folâtre et, dans un moment de faiblesse, je proposai à George de sortir son banjo et de tâcher de nous jouer une chansonnette comique.

Je dois dire à la louange de George qu'il ne se fit pas prier. Il ne feignit pas d'avoir laissé sa musique chez lui et ne recourut à aucun subterfuge dilatoire de ce genre. Il tira aussitôt son instrument et se mit à jouer *Deux jolis yeux noirs* [149].

Jusqu'à ce soir-là j'avais toujours considéré *Deux jolis yeux noirs* comme un air assez banal. Les riches accents de tristesse que George sut en extraire me surprirent beaucoup.

Tandis que les funèbres mesures se déroulaient, le désir grandit chez Harris et chez moi de nous jeter dans les bras l'un de l'autre et de fondre en larmes, mais à force de volonté nous refoulâmes nos pleurs naissants, pour écouter en silence la lamentable et nostalgique mélodie.

Même, quand vint le refrain, nous fîmes un effort désespéré pour être gais. Remplissant nos verres, nous unîmes nos voix ; celle de Harris, tremblante d'émotion, conduisait ; celle de George et la mienne suivaient à quelques mots en arrière :

> Deux jolis yeux noirs,
> Oh ! quelle surprise !
> Ne sachant que vous dire : Monsieur, vous faites erreur.
> Deux...

Là nous craquâmes. George avait mis sur ce « Deux » un accompagnement d'une tristesse si déchirante qu'il me fut impossible, dans notre affliction, de le supporter. Harris sanglotait comme un petit enfant, et Montmorency ululait à faire croire qu'il allait sûrement se fendre le cœur et la mâchoire.

George voulait chanter encore un couplet. Il affirmait qu'avec un peu plus d'ensemble dans la mesure et un peu plus d'aisance dans l'interprétation, ce ne serait pas trop mal. L'opinion de la majorité, néanmoins, se prononça contre l'expérience.

Il ne nous resta plus qu'à aller nous coucher — c'est-à-dire à nous déshabiller et à nous retourner dans le fond du canot pendant trois ou quatre heures. Après quoi, nous réussîmes à dormir tant bien que mal jusqu'à cinq heures du matin. Alors, nous nous levâmes tous pour déjeuner.

Le deuxième jour fut exactement pareil au premier. La pluie continua de tomber à verse, et nous restâmes enveloppés dans nos caoutchoucs, blottis sous la bâche, à descendre lentement au fil de l'eau.

Durant le cours de la matinée, l'un de nous (j'ai oublié lequel, mais je crois bien que c'était moi) s'efforça timidement de reprendre cette vieille rengaine du bohémien enfant de la nature et savourant la pluie, mais ça ne mordit pas du tout. Le vers :

<blockquote>La pluie ? je m'en moque bien, moi !</blockquote>

était si péniblement approprié à nos sentiments à tous qu'il me parut fort inutile de le chanter.

Nous étions tous d'accord sur un point, à savoir que, quoi qu'il pût advenir, nous boirions le calice jusqu'à la lie. Nous étions partis pour passer une quinzaine sur la Tamise, et nous aurions notre quinzaine de vacances, dussions-nous en périr ! — ce qui serait, il est vrai, bien triste pour nos parents, mais il n'y avait pas de remède. Céder au mauvais temps sous un climat tel que le nôtre serait d'un précédent par trop déplorable.

— Il n'y a plus que deux jours, dit Harris, et nous sommes jeunes et robustes. Nous tiendrons bien jusqu'au bout.

Vers les quatre heures, nous commençâmes à régler nos dispositions pour la soirée. Nous étions alors un peu au-delà de Goring, et nous décidâmes de pagayer jusqu'à Pangbourne, où nous nous arrêterions pour la nuit.

— Encore une charmante soirée! grommela George.

Nous méditâmes sur cette perspective. Nous serions à Pangbourne vers cinq heures. Nous aurions fini de dîner, mettons à six heures et demie. Après quoi, il nous resterait à faire le tour du village sous la pluie battante jusqu'à l'heure du souper, ou bien à nous attarder à lire l'almanach dans un estaminet mal éclairé.

— Ma foi! l'Alhambra [150] me tenterait presque davantage, dit Harris, en aventurant une minute sa tête au-dehors de la bâche pour jeter un coup d'œil sur le ciel.

— Avec un petit souper au *... pour finir, ajoutai-je, quasi sans y penser.

— Oui, c'est presque dommage que nous ayons décidé de ne pas quitter le bateau, répondit Harris.

Il y eut un silence.

— Si nous n'avions pas décidé de trouver une mort assurée dans ce vieux cercueil de malheur, rétorqua George, en lançant sur le canot un regard de féroce malveillance, cela vaudrait peut-être la peine de vous faire remarquer qu'il y a un train quittant Pangbourne, je le sais, un peu après cinq heures, lequel nous mettrait en ville bien à temps pour manger un morceau et puis aller à l'établissement que l'on vient de mentionner.

Personne ne souffla mot. Nous nous entre-regardions, et chacun semblait voir ses propres pensées basses et coupables se refléter sur le visage des autres. En silence, on tira et on garnit la valise. On inspecta le fleuve en amont et en aval : personne en vue !

---

* Un merveilleux petit restaurant, fort peu connu, dans le voisinage de... où on vous sert un de ces petits repas français des mieux cuisinés et des moins chers que je connaisse, avec une bouteille d'excellent beaune pour trois shillings et six pence, et dont je n'aurai pas la bêtise de révéler l'adresse.

Vingt minutes plus tard, trois formes humaines, escortées par un chien à l'air piteux, sortaient furtivement du hangar à bateaux du *Cygne* pour gagner la gare. Elles étaient revêtues du costume ci-après, aussi fripé qu'inélégant :

Souliers de cuir noir, sales ; complet de flanelle de plaisancier, très sale ; chapeau mou brun, fort usagé ; imperméable, très mouillé ; parapluie.

Nous avions trompé le loueur de canots de Pangbourne. Nous n'avions pas eu le front de lui avouer que nous fuyions la pluie. Nous avions laissé le canot, avec tout son contenu, sous sa garde, avec ordre de nous le tenir prêt pour le lendemain matin neuf heures. Si, ajoutâmes-nous — si par hasard il survenait un événement imprévu pour empêcher notre retour, nous lui écririons.

Dès sept heures, nous étions à Paddington [151]. Un cab nous mena droit au restaurant ci-dessus mentionné ; nous y prîmes un léger repas, y laissâmes Montmorency en même temps que des instructions pour qu'on nous tînt prêt notre souper à dix heures et demie, et continuâmes notre chemin vers Leicester Square.

Nous attirâmes beaucoup l'attention à l'Alhambra. Lorsque nous nous présentâmes au guichet, on nous enjoignit grossièrement de faire le tour par l'entrée des artistes, en nous avertissant que nous étions en retard d'une demi-heure.

Nous eûmes quelque peine à convaincre l'homme du guichet que nous n'étions pas « les fameux acrobates des monts Himalaya », mais il finit par accepter notre argent et nous laissa entrer.

A l'intérieur, notre succès fut encore plus grand. Des regards admiratifs suivaient dans la salle nos belles mines bronzées et nos tenues pittoresques. Nous étions le point de mire de tous les yeux.

Ce fut un moment glorieux pour nous trois.

Nous partîmes peu après le premier ballet, pour regagner le restaurant, où notre souper nous attendait.

Je dois reconnaître que je pris plaisir à ce souper.

Dix jours durant, nous ne nous étions nourris, à peu de chose près, que de viande froide, de gâteau et de tartines de confitures : régime frugal et nourrissant, mais par trop monotone. Le parfum du bourgogne, l'odeur des sauces françaises, l'aspect des serviettes toutes propres et des longs pains viennois furent une réjouissance pour notre être intime.

Pendant un moment nous dévorâmes en silence, puis vint l'heure où, au lieu de nous tenir bien droits et de manier vigoureusement couteaux et fourchettes, nous nous reculâmes sur nos chaises pour en jouer plus négligemment. Les jambes s'allongèrent sous la table, on laissa glisser les serviettes à terre sans les ramasser, et on prit enfin le loisir d'examiner plus attentivement le plafond enfumé. On reposa les verres à bout de bras sur la table, et on se sentit béat, pensif et plein d'indulgence.

Alors Harris, qui était assis près de la fenêtre, écarta le rideau et regarda dans la rue.

Elle reluisait obscurément, toute mouillée, les vagues réverbères clignotaient sous les rafales, la pluie clapotait sans arrêt dans les flaques et dégoulinait des gouttières, les caniveaux coulaient à pleins bords. De rares passants trempés se hâtaient, courbés sous leurs parapluies ruisselants, et les femmes retroussaient leurs jupes à pleines mains.

— Allons, dit Harris en allongeant le bras vers son verre, nous avons fait une charmante excursion et j'en rends grâces à la nymphe de la Tamise, mais nous avons bien fait de laisser tomber quand il était temps. Je bois à la santé de Trois Hommes délivrés du bateau !

Et Montmorency, se dressant jusqu'à la fenêtre sur ses pattes de derrière, regarda dans la nuit et, lançant un bref aboiement, se joignit résolument à notre toast.

NOTES

1. Les plus célèbres étaient à l'époque les fameuses pilules Carter pour le foie qui faisaient l'objet d'une abondante publicité.

2. Ce fameux musée, fondé en 1753, contient une des plus importantes bibliothèques du monde. J. K. Jerome y allait souvent lire lorsqu'il était un jeune employé sans argent à Londres.

3. Néphrite chronique.

4. Ce mot, qui signifie exactement « fermentation », était devenu un terme générique désignant les maladies infectieuses telles que la typhoïde, le choléra ou la variole.

5. Journal du dimanche à très gros tirage qui se consacrait essentiellement au sport et aux chroniques mondaines.

6. Navigateur anglais (1728-1779). Lors de plusieurs expéditions dans le Pacifique, il découvrit la Nouvelle-Zélande et les côtes orientales de l'Australie (1768-1771), puis les Marquises, les Nouvelles-Hébrides et la Nouvelle-Calédonie (1776-1779).

7. Navigateur anglais (1540-1596). Lors d'un voyage dans les mers du Sud (1577-1580) il explora les côtes du Chili, du Pérou et les îles de la Sonde. Il participa à la destruction de la flotte espagnole à Cadix (1587) et à la dispersion de l'Invincible Armada (1588).

8. Port de l'île de Sheppey, sur l'embouchure de la Tamise.

9. Port de la mer du Nord sur la côte du Norfolk.

10. Ville sur la rive nord de l'estuaire de la Tamise. La jetée de Southend était un lieu de distraction très populaire.

11. Station thermale réputée située dans le Somerset.

12. Condiment fait de petits légumes, fruits et graines aromatiques macérés dans du vinaigre.

13. Ville sur la Tamise en face du palais de Hampton Court. C'est de là que partaient J. K. Jerome, George Wingrave et Carl Hentschel lors de leurs promenades dominicales en bateau.

14. A quelques kilomètres de Kingston en remontant la Tamise.

15. Située à l'est de Londres, la *City* est le centre des affaires, des banques et des grandes compagnies d'assurance.

16. Sauce piquante à base de vinaigre et d'épices, très appréciée

en Angleterre. Elle était fabriquée, originellement, dans la ville de Worcester.

17. Allusion à un passage célèbre, et devenu proverbial, du poème de William Cowper (1731-1800) « L'Œuvre » (1785), qui évoque « les coupes qui égaient mais n'enivrent pas ».

18. Ville à une quarantaine de kilomètres au sud de Liverpool.

19. Gare de Londres qui dessert le nord de l'Angleterre.

20. Le *coroner* est le juge qui fait une enquête préliminaire pour décider si une mort est naturelle ou si elle doit donner lieu à une instruction.

21. Large cuvette où l'on pouvait prendre un bain.

22. Le jour de Noël de 1872, une prostituée fut retrouvée la gorge tranchée dans sa chambre de Great Coram Street à Londres. Après une enquête difficile à laquelle la presse fit largement écho, un suspect fut finalement découvert, mais il dut être relâché faute de preuves. Tout l'événement fut une tragédie victorienne typique qui passionna l'opinion.

23. Journaliste et explorateur anglais (1841-1904). En 1871, il retrouva le missionnaire et explorateur Livingstone dans la région du lac Tanganyika. En 1887, deux ans avant la publication de *Trois hommes dans un bateau*, il était parti pour les provinces équatoriales du Soudan pour porter secours à Emin Pacha en lutte contre les mahdistes.

24. Tout cet épisode s'inspire très certainement de souvenirs de l'auteur qui, au début de sa carrière, fut employé au service des billets de la gare Euston à Londres.

25. Port sur la côte sud de l'Angleterre.

26. A une quarantaine de kilomètres à l'ouest de Londres sur la Tamise. C'est là que se trouve le château de Windsor, l'une des résidences favorites de la famille royale.

27. Vaste étang artificiel aménagé en 1746, à une trentaine de kilomètres au sud-ouest de Londres.

28. Ile du sud de l'Angleterre entre Portsmouth et Southampton.

29. Ville du sud-ouest de l'Angleterre, chef-lieu du Devon.

30. Forme ancienne du mot *king* (roi).

31. Edouard l'Ancien fut couronné à Kyningestun en 902, Edwy en 955 et Ethelred II en 979.

32. Surnom de la reine Elisabeth Ire (1533-1603). Elle ne se maria jamais et fut aussi surnommée la « reine vierge ».

33. On raconte qu'en 955, lors du couronnement du roi Edwy qui n'avait alors que quinze ans, l'archevêque Dunstan et l'évêque Odo ramenèrent de force au banquet le roi qui s'était éloigné pour jouir de la compagnie de son épouse, la reine Elgiva.

34. Sur la Tamise, au sud-ouest de Londres, Hampton Court était un manoir saxon dont Henry VIII fit une fastueuse résidence. Une aile fut construite entre 1689 et 1719 en style classique sur les plans de Christopher Wren et jusqu'en 1760 le palais fut l'une des résidences favorites des souverains britanniques. Déjà à l'époque de J. K. Jerome l'ensemble était devenu un musée renfermant de riches collections de peinture.

35. Allusion à *L'Histoire de Sandford et Merton* (1783-1789), célèbre livre pour enfants de Thomas Day (1748-1789), illustrant la doctrine selon laquelle la richesse corrompt et la raison doit être le fondement de l'éducation. L'histoire, très édifiante, met en contraste l'inconduite du garçon riche, Tommy Merton, et la droiture du garçon pauvre, Harry Sandford.

36. Le choléra fut un fléau en Angleterre tout au long du XIXᵉ siècle. La cause principale en était la pollution des eaux de consommation, en particulier à Londres. C'est seulement avec la construction d'un réseau d'égouts à Londres, à partir de 1870, que les risques d'épidémie commencèrent à diminuer.

37. « Que si Dieu habille de la sorte l'herbe des champs, qui est aujourd'hui et demain sera jetée au four, ne fera-t-il pas bien plus pour vous, gens de peu de foi ! » (Evangile selon saint Matthieu, 6 : 30.)

38. Ramsgate et Margate sont deux stations balnéaires très fréquentées à l'extrémité sud de l'estuaire de la Tamise.

39. Ancien comté du nord-ouest de Londres qui englobait une bonne partie du Grand Londres.

40. Au cours des années 1880 le goût pour les promenades en bateaux se développa à tel point que la haute vallée de la Tamise devint un centre très actif de navigation de plaisance. En 1889, année de la publication de *Trois hommes dans un bateau*, douze mille embarcations étaient enregistrées auprès des autorités de la Tamise.

41. La mode des *black minstrels*, chanteurs ambulants au visage noirci jouant du banjo et du tambourin, était venue des Etats-Unis et s'était répandue en Angleterre dans les années 1880. On en voyait souvent dans les stations balnéaires en été.

42. « Plumer », c'est ramener l'aviron à plat lorsqu'il sort de l'eau, de telle sorte qu'il offre moins de résistance à l'air.

43. Susannah Thomas, fille du gouverneur des Compagnies Africaines, morte en 1731. Sa tombe est ornée de colonnes de marbre et d'une sculpture qui la représente.

44. Cimetière du nord-ouest de Londres.

45. Quartier de l'East End à Londres.

46. Faubourg au nord-ouest de Londres.

47. Ce sont les cours d'éducation religieuse du dimanche pour les enfants des familles protestantes.

48. Harris confond deux airs connus provenant de deux opérettes différentes des célèbres William S. Gilbert (1836-1911) et Arthur Sullivan (1842-1900), l'air du juge dans *Cour d'assises* (1875) et l'air de l'amiral dans *Le Pinafore* (1878).

49. J. K. Jerome exercera à nouveau sa verve aux dépens des Allemands quelques années plus tard dans *Three Men on the Bummel* (*Trois hommes en balade*) (1900), chronique humoristique d'un voyage à bicyclette en Allemagne.

50. Ce massif montagneux d'Allemagne centrale entre l'Elbe et la Weser est un lieu cher à la littérature et au folklore allemands. C'est sur son sommet, le Brocken, que se déroule le sabbat lors de la nuit de Walpurgis dans le *Faust* de Goethe.

51. Petite ville proche d'Oxford où se trouvent les vestiges d'une abbaye bénédictine du VIIᵉ siècle.

52. Chef-lieu du Berkshire, au confluent de la Tamise et du Kennet.

53. John Bradshaw (1602-1659) présida la cour qui condamna à mort le roi Charles Iᵉʳ en 1649. George Bradshaw (1801-1853) publia en 1839 le premier de ses célèbres horaires de chemin de fer qu'il compléta en 1841 par des guides de chemin de fer qui devinrent tout aussi célèbres.

54. Instrument de punition qui comportait une armature en fer pour tenir la tête et un bloc de métal qu'on enfonçait dans la bouche.

55. On raconte qu'en 1538 Henry VIII força le propriétaire d'Oatlands à lui céder cette demeure contre un manoir qu'il lui offrit en échange.

56. Fameuse grotte artificielle construite par le duc de Newcastle en 1747.

57. La tradition rapporte que des pilotis furent plantés en travers de la Tamise près de Walton à une période très reculée, mais la raison de leur présence n'a jamais vraiment été expliquée.

58. Chef de tribu qui attaqua l'armée de César en 54 avant J.-C. Finalement battu par l'armée romaine, il dut livrer des otages et payer tribut à Rome.

59. L'écrivain Thomas Love Peacock (1785-1866) composa un poème pour la tombe de sa fille qui est enterrée à Shepperton.

60. L'habitude de jouer de la musique tout en naviguant sur la Tamise s'était tellement répandue au début des années 1880 que certains plaisanciers s'en plaignaient.

61. Dans les années 1880 et 1890 il n'était pas rare de voir des plaisanciers halant leur embarcation le long de la Tamise.

62. Peut-être une allusion à un passage célèbre de *A travers le miroir* (1871) de Lewis Carroll (1832-1898), où les jumeaux Tweedledum et Tweedledee essaient de faire croire à Alice qu'elle n'est qu'un personnage dans le rêve du roi endormi et que s'il s'éveillait elle disparaîtrait.

63. « *He's Got 'em On* », air comique rendu très populaire par le chanteur de music-hall T. W. Barrett.

64. Ce chœur du *Faust* (1859) de Gounod était un des airs d'opéra les plus populaires de la seconde moitié du XIXᵉ siècle.

65. *Picnic Pount,* petite maison de bois au toit de chaume qui était une étape habituelle pour les plaisanciers de la Tamise.

66. Quartier est de Londres situé entre Oxford Street et Saint Paul.

67. Date de la proclamation de la Grande Charte par Jean sans Terre.

68. Oliver Cromwell (1599-1658) poussa son opposition à la royauté jusqu'à faire décapiter Charles Iᵉʳ en 1649 et instaurer un gouvernement républicain qui dura de 1649 à 1660.

69. Il s'agit là de l'affrontement entre le roi Jean sans Terre et les barons de son royaume. Lors de la rencontre de Runnymede, le

15 juin 1215, ces derniers finirent par lui imposer la Grande Charte qui limitait ses pouvoirs.

70. Richard Cœur de Lion (1157-1199), célèbre pour ses exploits militaires.

71. La Grande Charte garantissait les droits féodaux ainsi que les libertés de l'Eglise et des villes contre l'arbitraire royal, et instituait des garanties judiciaires. Elle devint le symbole de la lutte contre le pouvoir absolu.

72. C'est parce qu'il voulait faire annuler par le pape son mariage avec Catherine d'Aragon pour épouser Anne Boleyn qu'en 1534 Henry VIII rompit avec Rome et devint chef unique de l'Eglise anglaise.

73. Château près d'Edenbridge au sud de Londres. C'est là qu'Henry VIII rencontra pour la première fois Anne Boleyn.

74. Ville à une trentaine de kilomètres au nord-ouest de Londres, site d'une célèbre cathédrale.

75. C'était un sujet particulièrement épineux. L'agitation nationaliste s'était développée en Irlande dans les années 1870 avec le mouvement pour le *Home Rule* (autonomie de l'Irlande) et la naissance de la Ligue agraire qui combattait les propriétaires anglais en Irlande. En 1886, la tentative du premier ministre Gladstone pour faire voter aux Communes une loi sur le *Home Rule* échoua et il démissionna. En 1889, date de la publication de *Trois hommes dans un bateau*, aucune solution n'était en vue.

76. Comté du sud-est de l'Angleterre situé entre l'estuaire de la Tamise et la Manche.

77. On raconte que lorsque Henry VIII décida la dissolution des monastères (1536-1540) des moines d'Oxford embarquèrent leurs cloches sur la Tamise, mais qu'une fois arrivés au Vieux Windsor, ils s'échouèrent, ne purent repartir et enterrèrent leurs cloches dans la vase.

78. Roi d'Angleterre de 1042 à 1066.

79. Godwine, comte de Wessex (mort en 1053), domina le royaume sous le règne d'Edouard le Confesseur (1042-1066).

80. C'est la partie du parc de Windsor qui longe la Tamise.

81. Il s'agit du *Summer Bank Holiday*, dernier lundi d'août, l'un des jours fériés nationaux en Angleterre.

82. Ce lieu doit son nom à un pavillon de pêche qu'y fit construire au XVIIIe siècle le duc de Marlborough et dont les plafonds sont décorés de peintures représentant des singes ayant allure humaine.

83. L'une des plus grandes brasseries anglaises.

84. J. K. Jerome raconte dans son autobiographie (*Ma vie et mon époque*) qu'il se retrouva célèbre du jour au lendemain après avoir écrit une lettre au *Times* sur la question du nu en peinture.

85. Ce magazine qui parut de 1845 à 1906 s'était spécialisé dans les faits divers à sensation, les rubriques de mode et de prétendues chroniques du monde élégant faites pour épater le grand public.

86. La partie de la Tamise qui va de Boulter à Cookham est une des plus belles de toute la vallée. C'est à Boulter que se réunissait

chaque année après la course royale d'Ascot tout ce que le monde londonien avait de plus élégant.

87. Le château de Cliveden, alors la propriété du duc de Westminster, a un magnifique parc orné de petits temples néo-classiques.

88. Cookham servit de décor à Kenneth Grahame (1859-1932) pour son célèbre conte d'animaux *Le Vent dans les saules* (1908).

89. Livre de Job (Bible King James), 5 : 7.

90. Aelfgar fut comte du royaume angle de Mercie, au centre de l'Angleterre, au milieu du XIe siècle.

91. Guillaume le Conquérant (1028-1087), duc de Normandie, devint roi d'Angleterre après avoir remporté la victoire de Hastings sur le roi Harold, en 1066.

92. Mathilde de Flandre épousa Guillaume le Conquérant en 1053.

93. Le plus célèbre des comtes de Warwick fut Richard Neville (1428-1471), qui soutint son beau-frère Richard d'York contre Henry VI lors de la guerre des Deux Roses et fit couronner le fils de Richard, Edouard IV. Il est enterré à l'abbaye de Bisham, en face de Marlow.

94. Lord Paget (1506-1563) fut successivement le conseiller d'Henry VIII, d'Edouard VI et de Marie Tudor. Il avait une grande réputation de sagesse.

95. Au XIIe siècle l'abbaye appartenait aux Templiers. Un prieuré de moines augustins s'y installa au XIVe siècle. Lorsque les monastères furent dissous (1536-1540), Henry VIII donna l'abbaye à son ancienne épouse Anne de Clèves.

96. C'est là une erreur de J. K. Jerome. Il ne s'agit pas, comme le dit le texte, d'une « *Lady Holy* » (« Dame Sainte »), mais de Lady Elizabeth Hoby, épouse du 4e comte de Bedford dont elle eut trois enfants. Elle maltraita tellement l'un d'eux, Thomas, qu'il en mourut. On raconte que, depuis, le fantôme de Lady Hoby hante la demeure, essayant vainement, comme Lady Macbeth, de laver ses mains pour effacer les traces de son crime.

97. William Salisbury, fils du fondateur du prieuré, le comte de Salisbury.

98. En 1356, pendant la guerre de Cent Ans, les Anglais commandés par le Prince Noir battirent les Français à Poitiers et capturèrent le roi Jean le Bon.

99. Eglise de fondation normande qui conserve une tour de style roman.

100. En 1817 le poète Shelley (1792-1822) habita à Marlow avec sa seconde femme Mary. C'est effectivement là qu'il composa sa grande épopée politique *La Révolte de l'Islam*.

101. Sur un mur qui jouxte l'église de Hurley il y a une plaque qui mentionne « l'époque du roi Sebert et du roi Offa ». Sebert fut le premier roi chrétien (mort en 616) des Saxons de l'Est. Quant au roi Offa (757-796), son règne fut l'apogée du royaume de Mercie.

102. Comté du sud-ouest de l'Angleterre, à l'ouest d'Oxford.

103. Monastère de franciscains fondé en 1745. La tradition

rapporte qu'on y vivait une vie bien peu monacale et que beuveries et blasphèmes y étaient monnaie courante, d'où le surnom de *Hell Fire Club* (« Club du Feu de l'Enfer »).

104. Homme politique anglais (1727-1797). Député, il publia des attaques virulentes contre le gouvernement de George III et fut emprisonné à plusieurs reprises. Mais sa notoriété était telle qu'il fut réélu triomphalement en 1768 et devint lord-maire de Londres en 1774. Il incarnait pour les Anglais la défense des libertés individuelles contre l'arbitraire royal.

105. Il s'agit de W. H. Smith (1825-1891), le fondateur de la grande maison d'édition qui n'était au début qu'une chaîne de librairies de gare vendant des romans à bon marché.

106. Grand magasin londonien très élégant.

107. Long passage étroit situé à l'extrémité ouest du Strand et qui était célèbre pour ses boutiques de jouets. Il fut détruit en 1902.

108. Cromwell envahit l'Ecosse et battit les Ecossais à la bataille de Dunbar en 1651. Lorsque les Ecossais conduits par Charles II envahirent à leur tour l'Angleterre, Cromwell les battit à nouveau à Worcester en 1651.

109. Les *Good Templars* étaient une association, fondée en 1868, de gens qui avaient renoncé à l'alcool.

110. Quartier est de Londres sur la rive sud de la Tamise.

111. Allusion aux paroles de Hamlet à Ophélie : « Même si tu es aussi chaste que la glace, aussi pure que la neige, tu n'échapperas à la calomnie. Pars dans un couvent. » (*Hamlet,* Acte III, scène 1.)

112. On peut voir encore cette fameuse enseigne exposée sous verre dans l'auberge en question.

113. Voir note 35.

114. Jeu de mots : une couronne représentait exactement cinq shillings.

115. Alfred, Lord Tennyson (1809-1892) fut le plus célèbre poète de l'époque victorienne. En 1850, il succéda à Wordsworth comme Poète Lauréat.

116. « *The Campbells Are Coming* » est une célèbre marche militaire écossaise qui date du XVIIIe siècle. « *The Blue Bells of Scotland* » est tout aussi célèbre, mais dans un style moins guerrier.

117. Les régates de Henley, créées en 1839, étaient chaque année un grand événement sportif et mondain.

118. Il s'agit de la légende des sept jeunes chrétiens d'Ephèse qui, en 250, s'enfuirent dans une caverne du mont Célion pour échapper aux persécutions de l'empereur Dioclétien. Ils s'y endormirent et se réveillèrent deux cents ans plus tard sous le règne de Théodose II. Ils s'endormirent à nouveau et ne se réveillèrent que lors de la Résurrection.

119. Grand parc de Londres.

120. Rivière qui coule au nord de Londres.

121. A l'ouest de Londres sur la Tamise. C'est là que se trouvent les célèbres Jardins botaniques.

122. Petite ville au bord de la Tamise, dont le vaste parc domine la vallée. C'est un lieu de promenade favori des Londoniens.

123. Lac de forme allongée dans Hyde Park, à Londres.

124. Station balnéaire très fréquentée de la côte sud, à l'est de Brighton.

125. Il s'agit du *punting*, qui consiste à faire avancer une longue barque plate (*punt*) avec une perche.

126. Rivière qui se jette dans la Tamise à Reading.

127. Alfred le Grand fut roi du Wessex, royaume saxon du sud de l'Angleterre, de 871 à 899. Ethelred y régna de 978 à 1016. C'est sous leurs règnes que les Danois commencèrent à envahir l'Angleterre. En 871, le Wessex fut envahi par des armées danoises qui s'installèrent à Reading, alors ville frontière entre le Wessex et la Mercie. En 878, les troupes d'Alfred remportèrent la bataille d'Edington contre les Danois qui durent se retirer du Wessex vers l'East Anglia. A partir de 890 Alfred domina tout le reste de l'Angleterre. Mais cette hégémonie s'effondra sous le règne d'Ethelred lors de la poussée des invasions danoises et vikings.

128. A plusieurs reprises entre 1440 et 1461, puis pendant la peste de Londres en 1467-1468, le Parlement se déplaça à Reading. Lors de la Grande Peste (1665-1666) les cours de justice de Londres se transportèrent à l'abbaye de Reading.

129. En 1642, au début de la guerre civile, la ville de Reading fut occupée par les partisans du Parlement, puis reprise par les royalistes. L'année suivante le comte d'Essex assiégea et reprit la ville avec une armée de partisans du Parlement.

130. En 1688, Guillaume d'Orange (1650-1702), alors *stadhouder* de Hollande, fut appelé par les protestants pour écarter Jacques II (1633-1701) qui s'était converti au catholicisme. Jacques II s'enfuit en France et Guillaume d'Orange devint roi d'Angleterre en 1689.

131. L'abbaye de Reading fut fondée en 1121 par Henry Ier. Plusieurs personnages royaux y sont enterrés. De nombreux souverains, parmi lesquels Henry VIII, y vinrent en visite.

132. Jean de Gand (1340-1399), duc de Lancastre, participa à la guerre de Cent Ans (1373-1378) et assura le gouvernement réel de l'Angleterre à la fin du règne d'Edouard III et au début du règne de Richard II. Il épousa Blanche de Plantagenêt en 1359.

133. Le château de Mapledurham est un des plus beaux vestiges d'architecture féodale en Angleterre.

134. Le château de Hardwick est une bâtisse de style Tudor où la reine Elisabeth séjourna. Charles Ier y résida lorsqu'il était prisonnier à Caversham et on raconte qu'il joua aux boules dans une taverne.

135. Pangbourne était un séjour recherché des peintres pour la beauté de son paysage.

136. L'épisode s'inspire d'un fait divers qui se produisit près de Goring en 1887.

137. L'image vient de l'Evangile selon saint Matthieu (18 : 5).

138. C'était une habitude de blanchir les chaussures de daim blanc avec un mélange d'eau et de poudre d'argile.

139. Le célèbre club d'aviron de l'université d'Oxford.

140. On voit encore à Wallingford trois remparts concentriques qui datent de l'époque saxonne.

141. Il s'agit de la guerre civile qui de 1642 à 1649 opposa les royalistes qui soutenaient Charles Ier aux partisans du Parlement.

142. Sir Thomas Fairfax (1612-1671) fut pendant la guerre civile commandant en chef des forces favorables au Parlement. En 1645, il remporta sur les royalistes la bataille de Naseby et il s'empara de Wallingford l'année suivante.

143. Lors de l'invasion de l'Angleterre par Jules César en 55 avant J.-C., Dorchester fut pris par les Romains malgré une résistance farouche des habitants.

144. Royaume des Saxons de l'Ouest fondé à la fin du ve siècle dans le sud de l'Angleterre. Il atteignit son apogée sous les règnes d'Egbert le Grand (802-839) et d'Alfred le Grand (871-899).

145. L'origine d'Abingdon remonte à la fondation d'une abbaye bénédictine en 675 par un prince saxon du Wessex. L'abbaye fut abandonnée lors de la dissolution des ordres monastiques par Henry VIII et il n'en reste que quelques vestiges.

146. C'est sur cette partie de la rivière qu'étaient organisées chaque année en mai et juin les régates des clubs d'aviron de l'université d'Oxford.

147. Les pontons appartenaient aux différents collèges d'Oxford et servaient à la fois de vestiaires pour les rameurs et de tribunes pour les spectateurs lors des régates.

148. Ville du Hampshire, dans le sud de l'Angleterre, où se trouve un important camp utilisé par les écoles militaires de Sandhurst et de Camberley.

149. « *Two Lovely Black Eyes* », valse de music-hall rendue célèbre en 1886 par le chanteur Charles Whitton McCullum.

150. Ce music-hall de Londres à l'architecture de style mauresque était devenu célèbre dans les années 1860.

151. Gare de Londres qui dessert le réseau ouest.

BIBLIOGRAPHIE

ŒUVRES DE JEROME K. JEROME

Éditions de Trois Hommes dans un bateau *en anglais*

Three Men in a Boat (To Say Nothing of the Dog), Bristol, Arrowsmith, 1889.

Three Men in a Boat (To Say Nothing of the Dog), Londres, Pavilion Books, 1982.

Three Men in a Boat & Three Men on the Bummel, Ware, Wordsworth Classics, 1992.

Three Men in a Boat & Three Men on the Bummel, Londres, Penguin Books, « Penguin Classics », 1999.

Œuvres de Jerome K. Jerome traduites en français

Éditions de *Trois Hommes dans un bateau* en français

Trois Hommes dans un bateau, trad. M. Beerblock, illustrations J. Routier, Hachette, 1958.

Trois Hommes dans un bateau, trad. J.-F. Ménard, illustrations W. Geldart, Gallimard, « Folio junior », 2008.

Trois Hommes dans un bateau, trad. T. Varlet, Points, « Points Signatures », 2011.

Trois Hommes sur un bateau, extraits en édition bilingue, trad. D. Lescanne, Pocket, « Langues pour tous », 2003.

Autres œuvres de Jerome K. Jerome traduites en français

Arrière-pensées d'un paresseux, trad. B. Vierne, Arléa, « Les Grands Humoristes », 1992.

Éloge de ma paresse, trad. H. Thies, *La Nouvelle Revue critique*, 1934.

Journal d'un touriste, trad. Claro, Arléa, « L'Étrangère », 1993.

Le Locataire du troisième sur cour et autres histoires, trad. M. Beerblock, Arléa, « L'Étrangère », 2002.

Les Miens et moi, trad. M. Beerblock, Arléa, « L'Étrangère », 2002.

Pensées paresseuses d'un paresseux, trad. E. Pierrat et C. Pinganaud, Arléa, « L'Étrangère », 1991.

Pensées paresseuses d'un paresseux, trad. C. Arnaud, présenté par Claro, GF-Flammarion, 2014.

Trois Hommes en balade, trad. G. Seligmann, Marabout, 1959.

Trois Hommes sur un vélo, trad. C. Pinganaud, Arléa, 1997.

Ouvrages généraux
portant sur Jerome K. Jerome

Browning, D.C., Introduction to *Three Men in a Boat*, New York, Dutton, 1957.

Connolly, Joseph, *Jerome K. Jerome : A Critical Biography*, Londres, Orbis, 1982.

De Vries, Peter, Introduction to *Three Men in a Boat*, Alexandria, Time-Life Books, 1981.

Faurot, Ruth Marie, *Jerome K. Jerome*, New York, Twayne, 1974.

Faurot, Ruth Marie, « Jerome K. Jerome », in *Dictionary of Literary Biography*, vol. 34 : *British Novelists (1890-1929). Traditionalists*, Thomas F. Staley (dir.), Détroit, Gale Research, 1984.

Jerome, Jerome K., *My Life and Time*, Londres, Hodder & Stoughton, 1926.

Moss, Alfred, *Jerome K. Jerome : His Life and Work*, Londres, Selwyn & Blount, 1928.

Oulton, Carolyn, *Below the Fairy City : A Life of Jerome K. Jerome*, Brighton, Victorian Secrets, 2012.

Ouvrages portant sur l'Angleterre
de Jerome K. Jerome

Bédarida, François, *La Société anglaise du milieu du XIXᵉ siècle à nos jours (1851-1975)*, Seuil, « Histoire », 1990.

Bédarida, François, *L'Ère victorienne*, PUF, « Que sais-je ? », 1997.

Bolland, R.R., *Victorians on the Thames*, Tunbridge Wells, Midas Press, 1974.

Charlot, Monica et Marx, Roland, *La Société victorienne*, Armand Colin, 1978.

Monod, Sylvère, *Histoire de la littérature anglaise de Victoria à Élisabeth II*, Armand Colin, 1970.

Prichard, Mari et Carpenter, Humphrey, *A Thames Companion*, Oxford, Oxford University Press, 1981.

Priestley, J.B., *English Humour*, New York, Stein & Day, 1976.

Reader, W.J., *Life in Victorian England*, New York, Batsford, 1964.

Seaman, L.C.B., *Victorian England : Aspects of English and Imperial History, 1837-1901*, Londres, Methuen, 1973.

Adaptations de *Trois Hommes dans un bateau*

Three Men in a Boat, long métrage anglais de Challis Sanderson, 1920.

Three Men in a Boat, long métrage anglais de Graham Cutts, 1933.

Three Men in a Boat, long métrage anglais de Ken Annakin, 1956.

Three Men in a Boat, adaptation télévisuelle de Tom Stoppard et Stephen Frears pour la BBC, 1975.

Trois Hommes dans un bateau, adaptation théâtrale de Anca Visdei et Didier Lafaye, Art et Comédie, « Côté scène », 2001.

CHRONOLOGIE DE L'ŒUVRE

1885 : *On the Stage and Off — the Brief Career of a Wouldbe Actor (Sur scène et hors scène — la brève carrière d'un prétendu acteur)* (articles sur sa vie d'acteur qui parurent d'abord dans le journal *The Play*).

1886 : *Idle Thoughts of an Idle Fellow (Pensées futiles d'un oisif)* (essais humoristiques publiés d'abord dans le magazine *Home Chimes*).

1886 : *Barbara* (théâtre).

1888 : *Sunset (Coucher de soleil)* (théâtre).
Fennel (théâtre).
Woodbarrow Farm (théâtre).

1889 : *Stageland (Le Monde de la scène)* (souvenirs de théâtre).
Three Men in a Boat — To Say Nothing of the Dog! (Trois hommes dans un bateau — sans parler du chien!).

1890 : *New Lamps for Old.*

1891 : *Told After Supper (Raconté après souper)* (histoires de fantômes).
Diary of a Pilgrimage (Journal d'un pèlerinage) (récit de voyage).

1893 : *Novel Notes (Notes de roman)* (roman paru d'abord en feuilleton dans le magazine *The Idler*).

1894 : *John Ingerfield and Other Stories (John Ingerfield et autres nouvelles).*

1895 : *The Prude's Progress (La Carrière d'un pudibond)* (théâtre).

1897 : *Sketches in Lavender, Blue and Green (Esquisses en bleu, vert et lavande)* (nouvelles).

1898 : *Second Thoughts of an Idle Fellow* (*Nouvelles Pensées d'un oisif*).

1899 : *Miss Hobbs* (théâtre).

1900 : *Three Men on the Bummel* (*Trois hommes en balade*) (récit d'un voyage en Allemagne).

1901 : *The Observations of Henry* (nouvelles).

1902 : *Paul Kelver* (roman autobiographique).

1903 : *Tea Table Talk* (*Propos autour d'une tasse de thé*) (essais).

1904 : *Tommy and Co* (roman).

1905 : *Idle Ideas in 1905* (*Idées futiles en 1905*).

1907 : *The Passing of the Third Floor Back and Other Stories* (*Le Pensionnaire du troisième étage et autres nouvelles*).

1908 : *Fanny and the Servant Problem* (*Fanny et le problème des domestiques*) (théâtre).
The Angel and the Author (*L'Ange et l'Auteur*).

1909 : *They and I* (*Eux et moi*) (roman autobiographique).

1910 : *The Passing of the Third Floor Back* (*Le Pensionnaire du troisième étage*) (théâtre).

1911 : *The Master of Mrs. Chilvers* (*Le Maître de Mrs. Chilvers*) (théâtre).

1914 : *The Great Gamble* (*Le Grand Pari*) (théâtre).
Robina in Search of a Husband (*Robina en quête d'un mari*) (théâtre).

1916 : *Malvina of Britanny* (*Malvina de Bretagne*) (roman).

1919 : *All Roads Lead to Calvary* (*Toutes les routes mènent au Calvaire*) (roman).

1923 : *Anthony John* (biographie).

1926 : *My Life and Times* (*Ma vie et mon époque*) (autobiographie).
The Celebrity (théâtre).

1927 : *The Soul of Nicholas Snyders* (*L'Ame de Nicholas Snyders*) (théâtre).

CHRONOLOGIE

1859 : Le 2 mai, naissance de Jerome Klapka Jerome à Walsall dans le Staffordshire. Son second prénom vient de George Klapka, un général hongrois en exil ami de sa famille. Il est le dernier de quatre enfants. Il gardera un souvenir plutôt lugubre de Walsall dont il dira plus tard : « des rivières noires coulent entre des berges noires, des arbres noirs rabougris poussent dans des champs noirs ».

1862 : Son père, qui avait acheté des mines de charbon, est ruiné et emmène la famille à Londres où il se reconvertit dans la quincaillerie en gros. Ils habitent dans l'East End, dans le quartier de Poplar, près de Limehouse. Le nouveau décor apparaît à J.K.J. tout aussi triste que le précédent : « L'effrayant silence des rues fatiguées. Les visages cendreux aux yeux sans vie qui surgissent des ténèbres et disparaissent. » Il découvre aussi la Tamise toute proche sous son aspect le plus sale.

1869 : Il entre à Marylebone Grammar School. Il s'y ennuie et a l'impression qu'on lui enseigne des choses inutiles. Il dira plus tard que « ce qu'un jeune garçon apprend en six ans à l'école, il pourrait, avec l'aide d'un libraire intelligent, l'apprendre chez lui en six mois ».

1871 : Mort de son père.

1873 : Il quitte l'école et devient employé au bureau des billets de la compagnie des Chemins de Fer de Londres et du Nord-Ouest à la gare Euston à Londres. Il gagne 10 shillings par semaine et vit dans un logement pauvre. Il lit beaucoup au British Museum et fait des heures supplémentaires pour s'acheter des billets de théâtre.

1874 : Mort de sa mère. Sa sœur aînée étant partie vivre dans le nord, il se retrouve complètement seul à Londres : « Ma pauvreté augmentait ma timidité. J'ai l'impression d'avoir été toujours en mouvement, espérant, j'imagine, échapper à la solitude. » Après avoir travaillé pendant une courte période comme instituteur, il se met à faire du théâtre amateur et à jouer des rôles de figurant.

1876-1878 : Il parcourt l'Angleterre avec de petites troupes de théâtre, jouant dans des salles minables devant un public indifférent, jamais sûr de trouver un toit pour la nuit. Il se familiarise avec pratiquement tous les rôles du répertoire : « J'ai joué tous les rôles dans *Hamlet* sauf Ophélie. »

1878-1884 : Il abandonne le théâtre et se retrouve sans le sou. Il travaille comme secrétaire successivement chez un entrepreneur en bâtiment, un agent de change et un notaire, tout en faisant du journalisme indépendant.

1884 : Il fait la rencontre de George Wingrave qui sera le modèle du personnage de George dans *Trois hommes dans un bateau*.

1885 : Il rassemble divers articles sur le théâtre qui, à sa grande surprise, sont acceptés par le magazine *The Play*, puis publiés en livre sous le titre *On the Stage and Off — the Brief Career of a Woulbe Actor* (*Sur Scène et Hors Scène — la brève carrière d'un prétendu acteur*). L'ouvrage lui rapporte cinq livres et le fait connaître.

1886 : Il publie un recueil d'essais humoristiques *Idle Thoughts of an Idle Fellow* (*Pensées oisives d'un oisif*) qui se vend très bien. Il se met à écrire régulièrement une chronique d'échos dans le magazine *Home Chimes*. Sa première pièce, *Barbara*, est acceptée et montée au Globe Theatre. Il devient membre d'un groupe de discussion sur le théâtre, *The Old Vagabond Club*, qui invite des acteurs célèbres comme Sarah Bernhardt et Sir Henry Irving. Il écrit dans la revue du club, *The Playgoer* (*L'Amateur de théâtre*), des articles sur le théâtre qu'il publiera ensuite sous le titre *Stageland* (*Le Monde de la scène*).

1887 : Il fait la connaissance du photographe d'origine polonaise Carl Hentschel qui sera le modèle de Harris, le troisième protagoniste de *Trois hommes dans un bateau*. Jerome, Wingrave et Hentschel prennent l'habitude de partir en train pour Kingston le dimanche matin et de passer la journée à faire du bateau sur la Tamise.

1888 : Mariage avec Georgina Henrietta Stanley dont il aura une fille. Ils passent leur lune de miel en bateau sur la Tamise. C'est en rentrant à Londres que J. K. Jerome commence à écrire un livre qu'il conçoit comme une célébration de la Tamise.

1889 : Publication de *Three Men in a Boat — To Say Nothing of the Dog ! (Trois hommes dans un bateau — sans parler du chien !)*. L'ouvrage paraît d'abord en feuilleton dans le magazine *Home Chimes* sous le titre *The Story of the Thames (L'Histoire de la Tamise)*, mais le directeur du journal coupe une bonne partie des passages descriptifs et historiques. C'est sous cette forme condensée, et avec un nouveau titre, que le livre va paraître en volume séparé. Le succès est énorme. Plus d'un million d'exemplaires pirates seront vendus aux Etats-Unis. Il y aura aussi de nombreuses éditions pirates en Russie contre lesquelles J.K.J. s'insurgera en 1902 dans une lettre au *Times*.

1891 : Il fait un voyage à Oberammergau en Bavière pour y voir le spectacle du Mystère de la Passion. Il en fait ensuite un récit dans *Diary of a Pilgrimage (Journal d'un pèlerinage)*.

1892 : Il fonde avec Robert Barr et George Brown Burgin le magazine mensuel *The Idler* dont il devient codirecteur et qui durera jusqu'en 1911. Il publiera des nouvelles de Mark Twain, Bret Harte et W. W. Jacobs. Il crée aussi le *Idlers' Club* et organise chaque mois des rencontres autour d'une tasse de thé entre les directeurs de la revue et les auteurs qu'ils publient, pratique qui est considérée à l'époque comme une innovation.

1893 : Il fonde son propre hebdomadaire, *To-Day*, dans lequel il publie en feuilleton le récit de Stevenson *Ebb-Tide (Le Creux de la vague)*. Il sera plus tard obligé de vendre les deux journaux à la suite d'un procès qui lui coûtera 9 000 livres en frais de justice.

1900 : Sa pièce *Miss Hobbs* est un grand succès. Après un séjour en Allemagne il publie *Three Men on the Bummel (Trois hommes en balade)* où l'on retrouve les trois héros de *Trois hommes dans un bateau*, cette fois en voyage Outre-Rhin. Le livre aura un énorme succès en Allemagne où il sera adopté comme manuel d'anglais dans certaines écoles et où se crée un *Jeromian Club*.

1902 : Publication de *Paul Kelver*, long roman autobiographique dont il dira que c'est sa meilleure œuvre. Le *Times*

Literary Supplement publie un compte rendu très élogieux et J.K.J. se voit enfin reconnu par la critique qui l'avait jusque-là boudé.

1907 : *The Passing of the Third Floor Back* (*Le Pensionnaire du troisième étage*), allégorie morale, sera son plus grand succès au théâtre et sera joué pendant sept ans d'affilée en Angleterre et aux Etats-Unis.

1911 : *The Master of Mrs. Chilvers* (*Le Maître de Mrs. Chilvers*), pièce sur la question du vote des femmes.

1914-1918 : Au début de la guerre il se dissocie de la campagne d'écrivains comme Rudyard Kipling et H. G. Wells contre les atrocités allemandes, et devient lui-même la cible d'une campagne de presse. Malgré cela il est envoyé aux Etats-Unis par le gouvernement anglais pour pousser les Américains à participer à l'effort de guerre britannique. A son retour, il veut s'engager mais on le refuse à cause de son âge. Il rejoint alors la Croix-Rouge française et sert en France comme ambulancier.

1920 : Première adaptation cinématographique de *Trois hommes dans un bateau* avec Lionel Howard, Johnny Butt et H. Manning Haynes.

1926 : Publication de son autobiographie *My Life and Times* (*Ma vie et mon époque*), dans laquelle on trouve des souvenirs émouvants de la pauvreté qui entoura son enfance à Londres.

1927 : Alors qu'il voyage en Angleterre, il est frappé par une hémorragie cérébrale et meurt le 14 juin à l'hôpital de Northampton. Il est enterré dans le village de Ewelm dans l'Oxfordshire.

1933 : Deuxième adaptation cinématographique de *Trois hommes dans un bateau* avec William Austin, Edmond Breon et Billy Milton.

1956 : Troisième adaptation cinématographique de *Trois hommes dans un bateau* avec Laurence Harvey, Jimmy Edwards et David Tomlinson.

1975 : Adaptation télévisée de *Trois hommes dans un bateau* pour la BBC par l'auteur dramatique Tom Stoppard, avec Tim Curry, Stephen Moore et Michael Palin.

1981 : Adaptation théâtrale de *Trois hommes dans un bateau* présentée sous la forme d'un *one man show* par Jeremy Nicholas au Mayfair Theatre à Londres.

TABLE

GF Flammarion

251340-I-2021 – Impression MAURY IMPRIMEUR, 45330 Malesherbes.
N° d'édition L.01EHPN000740.A004 – Septembre 2017 – Printed in France.